EDUCAÇÃO FAMILIAR E ESCOLAR PARA O TERCEIRO MILÊNIO

Dados Internacionais de Catalogação na Publicação (CIP)
(Câmara Brasileira do Livro, SP, Brasil)

Gaiarsa, José Ângelo, 1920.
　　Educação familiar e escolar para o terceiro milênio /
J. A. Gaiarsa. São Paulo: Ágora, 2008.

　　Bibliografia.
　　ISBN 978-85-7183-056-1

　　1. Aprendizagem - Aspectos fisiológicos 2. Educação
3. Educação - Aspectos psicológicos 4. Educação - Aspectos
sociais 5. Personalidade 6. Psicanálise I. Título.

08-08043   　　　　　　　　　　　　　　　　　　　CDD-370.15

Índice para catálogo sistemático:
1. Educação familiar e escolar: Psicologia 370.15

Compre em lugar de fotocopiar.
Cada real que você dá por um livro recompensa seus autores
e os convida a produzir mais sobre o tema;
incentiva seus editores a encomendar, traduzir e publicar
outras obras sobre o assunto;
e paga aos livreiros por estocar e levar até você livros
para a sua informação e o seu entretenimento.
Cada real que você dá pela fotocópia não autorizada de um livro
financia o crime
e ajuda a matar a produção intelectual de seu país.

J. A. Gaiarsa

EDUCAÇÃO FAMILIAR E ESCOLAR PARA O TERCEIRO MILÊNIO

EDITORA
ÁGORA

EDUCAÇÃO FAMILIAR E ESCOLAR PARA O TERCEIRO MILÊNIO
Copyright © 2008 by José Angelo Gaiarsa
Direitos desta edição reservados por Summus Editorial

Editora executiva: **Soraia Bini Cury**
Assistentes editoriais: **Bibiana Leme e Martha Lopes**
Capa: **Buono Disegno**
Foto do autor na orelha: **Stefan Patay**
Projeto gráfico e diagramação: **Crayon Editorial**
Impressão: **Sumago Gráfica Editorial**

Editora Ágora
Departamento editorial:
Rua Itapicuru, 613 – 7º andar
05006-000 – São Paulo – SP
Fone: (11) 3872-3322
Fax: (11) 3872-7476
http://www.editoraagora.com.br
e-mail: agora@editoraagora.com.br

Atendimento ao consumidor:
Summus Editorial
Fone: (11) 3865-9890

Vendas por atacado:
Fone: (11) 3873-8638
Fax: (11) 3873-7085
e-mail: vendas@summus.com.br

Impresso no Brasil

Prefácio

As pessoas já têm mil noções feitas – bem antigas! – com relação à palavra "educação".

Os pais e a escola têm de ensinar para as crianças, em palavras e só com palavras, quase tudo sobre os conhecimentos dos adultos e sobre a "boa educação" (de comportamento).

Educar é falar, explicar, justificar, aconselhar e demonstrar em palavras. E parece evidente para quase todos (!): a criança só começa a "ter cabeça" para aprender lá pelos 5 ou 6 anos. Antes disso, coitadinha, ela é quase uma débil mental – não sabe nada, não compreende nada... Tão inocente! (Na verdade, ela não compreende os adultos, que a compreendem menos ainda!)

O corpo, os movimentos, a visão e o próprio cérebro são ignorados pela Pedagogia e pela Família.

Criança é um puro espírito que fala e brinca, mais nada.

Dir-se-ia que existem no cérebro da criança só as pequenas áreas ligadas à fala.

Tudo isso é estranhíssimo, mas, como sempre se falou assim durante... milênios, a maior parte das pessoas não é capaz de perceber o absurdo nem pensar em outras possibilidades.

Este livro mostra – e demonstra – que o período em que a criança é "mais inteligente" (aprende depressa tudo que se queira ensinar a ela) vai do nascimento até mais ou menos os 6 anos de idade.

A fim de auxiliar o leitor a se familiarizar com essa idéia bem incomum, lembro alguns fatos elementares da Biologia.

Entre os mamíferos que vivem algumas dezenas de anos, a fêmea tem um filho a cada 5 anos, mais ou menos. Ele a acompanha, mama, aprende com ela e é protegido por ela. Exemplos: chimpanzés, golfinhos, baleias e nós!

Durante esse tempo, ela não é procurada por machos, não é fecunda – é apenas mãe e vive literalmente em função do filhote, podendo até, ao defendê-lo, morrer por ele.

Sabedoria da Natureza – claro. Esses grandes animais – na certa os mais inteligentes – têm muito mais a aprender em sua longa vida do que os de vida breve. Já os ratos, por exemplo, vivem poucos anos, têm ninhadas a cada semestre ou menos e aprendem apenas o necessário para continuar vivendo.

No meu tempo (primeira metade do século XX), sabia-se que durante a lactação a gravidez era improvável, e muitas mulheres mantinham a criança ao seio até que ela tivesse 3 ou 4 anos a fim de gozar dessa... regalia. Não era tão seguro quanto as pílulas, mas funcionava a maior parte das vezes. E, por menos que nos agrade admitir, depois do parto a mulher, durante um bom tempo, tem bem pouco interesse em relações sexuais. Como se vê, comportamento de mamífero que vive dezenas de anos.

Voltemos: à luz disso, não é de estranhar se dissermos (como está no meio deste livro) que a criança aprende mais nos 5 ou 6 primeiros anos de idade do que aprenderá em todo o resto da vida.

Isso se soubermos aproveitar. Repito: se começarmos a acreditar e a aproveitar. Principalmente se soubermos renunciar a nosso orgulho de adultos, reconhecendo que nossa missão mais alta é esta: preparar nossas crianças melhor do que fomos preparados, para um mundo que já é por demais diferente daquele em que nascemos.

Mais: este livro sobre educação tem muitas e muitas páginas sobre a fisiologia da motricidade (os movimentos do corpo), sobre a visão, a respiração, o cérebro e sua circulação sanguínea.

De novo, o leitor ficará perplexo: o que tem o corpo – afinal – que ver com a inteligência? Desde sempre nos foi dito que corpo e alma são diferentes, que a alma (ou o espírito) é muito superior à carne e que basta cultivar a inteligência – basta saber falar! – e o corpo comportar-se-á como deve.

Você vai ler muito a respeito desse corpo malvisto, mal compreendido e maltratado. E vai começar a perceber o preço pessoal e social dessa omissão. Espero que você tenha coragem de ir até o fim...

Expondo noções muito novas e complexas, nem sempre conseguirei ser tão claro quanto gostaria. Espero que você compreenda.

PRIMEIRA PARTE

NOSSO TEMA

Estão ocorrendo no mundo, atualmente, três revoluções à primeira vista independentes, as três exigindo revisão radical da noção de educação seja ela familiar, escolar ou – na falta de termo adequado – psicológica visando à formação da personalidade.

A mais falada e a mais evidente é a que se liga à eletrônica, à extensão ilimitada da comunicação mundial instantânea, à internet. O potencial revolucionário desta tecnologia (globalização) mal começa a ser compreendido – em particular, seu efeito sobre as novas gerações e sobre a economia mundial. Adiante direi alguma coisa sobre ela também.

No caso da segunda, proponho incluir, sob o termo "educação", tudo que a psicoterapia vem deslindando tanto na área psicológica quanto na área social e médica: como a sociedade modela a personalidade e como a personalidade contribui para manter a sociedade. De modo especial, o que vem sendo deslindado em relação à influência do corpo sobre as funções mentais e à influência dos problemas mentais e emocionais sobre o corpo – e por meio dele sobre a sociedade!

A terceira, da qual vamos cuidar em primeiro lugar e bem extensamente, diz respeito à mais radical revolução pedagógica jamais havida ou sonhada em toda a história da humanidade.

Até hoje, acreditou-se que o ser humano nasce com aptidões mínimas de aprendizado, completamente ignorante e impotente, e só vai se tornando capaz de aprender por volta dos 4 ou 5 anos, à medida que consegue lidar melhor com as palavras (os conselhos, as explicações e os conhecimentos dos adultos). Só então ele passa a ser considerado candidato à socialização e... digno de ser aceito na escola, para aprender o que os adultos julgam importante.

A ser verdade o que aí está, esbarramos em uma enorme limitação da educação: a de que o principal da atividade escolar refere-se ao aprendizado do que pode ser dito, posto em palavras, falado, rememorado e... re-falado. O aluno terá de ouvir (querendo ou não!), e espera-se que guarde mil noções sobre geografia, história, matemática, gramática e demais "matérias" do aprendizado básico.

No entanto, dados que já datam de cinco decênios, provenientes do estudo com centenas de milhares de crianças, desde lesionados cerebrais graves até crianças normais de todo o mundo, demonstram, além de qualquer dúvida razoável, **que é desde o nascimento até os 6 anos de idade que a criança apresenta sua maior capacidade de aprender. Essa constatação funda-se em outra: é nesse período que o cérebro passa pela maior parte de seu desenvolvimento.** A partir daí, essas duas capacidades vão se reduzindo consideravelmente.

Os três fundamentos da revolução pedagógica são:

1 aprender vai muito além das palavras;
2 todas as crianças nascem gênios em potencial;
3 é também na infância que se plantam na personalidade (no cérebro) as raízes da maior parte das perturbações mentais, psiconeuróticas e psicossomáticas de que os seres humanos podem sofrer.

De longa data acredita-se que o cérebro seja importante para o aprendizado em geral. No entanto, não sei de nenhum texto pedagógico que tente ligar de modo consistente aprendizado e cérebro. Piaget disse alguma coisa, apenas um começo.

Nos estudos que vamos apresentar e comentar aconselha-se a que sejam dedicadas muitas horas ao desenvolvimento cuidadoso da *motricidade e da visão*, funções que ocupam a maior parte da massa encefálica e sobre as quais pouco se fala na educação escolar, na educação familiar ou na psicologia.

À primeira vista, essas funções têm bem pouco de intelectuais!

Mais de dois terços da massa nervosa do cérebro servem "apenas" *aos movimentos* do corpo, e um terço do córtex cerebral serve "apenas" *à visão*. Será que três quintos do cérebro podem ser omitidos quando se cuida de educação? Da formação da personalidade?

Crianças de dias, meses e poucos anos de idade manifestam facilidade excepcional em desenvolver competências motoras, sensoriais e intelectuais acima de tudo que se poderia imaginar.

Mas essas aptidões só se desenvolverão quando se der à criança uma atenção cuidadosa, persistente, sistemática, amorosa e esclarecida, com propósitos bem definidos – conforme será ilustrado no texto a seguir. Caso contrário, deixando o desenvolvimento da criança ao acaso ou apenas seguindo os costumes tradicionais, ela se tornará... normal (!), isto é, semelhante aos adultos que a cercam, dando seguimento à nossa triste história (como adiante se recorda). Continuando, ao mesmo tempo, a reproduzir as psicopatias existentes.

A exposição feita até aqui pretende deixar tão claro quanto possível que podemos nos tornar os agentes da mais fantástica revolução pedagógica – e social – jamais sonhada por alguém, ou já acontecida em nossa história.

Sem matar ninguém.

Sem explorar nem oprimir ninguém.

> **Resumindo: a criança aprende muito desde que nasce até os 6 anos de idade. A palavra está muito longe de ser o principal da educação, e a atenção inteligente dedicada à criança permitirá que seu cérebro alcance tudo que já se imaginou de melhor para ela (a criança), para ele (o cérebro) e para nós (humanidade).**

Enfim, é preciso considerar que, ao dar essa atenção esclarecida à criança, estamos realizando a mais alta missão biológica que os seres humanos podem cumprir: melhorar nossa espécie, preparar a criança para que ela seja capaz de conceber um futuro melhor e cultivar até seu limite o órgão mais complexo já criado pela natureza – o cérebro.

Trata-se de preparar o futuro da humanidade e até do planeta, seriamente prejudicado por nossos sagrados costumes e valores tradicionais... crônicos! Levando em conta todos os desmandos, mentiras, loucuras, abusos e violência que constituem a história da... civilização passada e presente da humanidade, tudo feito por nós adultos, podemos sonhar: dedicando-nos à criança, talvez nos seja dado criar, neste início do terceiro milênio, uma primeira geração deveras humana, capaz de realizar todos os melhores sonhos já sonhados por nossa espécie desde o começo dos tempos... Sempre sonhados e apenas sonhados...

O "homem novo", que se esperava a partir do Novo Testamento, é líquido e certo que ainda não nasceu...

Nem com a intervenção direta da Divindade (como se acredita) aprendemos a viver como seria desejável – e talvez possível. Está em nós, agora, começar a fazer que nasça.

É até fácil, bonito, barato – e divertido!

Crianças são encantadoras!

Formoso mito: o Homem Velho fazendo nascer a Nova Criança.

O Velho Patriarca, Jeová, debruçando-se sobre o berço de Jesus Menino...

Que o destruirá.

Amém – e Aleluia!

REDUNDÂNCIAS NO TEXTO

São muitas. Preciso justificá-las a fim de que o leitor não se aborreça demais!

Algumas afirmações ou teses inteiras têm fundamentos importantes, mas são pouco conhecidas e uma única explanação correria o risco de ser "apagada" da mente do leitor logo nas páginas seguintes, prejudicando a inteireza e a continuidade dos argumentos.

A maior parte dos temas sobre pedagogia tratados aqui está lamentavelmente ausente de quase todos os livros dessa área...

Destaco a crítica sistemática que faço às palavras, das quais quase todos abusam e bem poucos se dão conta da incerteza de que estão cercadas e dos mal-entendidos que propagam.

Saliento também a ênfase dada ao cérebro e, em relação a ele, ao muito que se diz – e se repete – neste livro sobre a importância da motricidade e da visão na formação da personalidade. (O corpo é totalmente ignorado quando se fala em psicologia e em educação.)

Afinal, o cérebro faz ou não parte da personalidade?

E, falando em cérebro, ele é quase todo feito para cuidar do corpo; e, se o corpo não for importante, o cérebro (a "mente") será... inútil.

Insiste-se muito sobre a comunicação corporal (ou não-verbal), tema central quando consideramos relações pessoais, familiares, pedagógicas – e sociais. Enfim, o texto critica duramente a educação familiar, sempre bem falada e nunca bem cuidada. A massa de preconceitos idealizados sobre ela torna nove de cada dez pessoas cegas a suas deficiências, mesmo que se esteja cansado de saber que é aí, na família, que começa e acontece o principal da educação. De tudo de bom – e de mal!

Mas antecipo: a reforma proposta será impossível sem a cooperação da família, principalmente da mãe!

Em função dessas críticas, tenho como certo que muitos leitores ficarão incomodados, aborrecidos ou indignados com minha insistência. Porém, ignorar a família em pedagogia é tão grave quanto ignorar o cérebro!

Quanto a "provar" minha competência em abordar tantos assuntos, apelo às três dezenas de livros publicados sobre questões humanas, cada um deles com extensa bibliografia, e ao meu meio século como psicoterapeuta, conhecedor de quase todas as teorias psicológicas do século XX, com participação em congressos e orientação de grupos de estudo.

Notar: a psicoterapia demonstra, além de qualquer outra prova, a gritante falta de educação, ou má educação, da maior parte da população – inclusive da mais favorecida economicamente. Prova, também, a origem familiar de tantos males e sofrimentos das pessoas.

Se são tais as conseqüências das dificuldades familiares para as classes economicamente mais favorecidas, imagine para as menos favorecidas (a maior parte das crianças que freqüenta a escola pública).

A REVOLUÇÃO SOCIAL CONSEQÜENTE

Caso a chamada Revolução Gentil (v.i.), dependente da educação, ganhe impulso e se generalize, podemos esperar a Revolução Social conseqüente, pacífica, radical, um bom recomeço para a Velha Humanidade. Genericamente, a queda do autoritarismo (do patriarcalismo), do capitalismo, do consumismo, do desenvolvimento cego da tecnologia e da formação de uma nova família bem pouco parecida com a que conhecemos e bem próxima daquela com a qual sempre sonhamos.

Será essencial – e isto é o mais difícil do sonho! – reorganizar um Ministério da Educação que seja verdadeiramente isso mesmo, promotor de uma educação coletiva, desde o berço! Inclusive dos pais e da família.

Enfim, podemos esperar também a eliminação dos numerosos distúrbios de personalidade, hoje tão comuns, que atingem um número cada vez maior de pessoas.

ACRÉSCIMOS

Deixarei de lado a maior parte das críticas ao sistema escolar vigente – na verdade, modelo acabado de anacronismo, soma de atividades cujo efeito é o contrário do que se pretende, como se dirá. Se o leitor quiser saber dessas críticas, deve consultar meu livro *Sobre uma escola para o novo homem* (São Paulo, Ágora, 2007), redigido antes que chegassem ao meu conhecimento as propostas dos Institutos para o desenvolvimento do potencial humano, tema dominante do presente texto.

A mais: os citados Institutos deixaram quase que totalmente à parte as conseqüências psicológicas e sociais de sua proposta – que são momentosas – tanto para a psicologia quanto para a sociologia. Procurei complementar, com o que me cabe, esses aspectos do trabalho sociopedagógico dos Institutos.

Como médico psicoterapeuta durante meio século, pude formar opinião em relação a todas as deficiências da educação familiar e escolar, assim como de tudo que foi sendo pensado, tentado e estabelecido por várias dessas teorias e técnicas sobre a formação – e as deformações – da personalidade.

Neste livro, proponho uma educação social e psicológica e/ou uma formação integral da personalidade – corporal (motora), afetiva, intelectual e social.

A EDUCAÇÃO NO MUNDO
PANORÂMICA SOCIOLÓGICA

Talvez não esteja mais em nós educar nossos filhos, isto é, procurar passar a eles o que acreditamos ser nossa experiência de vida, nossa cultura, nossos valores e significados tradicionais.

"Nosso mundo" significa, neste texto, dos maiores de 30 anos, e "crianças" refere-se àqueles com até 20 anos. Entre esses dois mundos, a distância tornou-se incomensurável – não tem mais medida comum. Estamos chegando bem perto de ser duas espécies diferentes!

Quanto menos tentarmos ensinar a eles, tanto melhor. Podemos continuar a amá-los – e isso é fundamental. Mas querer ensinar a eles "como é a realidade", "o que é certo" e "o que é errado" é temerário.

Primeiro, porque eles mal e mal nos ouvem – seja no lar, seja na escola. Estão aprendendo a fazer conosco o que até hoje fizemos com eles... Em nenhum Ministério de Educação do mundo existem crianças para dizer o que elas gostariam de aprender.

Segundo, porque neste último meio século a humanidade vem atravessando a maior revolução de toda sua história – passando da velocidade da locomotiva a vapor (150 km/h) para a do avião (1.000 km/h e unidirecional), chegando à velocidade das ondas eletromagnéticas (300 mil km/s, em todas as direções)...

Outro modo de resumir o que, na verdade, é impossível de resumir seria: neste pequeno objeto sem fio (cada vez menor) que levamos no bolso, ainda chamado de telefone celular, estão reunidas muito mais – deveras mais – funções do que todas as que no passado eram atribuídas ao anjo da guarda. Tanto para nos auxiliar quanto para nos vigiar, denunciar, controlar e localizar...

Sem fio algum, sem conexão concreta com nada.

Puros espíritos – benfazejos e malfazejos... Levados no bolso!

Enfim, porque desde o começo da história dos Impérios (digamos 8000 anos a.C.) até o presente, incluindo o colonialismo nem tão antigo e, finalmente, abrindo qualquer jornal de hoje em qualquer página, obtemos um retrato deveras terrível da humanidade. Guerras sem fim, assaltos coletivos subseqüentemente glorificados nas escolas, pelos livros de história, pelo cinema...

O do lado de cá é sempre genial e o do lado de lá, sempre um psicopata perigoso.

O Período Heróico (Grécia *versus* Pérsia): heróico é se entrematar, às dezenas ou centenas de milhares, destruir, escravizar, estuprar, roubar, torturar.

O "Grande" Alexandre, a "Grande" Roma, o "Grande" Gêngis Khan, o "Grande" Napoleão...

Por que não o "Grande" Hitler?

O "Grande" Stalin?

As "Grandes" Forças Armadas norte-americanas?

A "Grande" indústria bélica do mundo?

Grandes adjetivos para "justificar", em solenes discursos e gloriosos relatos históricos, os intermináveis atos de barbárie coletiva e seu monstruoso cortejo de horrores, de atrocidades e de sofrimentos para milhões de seres humanos.

A história não tem compaixão. Por isso Buda falou a respeito.

A história só tem glória.

Inclusive tantas guerras "em nome de Deus" (do Deus de cada povo ou de cada época histórica), sem que nenhum livro ou aula de história faça a menor alusão à monstruosidade ideológica implícita nessas atrocidades.

Que Deuses são os nossos – ou como imaginamos que Eles sejam – para matarmos nossos irmãos em Seu nome, não apenas de consciência limpa como, ainda, glorificando o feito hediondo? Terá Jeová nos feito "à sua imagem e semelhança" ou nós o fizemos "à nossa imagem e semelhança"?

Para completar a lista de nossos tradicionais valores e significados, convém acrescentar: atualmente, os melhores negócios do mundo se referem à pesquisa científica ligada à indústria, ao comércio e ao contrabando de armas – o melhor negócio do mundo é matar gente. Depois vêm os tóxicos, inclusive as toneladas de psicotrópicos vendidos legalmente nas farmácias, sem contar o álcool. A seguir, aparece o petróleo e, por fim, a prostituição.

Em relação ao petróleo, são bem sabidas as guerras (as matanças) implacáveis – e intermináveis – que estão acontecendo em torno dele e a profunda influência destas na economia mundial, isto é, no bolso e na vida de cada um de nós.

O que sucedeu até hoje com a humanidade – o que nós adultos fizemos, ou não impedimos, ou aceitamos – não é nada animador nem capaz de despertar orgulho ou esperanças em nós, que nos consideramos conscientes, responsáveis, bem informados, conhecedores da realidade. "Normais", em suma!

No entanto, praticamente todo o sistema educacional do mundo baseia-se na noção implícita de que nós adultos temos muito o que ensinar de bom, sábio e digno a nossos filhos.

É bom determo-nos um pouco sobre esse paradoxo e nos perguntar, a sério: **será que temos mesmo o que ensinar a nossos filhos?**

Será que é bom tentar transmitir a eles os nossos assim chamados sagrados valores tradicionais, todos eles coniventes e cúmplices de todas as negociatas e crueldades do mundo, por força das quais, hoje, aumenta progressivamente o número de pessoas cada vez mais ricas, assim como o de pessoas cada vez mais pobres?

Duas humanidades, ou uma humanidade e muitas desumanidades...

E hoje é apenas um exagero de ontem – e de sempre.

Desde sempre houve e continua havendo, em todas as sociedades, 5% de ricos e poderosos, 25% de "classe média" (dependente dos primeiros) e 70% de operários, camponeses, soldados rasos, pobres e escravos... Salário mínimo – ou nenhum.

Ainda dominante, a linha de montagem de hoje – forma moderna de escravidão – é pior do que a antiga ao limitar o cérebro a um bilionésimo de sua capacidade.

Um cérebro de minhoca seria mais do que suficiente – se ela tivesse mãos! Que as minhocas não se ofendam! Poucos sabem o quanto elas fizeram por nós ao fecundar toda a terra...

As atuais dificuldades escolares e familiares não terão nada que ver com esses fatos que, gradativamente, por força da mídia (a TV, em particular), estão se tornando conhecidos por um número cada vez maior de pessoas, inclusive crianças e jovens? Será a descrença e a rebeldia dos jovens em relação ao Velho Mundo de seus... maiores (serão maiores?) uma questão de hormônios da adolescência, que logo mais passará, assim que eles se façam adultos e encontrem seu lugar no mundo?

Neste mundo?

Alguém sabe o lugar que ocupa?

Essa descrença, esse "desrespeito" dos jovens, será injustificada? O que nós adultos estamos fazendo com o planeta e que mundo vamos deixar para eles?

Haverá um mundo para eles?

Penso – você sabe (você sabe!) – na depredação do planeta, nas montanhas de lixo, na extinção acelerada de espécies, no envenenamento da atmosfera, nas extensões infinitas de monoculturas, na degradação descontrolada do mar, na aceleração delirante da pesquisa e da produção de novidades, ao mesmo tempo estimulando e estimuladas pelo consumismo sem limites, sintoma gritante de nosso infinito descontentamento. E tudo sempre anunciado com grandes palavras elogiosas, como progresso maravilhoso, como melhora na... qualidade de vida!

Você sabe (mentira solene!): todo o progresso da ciência e da eletrônica é conseqüência do profundo amor de todos os cientistas do mundo pela verdade dita objetiva, pelo sincero e desinteressado desejo de conhecer a enigmática realidade, do nobre mister de buscar a verdade a qualquer preço – e hoje esse preço é altíssimo!

Se depois a grande verdade descoberta pelos nobres cientistas é aproveitada pelos vendilhões das multinacionais ou pelos poderes secretos que nos governam, o nobre cientista nada tem que ver com isso, é claro!

Ele é inocente.

Ou inconsciente?

Ou impotente?

Enfim, o aquecimento global: sobrará planeta para nossos netos? Na verdade, pouco se fala dessas coisas na escola, mas agora tudo isso está na televisão – escola universal.

Tele-visão: ver longe, ver tudo.

Antigamente, só Deus estava "em todos os lugares". Hoje, onde quer que você esteja: "Sorria, você está sendo filmado", e será facilmente localizado. Todos os segredos e mistérios estão sendo revelados, acompanhados de grandes sorrisos, belas imagens, mulheres maravilhosas, músicas sugestivas e frases engenhosas.

Estamos indo para o inferno cantando e dançando! Alegremente!

Todos nós, os adultos conscientes, bem informados, honestos, acima de tudo dedicados a nossas famílias e a nossos queridos filhos...

"FAÇA-SE A LUZ"

PRIMEIRO ATO

No começo do século XX, a energia elétrica iniciou a iluminação do mundo – ao mesmo tempo, começava a fotografia e, logo depois, o cinema.

Começava o reino da visão – da luz!

Não mais a palavra divina, mas a própria luz.

Deus não é Luz?

Ou a luz é Deus?

Chega de ouvir.

Chega de palavras.

É preciso aprender a ver, porque o que se vê é muito, muito diferente do que se fala... E diferente do que foi escrito há três milênios.

No confuso das palavras passam sempre as mentiras estabelecidas. "Ensinar ecologia" é ensinar às crianças como cuidar dos bichinhos que estão desaparecendo – coitadinhos! E nada se diz sobre a espécie mais ameaçada de auto-extinção que somos nós, os... mestres, e principalmente as próprias crianças!

E não se deixa claro para as crianças que a culpa é nossa – de todos –, pois somos cooperativos em tudo e sempre, no bem e no mal, querendo ou sem querer, sabendo ou sem saber. Até sem querer saber!

Dizem os biólogos que até hoje existiram no planeta cem milhões de espécies vivas, das quais 99 milhões se extinguiram.

O planeta continuará, por mais mortífera que seja nossa influência. Mas a extinção de mais uma espécie – a nossa –, ainda que a mais promissora, pouco afetará o planeta, que não tem compaixão para com os... capitalistas (nem com seus filhos).

Podemos estar certos de que as crianças estão reagindo a tudo isso, mesmo sem consciência clara a respeito. E de que sua reação de rebeldia (e medo inconsciente), mais do que justificada, talvez seja até salvadora da espécie!

Diante desses fatos, em vez de continuar falando da autoridade e da "sabedoria" dos mais velhos (dos pais, dos professores, dos programas e dos Ministérios de Educação), seria melhor, na relação entre adultos e crianças, começar a adotar propostas assim:

- "somos todos (pais e filhos – e mães!) companheiros em permanente viagem rumo ao desconhecido" (Roberto Shinyashiki);
- vamos pensar em trocas de experiência em vez de tentar ensinar a nossos filhos "o que é certo" e "o que é errado";
- vamos dizer para eles, muitas e muitas vezes, "Não sei" e "O que você acha?";
- tentemos nos convencer de que elos pessoais verdadeiros só se estabelecem e se aprofundam quando conseguimos dar *atenção inteira* um ao outro – de ouvidos (palavras) e olhos igualmente atentos;
- convençamo-nos de que trocar essa "atenção inteira" é difícil, pois somos todos muito distraídos;
- e do quanto seria bom evitar pré-noções de superioridade preconceituosa, atitudes e maneiras autoritárias, de quem sabe como são as coisas, de pai, de mãe, de "mais velho", de professor, de senhor ministro. Elas só servem para provocar respostas de falsa submissão ou de rebeldia, de repulsa e protesto, em vez de aceitação.

Falo do que está acontecendo – nem mais nem menos. Falo do que se pode ver – e sentir –, não apenas do que se fala... Do que se fala, se fala, se fala...

EM DIREÇÃO A UMA PEDAGOGIA ESCLARECIDA (APRESENTANDO O CÉREBRO)

Buckminster Fuller, famoso arquiteto e amigo pessoal de Glenn Doman (adiante vamos conhecê-lo muito bem), resumiu: **"A natureza nos fez gênios e a sociedade (a educação) nos torna medíocres"**.

Glenn Doman repete: "Todas as crianças nascem potencialmente com a inteligência de Leonardo da Vinci" (e a "educação" as torna dependentes, submissas, pouco vivas e pouco inteligentes).

Bem pouco divulgado e comentado, o fato que mais me espantou no que se refere ao desenvolvimento do cérebro é este: **nascemos com cem bilhões de neurônios cada um (mais neurônios do que o número de árvores da floresta amazônica!) e, ao longo dos primeiros anos da vida, perdemos metade deles – por falta de função.**

É bem conhecido em biologia o processo de apoptose, morte celular por falta de uso. Todas as células do corpo levam escrito em seu DNA "Se você não tem o que fazer, mate-se", o que desencadeia no interior dessas células inúteis processos autodestrutivos. Elas morrem, se decompõem. Os resíduos são reaproveitados....

Já vi o fato (dos cem bilhões) citado em formas diferentes quatro ou cinco vezes. Alguns afirmam que acontece apenas na vida intra-uterina. Outros, eu inclusive, têm certeza de que o processo ocorre desde o nascimento e ao longo de toda a vida, conforme procurarei mostrar.

Uma explicação não exclui a outra.

"Educar", diz o texto erudito sobre pedagogia, "consiste em criar condições para que a criança desenvolva ao máximo todas as suas potencialidades". Sempre as palavras bonitas, repetidas sem reflexão e feitas para enganar – mesmo que a pessoa não tenha esse intenção!

Como se faz para desenvolver ao máximo as aptidões da criança?

Dizendo "Não"!

Em família, em todas as famílias, a palavra "não" é dita de dez a cinqüenta vezes por dia – no mundo inteiro!

Cada "não" produz uma parada de movimento (e do olhar), uma paralisação corporal, uma frustração emocional e um congelamento do interesse, da curiosidade, da busca, do desejo de experimentar. E uma onda de raiva, também contida, com um enrijecimento muscular difuso.

E logo a angústia de todos os leva a me perguntar/objetar, entre assustados e indignados: "Mas crianças não podem fazer tudo que querem. Seria uma anarquia!" Na verdade, ninguém sabe como seria porque nunca aconteceu. Seria difícil, porém, fazer um mundo pior do que o nosso. Não sei se ele merece ser conservado, ou defendido. Tampouco sei se o receio do adulto não é receio de si mesmo: o que ele faria se lhe fosse permitido realizar todos os seus desejos? Seria uma anarquia – pois não?

Trata-se de ótimas questões a serem propostas e debatidas em aula... Isso é que é estruturalismo!

De cada dez pessoas, nove têm lembranças desagradáveis da escola. Sentados duas horas e depois mais duas, ouvindo coisas bem pouco interessantes de um adulto via de regra bem pouco interessado... Este é o maior pecado que se pode cometer em educação, ou contra as crianças: pretender ensinar a alguém, em classes de trinta ou mais alunos, noções pelas quais eles não têm nenhum interesse. É uma tortura porque "dirigir a atenção" ("Menino, preste atenção!") é uma arte difícil.

Arte fácil quando há interesse, quase impossível quando não há.

A escola vale pelo recreio, pelas amizades, por um ou outro professor. Vale demais pelo início do relacionamento social.

Mas a escola mal fala disso!

Para nós, a criança "começará a aprender" ao entrar na escola – lá pelos 6 anos. Atualmente, no Brasil, são doze anos chamados pomposamente de ensino básico!

Se os professores (e o senhor Ministro) fossem submetidos a exames a fim de estabelecer quanto sabem do que o programa pretende ensinar, o resultado seria catastrófico. Se no início de cada ano se aplicasse aos alunos uma prova – digamos, de cem perguntas – sobre as matérias "aprendidas" no ano anterior, qual seria o resultado?

O que fica nas crianças é uma descrença e uma antipatia profundas pelo aprendizado, pela escola, pela inteligência, pela ciência, pela cultura, pela verdade... Até pela realidade (dos adultos)...

Quando é que os altos Ministérios da Educação começarão a se dar conta dessas coisas trágicas e da infinita perda de tempo e de recursos usados de forma tão absurdamente contraproducente?

Por que o Ministério não pede a opinião – honesta! – dos professores sobre o que acontece nas salas de aula? E por que não publica o resumo dessas opiniões? Só se publicam os números relativos à construção de novas escolas, a quantos alunos serão atendidos e – enfim! – poderão ser alfabetizados.

O poder dessas mentiras nasce do fato de a maioria das pessoas que vive de palavras ainda acreditar que "A Escola" serve para alguma coisa, brigando para que seus filhos estejam em uma, e que freqüentá-la é muito importante – como a TV repete todos os dias... (E estudos subseqüentes exigem.)

Mas nunca se discute ou descreve o que é ou como é essa escola, e quais os resultados dessa... educação. Alguém já disse: "50% dos brasileiros alfabetizados não sabem ler".

Aos poucos, a verdade vai aparecendo. As últimas avaliações

sobre nosso ensino são catastróficas, mas (graças a Deus!) ao menos estão sendo publicadas.

Ocupamos o penúltimo lugar da lista mundial.

ESPERANÇA – NO CÉREBRO!

Adiante, citaremos extensamente Glenn Doman e as experiências realizadas em seus Institutos, mostrando quanto pode aprender uma criança desde o dia em que nasce até os 6 anos de idade. Daí para a frente, ela terá cada vez mais dificuldade em aprender.

O que nos parece estranho é profundamente adaptativo na esfera biológica: a criança precisa aprender depressa como é o mundo, ou terá poucas chances de sobreviver (nas condições primitivas nas quais o cérebro se desenvolveu).

"Filhote que demora a aprender é comido"... Quem não sabe?

Por que filhotes de mamíferos (cachorros, gatos, bezerros etc.) são tão atraentes? Primeiro, porque são muito fofinhos e inofensivos (como nossos nenês) e, depois, porque estão sempre em movimento! Mas o nosso nenê tem de ficar quase imóvel – todo amarradinho em lindas roupinhas, no bercinho cheio de rendas, de costas, pedalando no vazio... (voltaremos a ele).

Não é? Será que ele está aprendendo alguma coisa de útil?

Filhotes de mamíferos precisam aprender – depressa! – a se mexer. E precisam de mãe. Sem ela não existiriam mamíferos, que nascem muito frágeis.

Muito do que se fala sobre o cérebro está ligado mais à patologia, ao laboratório experimental (e à descoberta de psicotrópicos comercializáveis), do que a suas funções básicas desenvolvidas em contato com a realidade natural ou social (v.i.).

Leitor, não estranhe minhas dúvidas sobre o que seria o "cérebro normal". Logo adiante apresento uma lista das muitas diferenças anatômicas entre os cérebros das pessoas e por isso deixo em aberto esta questão – se o cérebro é igual em todos nós.

Na maior parte dos estudos sobre o cérebro omite-se o fato principal: ele é o mais fantástico órgão de adaptação do ser vivo ao seu ecossistema (ou ao contexto), em cada momento e em todos os momentos.

São duas adaptações bem diferentes: uma ao ecossistema estável, que permanece mais ou menos igual a si mesmo durante muito tempo (o mapa do tesouro). A outra é a adaptação a cada momento, ao famoso aqui-e-agora.

Em condições primitivas, esta segunda adaptação pode fazer a diferença entre a vida e a morte – daí a exigência do *aprender depressa*. Aprender a ver e a reagir (mover-se) organizadamente.

Tudo isso pode – e deve – ser considerado "educação"... deveras primária! Para os animais, sem ela não haverá outra.

O cérebro não "se desenvolve" sozinho, segundo um plano único, bem estabelecido (como tantos livros dão a entender ainda hoje), mas apenas respondendo a estímulos, isto é, a situações, personagens, lugares, sons, ameaças e promessas de tudo que o cerca. Se retirarmos o cérebro de qualquer mamífero recém-nascido e o mantivermos vivo e isolado em laboratório, ele não se desenvolverá nem um pouco!

Isso já aconteceu com algumas crianças, isoladas durante anos por pais psicopatas. Nem mesmo o corpo cresceu!

A maior contribuição da psicanálise clínica à psicologia – e à ciência – foi mostrar como e quanto o indivíduo é fruto de *todas as experiências que viveu*, desde o nascimento até o presente; fruto de seu relacionamento com todas as pessoas com as quais se relacionou, de todos os ambientes (ecossistemas) pelos quais passou e de todos os fatos que viveu.

Notar: pode-se contestar a *teoria* psicanalítica (eu contesto, e muito!), mas não a biografia *dos pacientes* publicada nos relatos clínicos.

De um modo ou de outro, tudo que foi vivido deixou sua marca – e posso dizer que essa marca ficou na personalidade, no inconsciente ou na memória (Freud), e também no cérebro (Doman, a ver), no corpo ou na motricidade (Reich, Bergson, Gaiarsa): nas atitudes, posturas, gestos e expressões faciais – e vocais!

GRAVAÇÃO CEREBRAL – COMO SE FAZ

A transformação da experiência vivida em estrutura cerebral depende:

1. Da freqüência da experiência: de "quantas vezes" ela se repetiu, sejam experiências concretas (movimentos, ações, expressões, contatos físicos), sejam ordens, conselhos, explicações (palavras).
2. De sua duração: quanto a experiência durou, de cada vez.
3. Da intensidade da experiência.
4. Da posição social de quem interagiu com a criança.
5. Do significado que as palavras têm (quando se trata de palavras!) para quem as ouve.

Os itens 1 e 2 são evidentes e costumam ocorrer associados.
Quanto à intensidade, há um limiar individual além do qual a experiência se faz traumática; tida como rara na vida comum, é freqüente após acidentes graves e em tempos e regiões assoladas por guerras. Mas mesmo em família podem ocorrer turbulências, ameaças, gritaria, lutas e surras que deixam marcas indeléveis nas crianças (pigmeus apavorados ante gigantes endoidecidos), raízes de neuroses difíceis de atenuar.

Note-se: via de regra, os adultos desses lares sofreram maus-tratos semelhantes, criando na atmosfera familiar uma... tradição (!) de extrema insegurança, um ambiente cheio de ameaças. Porque o cérebro dos pais sofreu moldagem parecida.

Os preconceitos a favor da família são tão poderosos que só quando a violência atinge níveis absurdos os vizinhos ou a polícia intervêm. Quero dizer que níveis consideráveis de perturbação podem existir em família sem que se faça nada a respeito.

E os textos de psicoterapia apelam para mil explicações complicadas, sem se dar conta de que tantas "neuroses traumáticas" são difíceis de curar porque têm... total aprovação coletiva.

"Família é assim"...

POSIÇÃO SOCIAL (PRECONCEITUOSA) DO EDUCADOR

O item 4 costuma ser sistematicamente omitido quando se fala em educação. Em psicoterapia, quase só se fala dele...

Nem mesmo os Institutos o assinalam, ainda que insistam com força no papel altamente positivo da mãe e do pai (dos novos pais e mães, note-se). A mãe, o pai, o professor, o policial e, em geral, a autoridade, ao interagir com o indivíduo, exercem uma pressão "formativa" que pode ser consideravelmente mais poderosa do que se a mesma experiência tivesse ocorrido com um companheiro, um tio camarada ou um avô complacente.

A psicoterapia vive desse fato, mas não o explicita. As experiências havidas entre uma criança e sua mãe "explicam", nas teorias psicodinâmicas, mais da metade dos quadros neuróticos, porém os textos clínicos se atêm à mãe concreta, efetiva. Referem-se à Dona Margarida e não à mãe (dois personagens muito diferentes), omitindo o fato de as mães gozarem – e sofrerem! – de numerosos direitos e deveres em relação aos filhos, amplamente firmados e reconhecidos por quase todos os circunstantes, qualquer que seja a situação.

Sobre as atitudes, falas, exigências e favores maternos recai – reforçando-os além de toda a medida – o peso... de todos! "Mãe é mãe", "Mãe sempre sabe o que faz", "Mãe está sempre certa".

(A criança sente – sabe? – como se todos estivessem dispostos a apoiar o que mamãe diz ou faz. Como se a voz da mãe fosse a voz de todos.)

Esses preconceitos, de outra parte, modelam as atitudes, as faces e o tom da voz das mães quando falam, aconselham, exigem ou ameaçam seus filhos. É tão fácil de ver o "jeito de mãe"... Ele surge – acontece magicamente! – ainda antes de a jovem mãe sair da maternidade, já possuída pelo modelo coletivo inconfundível. Basta ter um nenê no colo...

Esse seria um dos temas a se debater, dentro de uma abordagem estruturalista, na tão necessária escola de família!

O poder da mãe não é mágico: trata-se de um poder que lhe é emprestado por quase todos; por isso, ela é tão poderosa!

> **Bem compreendidos, esses quatro itens sobre modelagem do cérebro (ou da personalidade) resumem o que de mais importante se pode dizer sobre educação. E, como se vê, vão muito além – muito além! – de tudo que as palavras jamais conseguiriam dizer...**
> **E muito além da Escola.**

TORRE DE BABEL

Em nosso mundo, a maior parte da educação, tanto familiar quanto escolar, é feita por meio de palavras – conselhos, advertências, noções, princípios, textos, explicações, ameaças, promessas. Depois disso, para tantas pessoas, se foi falado não há mais nada a fazer!

Então, vamos aprofundar a questão, mesmo porque para muitos a palavra é quase tudo, tida como nossa maior conquista e a maior diferença entre nós e os animais. O que é inegável, como fato.

Segundo a dialética, porém, nosso maior bem pode ser – e muitas vezes é, foi e continuará sendo – nosso maior mal, do que já dei alguns exemplos e darei muitos outros.

A mais inocente, ou a mais tola, das convicções ligadas à palavra é esta: a maior parte do que eu possa dizer será bem compreendida por qualquer outra pessoa! Ou:

como todos falamos a mesma língua, todos compreendemos muito bem uns aos outros – lógico!

Essa convicção é tida como verdadeira, praticamente sem discussão e sem restrições, pela maioria dos pais e professores em quase tudo que dizem às crianças (filhos ou alunos).

No entanto, e como exemplo: para as crianças, palavras como "dever", "erro", "culpa", "responsabilidade" pouco ou nada significam. Talvez soem como ameaças – e pouco mais do que isso.

São palavras difíceis, passíveis de muitas interpretações, ótimas para ser ditas... contra os outros, quando eles fazem ou dizem coisas que nos desagradam. Ou contra a criança! Não raro essas palavras são ditas em tom de ameaça, o que, em vez de despertar compreensão, pode acabar provocando medo.

O tom da voz, a expressão facial, o gesto e a atitude dão às palavras coloridos bem especiais que, às vezes, quase nada têm que ver com o significado das palavras (o que está no dicionário) ou até com a intenção de quem falou. Importante: o cérebro não guarda só as palavras, mas também as caras, os tons de voz e inclusive a reação corporal de quem as emitiu...

O cérebro guarda frases (palavras), imagens e sensações proprioceptivas (v.i)! Retém a figura, o tom de voz e o jeito da pessoa que falou e, ao mesmo tempo, a atitude corporal e a expressão facial de quem ouviu, enquanto ouvia! (O cérebro é holístico...)

Por isso insisto tanto na motricidade, e por isso dois terços do cérebro são motores – porque ele "guarda" a situação e os personagens (como se fossem atores de teatro) e não apenas as palavras isoladas.

Antes de mais nada, é também por isso que as palavras são tão pouco atuantes. Porque as pessoas sabem o que disseram, mas nem de longe percebem o jeito – e o tom de voz – com que o fizeram! Esses são componentes motores da relação que passam de todo (ou quase) despercebidos das pessoas. As pessoas até "sabem" disso e reagem a esses sinais, porém quase não têm consciência, seja da música da voz, seja da expressão do rosto ou dos gestos de quem fala – nem da resposta que dão.

Algumas professoras são odiadas pelas crianças devido à voz! Ou ao jeito.

A omissão desses elementos da comunicação verbal leva a frases conhecidas:

"Mas eu te disse!"

"Já falei para você."

E, no limite da tragicomédia familiar: "Já te falei mil vezes!"

Ninguém pergunta: "Com que cara?", "Com que tom de voz?", "Com que atitude?", "Em que circunstância?"...

Isto é, eu (que falei) nem sequer percebi se você estava ouvindo ou não. Nem sei de que jeito falei. Será que sei o que falei?

E, depois, quem vai ouvir pela centésima vez a mesma frase? No entanto, há quem a diga.

O que digo! No cotidiano, vivemos repetindo quase todos os dias as mesmas frases centenas ou milhares de vezes – automaticamente, pouco interessados em saber se fomos ouvidos ou não.

Falamos sem pensar e quem ouve o faz sem ouvir...

Mas, falando, todos nos entendemos muito bem, sim senhor! A palavra é a mais alta expressão da humanidade!

> **Preciso insistir nos elementos não-verbais das palavras e repetir que o cérebro não é um intelectual que apenas ouve e compreende o sentido das palavras. Ele está atento e guarda tudo que o cerca, tanto as palavras quanto o modo como foram ditas.**
>
> **O cérebro não armazena palavras isoladas de contexto; ele guarda personagens (atores!) nas situações. Os atores inteiros nas situações inteiras.**

Além disso, no modo de dizer freqüentemente passam intenções até opostas ao significado explícito das palavras. O cérebro, insistindo, guarda a palavra como ela foi dita e, em momentos emocionais, a reação corporal a elas – de quem disse e de quem ouviu.

Aqui, cabem todas as "identificações" das quais Freud falou. A identificação refere-se muito mais ao não-verbal do que às palavras. Interagimos como atores, e não como robôs falantes.

Em relação a mãe e filho, o caso se torna mais importante. Gradativamente, a criança – que é um bichinho astuto – percebe o estado emocional da mãe quando fala com ela, se está tolerante, distante, amorosa, zangada ou ameaçadora, e comporta-se de acordo, pouco importando as palavras de ambas.

Por isso disse várias vezes no texto: o cérebro guarda tudo que a pessoa experimenta, vive, percebe, ao que e como responde. Mas em nossa inocência – ou nossa inconsciência – continuamos a acreditar que a palavra "disse" tudo.

"Por que será que ele não entendeu?"

"Mas eu te disse..."

Para tantos, esse "Eu te disse" significa implicitamente: "Portanto, já fiz tudo que me competia – agora é com você".

Tampouco se deve esquecer o contexto: a "mesma" palavra dita em casa, na rua, na igreja, entre amigos ou em um tribunal pode ter significados (e acompanhamentos não-verbais) bem diferentes. Até mesmo em casa, o que se diz (como se diz) com os familiares não tem o mesmo sentido do que se diz (como se diz) para as visitas...

Gostaria que em pedagogia e em aula essas coisas fossem ditas e discutidas, reduzindo potencialmente os desentendimentos entre as pessoas. Seria também um rico tema de estruturalismo, capaz de modificar consideravelmente as relações, tanto pessoais quanto sociais.

Ao final do drama exposto sobre "a palavra", podemos dizer: ao dialogar, as pessoas têm a maior parte da atenção presa às palavras que estão ouvindo; uma menor parte, ao que estão pensando (em resposta!); uma mínima parte, à visão (percebendo as expressões não-verbais do interlocutor); e não tem noção alguma das próprias expressões!

Por isso vivem eternamente "discutindo a relação", no pressuposto de que é com palavras – só com palavras – que a gente se entende!

E, assim, vão se desentendendo cada vez mais.

A LINEARIDADE DA FRASE – E SUAS CONSEQÜÊNCIAS

Mas além do "drama da palavra" existe a lógica da palavra, sua relação com a inteligência. Começo pela negação. Ninguém menos do que Einstein (falando de Física, é claro): "Linear, linear... Não existe nada linear".

Caso necessário, esclareço: pensamento linear é o de causa-e-efeito, uma causa produzindo um efeito – uma só linha de influência. Essa "verdade" ainda é, para muitos retardatários, a essência da ciência e da lógica.

A "culpa" desse atraso é da linguagem, esta sim essencial e concretamente linear. Dizemos frases, seqüências sonoras de palavras, rosários de palavras, uma por vez, em seqüência dita lógica, mas na realidade gramatical. Se "sair da linha" torna-se incompreensível. Fica mais claro considerando-se a escrita ("retrato" da frase falada).

Desde os primórdios, a escrita foi... escrita em linhas, como no Egito, na Assíria.

Ingênua mas compreensivelmente, forma-se nas pessoas a noção de que as coisas e os fatos também se sucedem linearmente. Uma "coisa" depois da outra, uma palavra depois da outra e em ordem rigorosa, ou a frase não terá sentido.

Ou a realidade não terá sentido, repito! Ficará "uma confusão".

Daí o vício universal do "quem é o culpado" e do "quem devia" – as duas maldições da humanidade.

Esclarecendo com uma pergunta deveras inteligente (e compassiva): quantos são os culpados pela existência de um culpado? Quantos estão envolvidos no dever tido como de um só?

A realidade, volta Einstein, não é linear, nem a natureza, nem a visão científica (atual), nem as relações sociais. A realidade é complexa, organizada "em rede", tudo influindo sobre tudo e tudo sendo influído por tudo. Mas poucas pessoas conseguem pensar assim.

Não sei se é pouca inteligência ou se é o mais profundo automatismo gerado na consciência (e no inconsciente) de todos pela bendita e maldita palavra: esse de que cada fato depende de um fato só.

Nove vezes em dez, para nove de cada dez pessoas, "pensar" e até "entender" ou "compreender" é falar, seja consigo mesmo, seja com alguém – ou escrever – em linha... Coincidência infeliz porque as palavras não são as coisas, nem o são os fatos, nem a sucessão das palavras tem que ver com a sucessão dos fatos.

Nem o isolamento nem a seqüência das palavras na frase seguem a ordem do acontecido. Sempre do acontecido, pois as palavras vêm sempre depois dos fatos – parece.

Nem, enfim, a disposição das coisas tem que ver com a disposição linear das palavras – a não ser nas prateleiras dos supermercados...

Só as profecias vêm antes...

TUDO É APRENDIZADO

A criança não aprende apenas o que se pretende ensinar a ela. Aprende tudo que lhe acontece; e tudo que lhe acontece permanecerá para sempre como estrutura de seu cérebro.

O cérebro é modelado pela experiência. O cérebro é concreto, o retrato contínuo de nossa relação vital com a realidade.

Para ele, quanto mais se repetem as condições citadas e comentadas anteriormente, mais "real" a... realidade, mais marcada a adaptação a elas, mais estável, mais "profunda" – mais densos e eletivos os circuitos neuronais correspondentes.

O que foi dito até aqui tem tudo que ver com comportamentalismo. Condicionar é repetir um estímulo até criar uma conexão neuronal sensomotora que funcione automaticamente (com a qual se possa contar). Quanto mais se repete uma experiência ou uma frase, mais fácil repetir o ato – ou mais "verdadeira" se torna a frase...

Atribui-se a Hitler a idéia de que uma mentira muitas vezes repetida se torne verdadeira. Esse fato é sentido como uma ofensa mortal por todas as pessoas que gostam de acreditar em verdades únicas, "objetivas", universais, eternas, lógicas, "bem demonstradas" – e bíblicas! (Nenhuma outra foi mais repetida do que esta última.)

Há indivíduos que acreditam em definições (verbais) precisas e "bons" comportamentos, "estáveis", "lógicos", "racionais"... São todos os que apóiam nossos sagrados valores tradicionais. Os que repetem, repetem, repetem... Na verdade, são os donos do poder – os que repetem cada vez mais, pois vivem dessas repetições.

A pior de todas é a repetição da riqueza, desejo de todos!

Dizer que a verdade é pouco mais do que a "verdade das repetições" (todos os preconceitos, populares e científicos!) é ofensa mortal também para os que acreditam que, momento a momento, "pensam racionalmente e decidam livremente o que fazer". Também esses pensamentos foram e continuam a ser repetidos, repetidos, repetidos...

É a "verdade" mumificada na repetição interminável das mesmas palavras.

Só as palavras se repetem... Os fatos jamais.

ALERTA!

Não se pode pensar o cérebro sem lembrar do centro do alerta (Moruzzi e Magoun). É a função do núcleo reticulado mesencefálico, existente já nos répteis e por isso denominado "cérebro" reptiliano.

Qualquer estímulo inusitado no ambiente, qualquer coisa súbita e de certa intensidade que aconteça ao alcance dos sentidos de qualquer animal faz que a primeira de suas reações seja "pôr-se em alerta" – corpo imóvel e "armado", músculos tensos, sentidos afinados, pronto para agir.

Preparado: pré-parado!

No mesmo cérebro reptiliano situa-se o núcleo do sétimo par de nervos cranianos, o nervo vestibular, que inerva o labirinto (ouvido interno), principal responsável pelo equilíbrio do corpo. É esse sentido que nos mantém "de pé", e ai do animal que ante um perigo estiver em outra posição que não a de pé, que não estiver "enfrentando" (de frente para) a ameaça, "pronto para".

Doman considera – e treina! – todas as alternativas de desequilíbrio ao longo do desenvolvimento motor, mas não parece ter se dado conta do valor psicológico desse fato, o que não é tão estranho. Na verdade, a psicologia ignora solenemente o fato de que somos bípedes... mal equilibrados.

Ignora a importância da posição ereta, o traço mais característico de nossa espécie e nossa maior conquista... tecnológica.

Trata-se da condição prévia indispensável para a liberação das mãos e para o desenvolvimento da tecnologia – de tudo que as mãos podem fazer, de tudo aquilo que garantiu nossa posição ímpar no reino animal, inclusive escrever...

Equilíbrio! Poucas palavras são tão usadas e designam algo tão importante quanto esta. No entanto, parar de pé e manter o equilíbrio – o que exige não menos de um terço da substância nervosa – não tem importância alguma para as teorias psicológicas!

Nenhuma importância para a personalidade! Para a consciência! Para o famoso e equívoco ego! Para a Filosofia!
Tem cabimento uma omissão dessa ordem?
Na verdade, desse tamanho?

EDUCAÇÃO E CÉREBRO

A introdução ao tema já ficou bem proposta nas linhas precedentes. Agora, pormenorizo.

É deveras estranha a ausência de quaisquer noções sobre o cérebro nos livros de pedagogia. Afinal, é universal, histórica e inclusive popular a noção de que a inteligência, o saber, o aprendizado e o pensamento estão "na cabeça". Mas a pedagogia parece ignorar esse fato fundamental.

No entanto, como este texto inteiro procura mostrar, "educar", "aprender" e até "desenvolver-se" (física e mentalmente) significa: cultivar ao máximo tudo que o cérebro contém em potencial, e que só se desenvolverá se for estimulado e "vivido" adequadamente.

Em termos gerais – de discurso! –, essa afirmação mal pode ser contestada; contudo, conforme mostrarei passo a passo, o que fazer ou como fazer para "desenvolver o cérebro" (= educar) é uma arte mal conhecida, ou praticada inconscientemente, e com outros nomes.

Pior: até hoje, muito do que se fez e faz com o nome de "educação" é quase o contrário – ou está muito longe – disso. Muito longe.

Desde seu primeiro dia neste mundo, a criança é... "educada" (por omissão) para ser paralítica – desamparada, impotente e dependente. Só lhe resta o choro como recurso vital e a mãe como único auxílio e proteção para sobreviver. Essa situação produz um reforço considerável e nada benéfico na dependência e no apego da criança à mãe, sobrevalorizando, em mau sentido, a necessidade da família.

Quase todas as teorias psicológicas sobre desenvolvimento infantil se referem à mãe como se só ela existisse no mundo da criança. Mas a criança pode fazer muito mais do que isso por si e para si mesma – desde o primeiro dia de sua vida! Adiante mostraremos como.

Até hoje, acreditou-se que o adulto sabe o que está fazendo, é consciente, responsável e bem formado, e que a criança, coitadinha, não sabe nada. Pode-se acreditar que quantos adultos sejam assim?

A criança de fato sabe bem pouco, mas não se pensava que ela fosse capaz de aprender sobre tudo que a cerca a uma velocidade inimaginável. Ela está aprendendo tudo ou muito do que lhe é ensinado (nem tudo...), além daquilo *que ninguém se dá conta de que ela está aprendendo*: ela "imita" o tempo todo, tudo e todos que a cercam – os bons e os maus... exemplos.

O cérebro é movimento e visão: a criança é levada a fazer tudo que vê.

Essa declaração deve ser considerada definição de um verdadeiro instinto – que não consta da listagem usual dos instintos.

Proponho que seja denominado "instinto de aprendizagem". Inclusive falar. Em nossa espécie, falar pode ser considerado um instinto.

A VISÃO DO NEONATO

Muitos educadores ficarão perplexos ao ouvir que o neonato (e durante um bom tempo depois) precisa aprender a ver, e que a maior parte das pessoas não sabe ver ou não sabe o que está vendo.

Meus dados sobre este tema dividem-se entre o que afirma Doman e o que dizem os outros. Doman acredita que o neonato mal enxerga e propõe que se faça intensa estimulação com freqüentes lampejos de luz em frente aos seus olhos. Alguns minutos, várias vezes por dia. A presença do reflexo pupilar seria um bom indicador de que os olhos estão "despertando". A "menina dos olhos" (pupila quer dizer bonequinha!) fica bem menor quando se projeta luz nos olhos.

Mas eu já vi, em fotografias, neonatos imitando a face de pessoas que estavam a olhá-los, o que condiz com o instinto de aprendizagem. Além disso, desde o sétimo mês de vida fetal e depois do nascimento, durante muitos meses, o infante humano "sonha" muito a cada hora e meia. Isto é, adormecido, seus olhos fazem os movimentos rápidos que no adulto significam que a pessoa está sonhando.

Portanto, ele está "vendo dentro".

Os neurolingüistas, enfim, demonstram-nos que os olhos "olham para dentro" tanto quanto para fora – e o sonho é de novo seu melhor argumento (mas não o único). Então não sei como fica!

Prefiro pensar que a criança precisa aprender a ver, sim, a começar pela luz – que ela nunca viu! Depois, acredito que, ao vaguear o olhar pelo ambiente, ela veja tudo plano e vago, como se toda a realidade visual que a cerca fosse uma pintura borrada (impressionista!), sem limites nítidos. Quanto a ver em perspectiva, só depois que ela passeou pelo ambiente, movendo-se com seu próprio esforço.

Cria-se nela, assim e então, e só assim e então, a noção de espaço, de distância e, aos poucos, de perspectiva.

Mas note-se: tudo isso vai sendo impresso nos circuitos cerebrais sem que se tenha noção alguma de que está acontecendo.

Considere os etologistas e seu conceito de "mundo próprio" (Umwelt). Se você levar uma ave adulta, que se moveu a vida toda em uma área limitada (digamos, de 3km^2), para um lugar bem distante daquele onde ela se desenvolveu, ela provavelmente morrerá por não saber como se mover nem como se orientar nesse novo espaço, como achar comida e água, como evitar predadores etc. Claro: o cérebro é um mapa de seu mundo, e ela jamais terá a possibilidade de criar outro, diferente – seria necessário outro cérebro, seria necessário renascer.

Vai aqui um apelo para que se estude melhor o que a criança vê e o que fazer a fim de que ela desenvolva plenamente sua capacidade de ver, e todas as conseqüências da visão – a mais ampla e complexa das categorias sensoriais e a mais importante para a sobrevivência e para a vida.

Um mudo ainda pode sobreviver na floresta; um cego, jamais.

Lembre-se: os animais não são surdos, porém não falam... (Não sabem falar, mas vivem muito bem, obrigado.)

A frase esdrúxula destina-se àqueles que acreditam que a vida só é possível quando se "compreende" a realidade posta em palavras. Mas que fique claro: apreender a ver é tão importante quanto aprender a se mexer, a ouvir, a falar etc. E esta segunda frase esdrúxula dirige-se àqueles que nunca pensaram em "educar o olhar" ou "educar a visão", em "ensinar a ver" ou "aprender a se mexer".

Nascemos sabendo apenas rudimentos de tudo isso e, se cultivarmos essas aptidões, podemos nos fazer muito melhores do que se imagina.

É preciso ampliar consideravelmente as tarefas da pedagogia!

"Educar" (o cérebro – a criança) não é só ensinar a falar; é ensinar a ser.

QUANDO COMEÇAR A ENSINAR AS "PRIMEIRAS LETRAS"?

Lembro vagamente de ter lido, há bastante tempo, grandes discussões sobre quando se deveria – ou poderia – "começar a ensinar a criança". Na época, contudo, a questão resumia-se a ensinar as primeiras letras, como se dizia, a ler. Discutia-se a famosa "prontidão para a leitura".

Dizia-se, ainda, dos malefícios de tentar ensinar à criança duas línguas ao mesmo tempo. Os Institutos resolveram de vez – e praticamente – a questão.

LEI DO DESENVOLVIMENTO CEREBRAL (DA FACILIDADE EM APRENDER)

A facilidade em aprender é máxima logo após o nascimento e a partir de então vai diminuindo, podendo-se considerar os 6 anos como a idade-limite dessa facilidade. É tal a aptidão nesse período que uma criança pode aprender duas, três ou mais línguas simultaneamente. Adiante serão apresentados dados numéricos comprobatórios e as técnicas usadas.

Para nossa pedagogia oficial, é aos 5 ou 6 anos que as crianças entram na escola... Só aí e só então começarão a aprender toda a sabedoria dos adultos. Claro, outrossim, que a redução da capacidade de aprender é gradual e que em alguma medida ela continua a existir durante a vida toda.

> **Aliás, esta é a marca da humanidade: podemos aprender a vida toda, capacidade praticamente ausente em qualquer outra espécie animal.**
>
> **Essa regra tem como fundamento esta outra: o ambiente humano (o ecossistema sociotécnico) vai mudando continuamente. Ademais, temos amplas possibilidades de viajar, de "mudar de mundo"... Podemos, também, expor o cérebro a numerosos conjuntos variados de estímulos (cinema, TV, CDs, internet etc.) e ele os integrará, se forem repetidos. É assim porque nossa capacidade cerebral está além de toda a imaginação.**

Doman nos diz, em seu texto sobre conhecimento enciclopédico para a criança, que nosso cérebro tem lugar para 125 trilhões de fatos!

Desses diversos modos mudamos de ambiente – de conjuntos de estímulos – e assim podem ser geradas estruturas cerebrais adaptativas ilimitadamente variadas.

Já o espaço vital dos animais (o "mundo próprio" de cada espécie, como dizem os etologistas) é bastante limitado. E esse é mais um motivo para que eles delimitem e defendam um "território". Levados para outro ambiente, para outro território, eles se perdem – ou não se acham, como seria mais exato dizer.

Por isso, seus cérebros se desenvolvem de forma semelhante e limitada, nessa relação recíproca entre a capacidade estrutural do cérebro de aprender e a variedade de fatos e de coisas que ele pode conhecer.

Corroboração curiosa. Em vários grupos de chimpanzés pratica-se a técnica de quebrar nozes duras, pondo-as sobre uma pedra e martelando com outra. Mas os investigadores verificaram que se o animal não aprende a técnica até os 5 anos de idade (chimpanzés podem viver mais de 40 anos) não aprenderá nunca mais. O mesmo acontece com o animal que migra de um grupo para outro. Se em um dos grupos se pratica a técnica e no outro não, o recém-chegado jamais aprenderá a quebrar nozes – por mais que veja os outros fazerem isso!

Isto é, entre os animais, inclusive os chimpanzés, há limites para o aprendizado. Limites que, segundo parece, não existem em nossa espécie.

O QUE ENSINA É A PRÁTICA

Retornando ao nosso tema: nada é mais verdadeiro em matéria de educação do que isto: "Educação é imitação", "Só o exemplo ensina", "Só a prática ensina".

O melhor jeito de aprender é *ver* alguém fazer e depois fazer parecido.

Ver–fazer: esta é a essência do cérebro, que é visão-e-movimento.

Leitor, agora você lerá um trecho óbvio ululante – minha especialidade. Vamos "mastigar" essas afirmações. Aprenderemos ao mesmo tempo por que e como a visomotricidade é tão fundamental.

Como se aprende a andar de bicicleta?

Para começar, ela já "é feita" para que se possa andar nela. Isto é, seu formato e sua mecânica obedecem às especificações e limitações dos movimentos de nosso corpo. Depois, chego e monto nela, como já vi (olhar – visão!) tantas pessoas fazendo. De início, com medo – não é fácil equilibrar-se sobre ela. Mas, insistindo, meu corpo (meu corpo!) começa a aprender. Meu "eu" precisa ter coragem para continuar, até que meu corpo aprenda.

É preciso dizer desse modo para que as pessoas, como os psicanalistas, não vivam falando "Eu, eu, eu (ego)" a fim de "explicar" tudo; quando, na verdade, o eu faz bem menos do que se diz. Ele se agüenta na situação (persiste, teima, insiste), e a visomotricidade vai resolvendo o problema, aprendendo como se faz.

Lembre-se do período em que você aprendeu a dirigir automóvel, ou a nadar, ou a jogar pingue-pongue, tênis e quantas mais atividades você sabe fazer. Era preciso "treinar", deixar o corpo ir aprendendo, pois todos os animais aprendem assim e só assim: vendo e deixando o olhar-e-o-movimento ir se compondo e ajustando à situação ou à atividade.

Desenvolveram-se fazendo assim.

Por isso, o cérebro é dois terços motor e o córtex, um terço visual.

As palavras falsificam acentuadamente a situação. "Eu aprendi"... Não foi o "eu" que aprendeu. A visão foi... "mostrando" à motricidade como fazer o que o "eu" pretendia...

Começou, na origem, na pré-história, com a visão mostrando o caminho...

Mas essas declarações, já por si categóricas, exigem ainda e mais: esse aprendizado pelo ver–fazer–imitar é tão próprio do cérebro, tão fácil, tão rápido e tão útil para a sobrevivência dos indivíduos e das espécies que ele acontece quer as pessoas percebam o que está se passando, quer não.

Acontece, também, nos bandos de animais. É um processo nem tanto psicológico quanto biológico – um verdadeiro instinto.

Na verdade, é o principal instinto que fundamenta e permite compreender como vai acontecendo a estruturação social, que é maciçamente imitação: esperada, exigida, imposta! (Mas não falada, reprimida, até ridicularizada: quem imita é..."macaco" – "Você tem de ser você mesmo!")

Freud chegou ao cerne da questão ao distinguir a "imitação" como algo deliberado, pretendido – teatral! –, e a "identificação" como um dos "mecanismos neuróticos", algo que acontece quer a pessoa queira ou não, quer ela perceba ou não, e até mesmo quando a pessoa, conscientemente, estranhe e até abomine a identificação, como no caso de tantas mães: "De repente, percebi que estava fazendo com minha filha exatamente o que minha mãe fazia comigo..."

Quase tudo que a psicanálise chama de "resistência" (tudo que torna a neurose e o caráter persistentes) e quase tudo que mantém o principal da estrutura social é imitação inconsciente – ou repetição inconsciente.

"Vencer resistências" (analisar resistências) significa retirar a pessoa de seu contexto social de origem. Por isso é difícil. Por isso, generalizando, conseguir modificações de personalidade (mudança de hábitos) é difícil.

Portanto, se a "identificação" é um "mecanismo neurótico", a sociedade é necessariamente neurótica – todas as sociedades!

Preciso repetir: tudo está no corpo, na motricidade, nas atitudes, nos gestos, nas caras. No entanto, as pessoas continuam a acreditar que "educar" é quase sinônimo de "ensinar falando" (como na escola...) e que ensinar tem quase tudo que ver com palavras, com falar, explicar – e depois ser capaz de repetir o que foi aprendido. Ou com dar bons conselhos e convencer-se de que eles serão seguidos.

Em pedagogia, não se discute muito se quem repete está compreendendo o que diz – ou não!

Fritjof Capra resumiu: "Saber o nome não é saber a coisa" e, na escola, o que se espera é que o aluno repita mil nomes ditos pelo professor e escritos nos livros didáticos.

O pressuposto é este: se você sabe dizer, então sabe tudo que é preciso – sabe, inclusive, fazer!

> **Sumariamente: inteligência não é saber o nome e a aparência dos substantivos concretos (coisas ou fatos históricos ou geográficos).**
> **A inteligência começa com os verbos e, limitadamente, com as preposições, as conjunções e os advérbios.**
> **A sensibilidade começa com os adjetivos.**

Nas escolas, ainda hoje, imagens são pouco utilizadas. Nesse sentido, o aprendizado com CDs bem-feitos e documentários, com imagens numerosas, ensina muito mais do que longas explicações sem imagens.

Sugestão para uma aula "estruturalista": com a presença de professor, alunos e pais, projetar um filme (pode até ser de ficção) e depois suscitar comentários, o que cada um viu, o que mais impressionou.

É bem interessante ouvir depois as opiniões, por vezes bem distintas, divergentes ou até contraditórias; é muito enriquecedor assimilar o que outros viram – e eu não! Porque ninguém vê "tudo que há para ser visto".

Para o ensino propriamente dito, é claro que o limite – o melhor – é o simulador realista (!), como os que existem para o aprendizado de pilotagem de avião ou de direção de carro. Sem risco!

Nada mais realista! É "quase" a realidade!

Em seguida, cabe considerar as séries de CDs da coleção "SIM" (Simulações) que são "Lições de coisas" excepcionais para crianças. Não só visuais, como também propícias para fazer e desfazer, mudar a ordem, fazer de outro jeito, inventar!

Olhos e mãos!

Como exemplos: "A casa", "A cidade", "O parque de diversões" e muitos outros.

Nos Estados Unidos, os membros de uma Associação de Pilotos de Computador simulam tudo que um piloto precisaria fazer para ir de um lugar a outro, inclusive apreciando a paisagem, as nuvens, as tempestades, fazendo escalas, abastecendo...

Essa é, com certeza, a direção da educação.

Havendo computadores e programas disponíveis, cada aluno terá o seu... "professor", como adiante se especifica.

Parece evidente: a educação do futuro será feita assim, quase que de todo por meio de simulações que são o limite do ver-fazer – isto é, do compreender ou entender "na prática".

Aprender vivendo!

Aprender... acontecendo.

Nada mais próximo da imaginação, e é bom lembrar que, como segunda escolha pedagógica, a imaginação (induzida em estado de relaxamento) está bem próxima da experiência real, conforme vou mostrar e fundamentar.

Toninha, antiga e querida amiga, professora de Educação Física no interior, conquistou a criançada com aulas deste tipo: relaxamento, visualização e passeios pelo corpo (cultivo da consciência corporal).

Que o bom exemplo se multiplique...

É certamente por isso que as pessoas – e as crianças – têm tanto apego à TV que, pelo sim e pelo não, é uma simulação visual (!) da realidade, como o cinema antes dela, o teatro no passado clássico e o computador a partir de agora. Com exceção deste, nos outros exemplos as pessoas estão sempre relaxadas e entregues ao visual. Sem perceber, participam corporalmente do que estão vendo.

O tema em curso é bastante importante para merecer uma repetição – com novos acréscimos. É fundamental para a educação, mas raramente lembrado.

Usando do que chamarei de psicanálise social, direi que o tema, na verdade, é *reprimido*, pois alcança as raízes da organização social e admiti-los seria abalar as estruturas...

Seria estruturalismo demais...

Isto é, a experiência visomotora pode mudar hábitos mentais (e motores), pode mudar a personalidade. Somados, olhar e movimento, são por isso a forma primária da inteligência. "Ser inteligente" é ser capaz de estabelecer *ligações* entre idéias: o que influi sobre o que, como se transfere ou como se comunica o movimento – "influência" é movimento.

O pensamento... se move, é criativo, diferente a cada instante. Basta um movimento dos olhos e muda a paisagem e, mudando-a, muda a direção da marcha! Muda o "sentido" da marcha (do pensamento).

Se o conhecimento não for esse – ou assim –, então ele será "feito" de palavras, palavras que se repetem... e aí é automático, conservador, sempre o mesmo.

"Conservado" em palavras – eternas!

As palavras podem ser tidas como eternas, mas a realidade não se repete. Sob esse ângulo, todas as palavras são falsas ou, a cada vez que empregadas, têm um significado diferente do que na vez anterior...

A palavra viva não pode ser eterna! Embora pareça sábia, essa frase apenas diz o óbvio.

A mais: é líquido e certo que, mesmo nas línguas mais ricas existentes, jamais haverá palavras para designar tudo que existe (coisas), tudo que acontece (fatos) e todas as relações possíveis!

A conseqüência dessa declaração é por demais importante: como as pessoas (e a educação!) valorizam demais as palavras, sentem-se todas limitadas ao que pode ser dito – que é muito menos ou muito menor do que tudo que pode ser experimentado, de tudo que pode acontecer, ou de tudo que existe.

Experimentam um falso mas profundo sentimento de segurança: "Sei tudo que há para saber". Ou seja, implicitamente: nada de inesperado (nada do que não é dito) pode acontecer!

Se não é ou se não foi falado, posto em palavras, então não existe.

A sensação é profunda por gozar de repetição constante e aceitação (implícita) de quase todos, quase sempre, em qualquer lugar.

Retornando para a educação.

Piaget falou o essencial: só compreendemos verdadeiramente aquilo que fazemos (que sabemos fazer). Seria na "fase" sensomotora que a inteligência se desenvolveria, mas não se diz que a "fase" sensomotora é permanente nem que melhor seria especificá-la: fase visomotora.

Poucas pessoas conseguem compreender que nossa movimentação é tão ou mais complicada do que nosso "pensamento" – ou nossas palavras. E que só conseguimos compreender efetivamente o que fizemos com as mãos, com o corpo.

Piaget disse isso – e assim. A Faculdade de Pedagogia repete, mas não usa. Continua falando, apenas.

Adiante, estudo longa e profundamente tanto a motricidade quanto a visão a fim de fundamentar solidamente o que foi dito até aqui.

Sherrigton, famoso neurologista, disse: "Se você quer saber como o cérebro funciona, observe (veja!) pessoas em movimento. É isso que o cérebro faz". Ao pormenorizar, mais para a frente, as técnicas dos Institutos, essa complexidade e seus equivalentes psicológicos serão explicitados.

Darei um primeiro exemplo visando esclarecer essa conexão entre movimentos–visão–inteligência.

Em etapas sucessivas, todas bem precoces (poucos meses até os 3 anos), eles insistem: que seja dada à criança inúmeras vezes e de muitas formas a oportunidade de fazer com as mãos mil movimentos diferentes, começando com o agarramento radial (movimento de "rapa tudo"). Depois, em sucessão, oferecer a possibilidade de amadurecer a pinça entre polegar e indicador, culminando com a cooperação complexa e delicada (movimentos complementares) entre as duas mãos. Tudo sob a vigilância do olhar, o "juiz" que avalia o resultado dos movimentos, que verifica se eles alcançaram a finalidade pretendida ou não.

Tudo isso se consegue com brinquedos bem imaginados, oferecidos nas épocas e na sucessão certas, favorecendo o exercício da habilidade inigualável das mãos.

Nenhum outro animal tem nada de parecido e também por isso eles não têm tecnologia – ou sua tecnologia, sempre a mesma, melhor se denominaria de instinto –, tecnologia da espécie...

Essas coisas são tão banais e tão precoces que custamos a aceitar sua importância para a... inteligência, que opera exatamente da mesma maneira, de forma ao mesmo tempo analógica e... digital!

A pinça manual de precisão é a base material – concreta – da "distinção" (escolástica!) entre... conceitos.

Se não tivéssemos aprendido a separar coisas pequenas dentre outras coisas pequenas (alfinetes, palitos, pedacinhos de coisas, grãos), usando o polegar e o indicador para isolar o que nos interessa, não conseguiríamos compreender conceitos, separar o sentido das palavras, isolar umas das outras.

"Compreender", etimologicamente, decompõe-se em *cum* e *preendere*, que também é a raiz de "pegar" e de... preensão! Compreender ("com preensão") tem que ver com pegar – com cuidado, com precisão!

Acima de tudo: a pinça digital é a essência motora da escrita, esta arte suprema de representar a realidade – e o pensamento – com rabiscos mínimos combinados. É o movimento sob controle visual "dizendo" as... palavras!

Desde que os seres humanos ficaram de pé e libertaram as mãos, estas foram se desenvolvendo enquanto faziam coisas, sob exame do olhar, e assim nasciam a tecnologia e a inteligência, no mesmo ato.

Difícil separar o que é "projeto" (pro-jetar: "O que vou fazer?"), o que é produto e o que é manufatura ("feito com as mãos")!

O fato é que, sem a habilidade das mãos e a observação permanente do olhar, nada teria sido feito.

E, portanto, nada teria sido pensado...

Teríamos nos limitado a perceber coisas e nunca nos ocorreria "pensar" em transformá-las. Só as usaríamos como o fazem os animais – com o que é dado. Não haveria necessidade de inventar palavras, pois não haveria variedade de coisas diferentes das que já existiam. Não teríamos aprendido a "pensar".

Sem experiência concreta (mãos/olhar), não haveria inteligência.

Só "compreendemos" o que fazemos à medida que vamos fazendo.

Até chegar à... conclusão! Depois de praticado muitas vezes o mesmo ato, então será possível "abstrair" ("retirar") elementos comuns à experiência – e dar-lhes um nome. Só existem palavras para designar ações ou coisas conhecidas, repetidas. Essas palavras passam a funcionar como estímulos condicionados capazes de despertar, ou de facilitar, a repetição da ação (como nos dizem os comportamentalistas).

O "mal" da motricidade, se cabe dizer assim, é este: ela é por demais complexa e por demais rápida para ser bem percebida, seja em mim, seja no outro. A fim de percebê-la, compreendê-la, é preciso prestar atenção nela – e em silêncio interior. Sem palavras!

Não podemos prestar boa atenção em dois fatos simultâneos. Por exemplo, o ver e a palavra (ouvida ou lida), meu movimento e o movimento do outro (gestos e faces) em um diálogo.

Também podemos dizer: é difícil "tomar consciência" da motricidade, de tudo que ela faz – que é muito e, freqüentemente, envolve diversos movimentos simultâneos. Irei devagar em relação a ela, pois a questão é fundamental para a... inteligência – e, portanto, para a educação.

Enfim, por que tantas voltas sobre as relações entre olhar, movimento e inteligência? Porque a noção comum e ingênua é a de que "inteligência" tem tudo que ver com palavras – e nada com a visão e/ou com o movimento. Só por isso...

E, como espero que esteja ficando bem claro a esta altura, a questão está no centro de tudo que se possa considerar ao... pensar (falar?) em educação!

DEPOIS DA MOTRICIDADE VEM A VISÃO

Nada em nós se move tão depressa quanto os olhos, nada se adapta tão bem e tão rapidamente, para ver com clareza o que é preciso ver – a cada momento.

E nada conseguiríamos fazer se não fosse assim. Pense em um cego, perdido na selva.

No cérebro, considerando áreas e volumes de substância nervosa ligados a cada função, a visão vem em segundo lugar – depois da motricidade –, ocupando **mais de um quinto do córtex cerebral.**

O ato de ver é de uma complexidade inimaginável, em nada semelhante ao processo fotográfico com o qual costuma ser ingenuamente comparado.

A imagem "vista" pelo minicérebro que é a retina emite, ao longo de seu complexo percurso até a região occipital do cérebro, várias ramificações, alcançando diversas regiões subcorticais até chegar a áreas do córtex occipital e parietal. No decorrer desse complexo caminho, o estímulo original (retiniano) é processado, isto é, decomposto e ressintetizado de vários modos em fração centesimal de segundo.

Muitas dessas áreas eram ditas, antigamente, "áreas silenciosas" do cérebro, pois nada acontecia nelas ante a estimulação direta. Suas funções só se fazem aparentes quando todo o aparelho visual está em ação.

Para completar a presença do olhar no cérebro, é preciso acrescentar mais dados.

O controle da direção do olhar (dos movimentos dos globos oculares) está presente em dezenas de pontos espalhados por quase todo o cérebro – como é preciso.

A convergência ocular, o fazer que as linhas visuais dos dois olhos cheguem ao objeto de interesse e se mantenham sobre ele, é um processo por demais complicado e cuja importância é ignorada ou mal compreendida por quase todas as pessoas. Até pelos oculistas! (Tem quase tudo que ver com os defeitos visuais para os quais as pessoas usam óculos e com o estrabismo.)

Mas é fundamental tanto para a atenção, para manter "o foco", quanto para o aprendizado – ao qual bem mais adiante dedico muitas páginas.

A OUTRA FUNÇÃO MOTORA DA VISÃO

A visão tem outra capacidade tão importante quanto a de ver e... orientar o que estamos fazendo (controlando a ação): **O aqui-e-agora da visão é instantâneo – presença e prontidão.**

Dado um estímulo exterior qualquer (visual, sonoro, olfativo), primeiro é necessário buscar sua origem, guiar o olhar para a direção de onde vem o estímulo. Só assim a motricidade, os movimentos, poderá se organizar em função dessa origem – na sua direção!

Sempre que necessário!

Instantaneamente, se for preciso!

Na selva, qualquer atraso ou engano em matéria de localização do estímulo ou atraso na resposta pode ser irremediável...

Tudo claro e evidente depois que a vida se tornou canibal, quando seres vivos começaram a se alimentar de outros seres vivos. Iniciou-se entre eles a corrida armamentista que nos é tão terrivelmente familiar!

Do murro, da cacetada e da pedrada ao míssil termonuclear!

O mais alerta, o que vê primeiro, o mais rápido, o mais forte e o mais ágil sobrevivem – assim como seus descendentes.

Em emergências, é preciso aprender a agir sem pensar. É ver-reagir – sem a "mente", dizem os mestres de artes marciais.

O "progresso" na velocidade terrestre das respostas chegou até o guepardo (120 km/h). No ar, até o falcão peregrino e seu mergulho a 300 km/h.

Lembrar a fantástica movimentação do leopardo subindo na árvore e movendo-se entre os galhos na caça a um esquilo cem vezes menor!

No entanto, em um carro a 80 km/h ou mais numa estrada bastante movimentada, fazemos tão bem quanto eles e, em uma partida de pingue-pongue, talvez até os superemos!

Mais velozes ainda são os ataques fulminantes dos predadores menores, em até centésimos de segundo: camaleão, martim-pescador, louva-a-deus – e depois murro, facada, golpe de caratê, tiro de arma de fogo.

A vida pode depender de uma fração de segundo e, se você não viu, perdeu.

A vida.

Sem conversa.

A DANÇA DE SHIVA – CRIAÇÃO CONTÍNUA

Em relação a movimentos, somos os mais versáteis entre todos os animais. Cada um em seu gênero é admirável, mas jamais um animal conseguirá imitar outro, enquanto nós podemos imitar qualquer um deles, assim como imitar mil outras coisas e ações. Nossas capacidades mímicas, mecânicas, teatrais, dançantes, circenses e esportivas são tão numerosas e diversas quanto nossa capacidade verbal – ou intelectual!

ENFIM, A "IDENTIFICAÇÃO"

Já passamos pela identificação, vimos suas raízes e como esse é um dos modos fundamentais de aprender, de desenvolver a personalidade – ou de impedi-la de se desenvolver!

Limitando-nos à imitação, ou seguindo o princípio de que é "mais seguro fazer sempre igual", de que "é mais seguro fazer como é 'normal'", ou até de que "é mais seguro fazer como nossos ancestrais", continuamos a ser sempre os mesmos – e a sociedade também.

Freud adiantou: o processo é inconsciente.

Ninguém tem culpa...

No entanto, novamente: desde seu início, ele é visível para observadores atentos, mas tido como algo antes divertido do que importante. "Olha! Ele está imitando o papai!"

O processo é mal percebido porque até mesmo os estudos de psicologia dedicados a ele o descrevem mal. A imitação global – o fazer quase igual a outra pessoa – existe, porém não é tão comum e serve mais ao mímico no palco e à comédia do que à psicologia.

O processo real é mais sutil, consistindo na imitação parcial de jeitos, modos, caras, tons de voz, frases feitas, gestos típicos, e não na imitação do personagem inteiro. Ainda, imitação de momentos do personagem-modelo em situações específicas, e não dele durante muito tempo – ou dele inteiro.

Embora essencial para compreender o que significa identificação em psicopatologia, essa especificação é omitida nos textos didáticos.

Para Freud, a identificação estava "no inconsciente" e só podia ser percebida nas seqüências de associações livres. Era o que lhe permitia a audição dos relatos sem a visão dos personagens. Com seu famoso divã, Freud eliminou a comunicação não-verbal (visível) entre terapeuta e paciente.

Reich passou à entrevista face a face e então percebeu que as identificações podem ser vistas em certos gestos, em certas expressões faciais, em certas atitudes ou movimentos corporais, em certos tons de voz. As identificações, em suma, podem ser vistas por um observador atento ou mostradas em uma gravação rodada em câmera lenta.

> O "inconsciente" é visível na expressão não-verbal – ou na expressão corporal.

Essa afirmação tem tudo que ver com educação. Ela constitui a base concreta – visível – da transmissão dos hábitos e costumes da geração dos pais para a dos filhos.

Na verdade, é como se dispuséssemos de um guarda-roupa com muitos trajes e nem sempre soubéssemos qual o mais adequado para o momento. Isto é, não estamos "identificados" o tempo todo com o mesmo personagem, não diante de todos, não em todas as circunstâncias.

Essas alternativas são a justificativa para as muitas e variadas "interpretações" ao longo da terapia.

Também a isso voltaremos, reunindo, aos poucos, fatos e argumentos inusitados a fim de obter uma visão ao mesmo tempo ampla e pormenorizada de tudo que pode ser considerado educação – e que vai muito além do que habitualmente é considerado educação.

Mas, de momento, limito-me a perguntar: por que tantos neurônios dedicados à visão e ao movimento?

Segundo os neurolingüistas, imitar é o modo mais rápido de compreender o outro.

Além do que já foi dito – e por causa do que já foi dito –, a visomotricidade resume tudo que podemos chamar de "realidade". Realidade é o que posso ver, pegar, mover – ou que resiste, opõe-se à minha intenção, ou me ameaça!

Veja, leitor: "intenção" = "em tensão", "pronto para", como o arco um instante antes do disparo. Todo o corpo, toda a musculatura pronta para entrar em ação.

Desejo organizado!

"Contenção" = "com tensão", segurar, impedir o movimento, reprimir ("empurrar para baixo" ou "outra vez").

Tanto para mover-se quanto para manter-se imóvel é preciso usar tensões (contrações) musculares. "Resistência" – psicanalítica – é assim: em-tensão (desejo) e contração (contra-ação, ação contra)...

Já falei e voltarei a falar dos muitos "nãos" e dos muitos modelos tradicionais que nos contêm (com-tensão).

Para quem ainda não percebeu minha... in-tenção (!): a realidade *não é* feita de palavras, mas de coisas e pessoas quase sempre visíveis e ponderáveis, e de seus movimentos igualmente visíveis...

Enfim, para completar o elenco motor, falta a propriocepção, a capacidade que temos de perceber como estamos e o que fazemos, seja parados, seja em movimento. Adiante, retorno e falo – muito! – da importância deste nosso sexto sentido sistematicamente omitido, ou negado.

Após essa longa exposição sobre a visomotricidade, que ocupa mais de três quintos dos neurônios, pergunto a mim mesmo e a você, leitor: por que ninguém fala disso?

Só se fala do que se fala!

O que *se faz* não parece ter importância e parece, ainda, que ninguém faz nada. Tudo acontece sabe-se lá como ou por quê!

Educar movimentos?

Ensinar a ver?

Pensar que o cérebro tem algo que ver com educação, psicologia e pedagogia – que bobagem!

Que também o corpo pode ser... educado – e talvez seja até importante fazê-lo! Que "erro" pode tanto ser de frase como de gesto ou de cara!

Que idéia!

Importante é falar, mesmo que você não saiba o que está dizendo, mesmo que não perceba sua cara nem seu tom de voz (sua emoção).

Este preâmbulo, um tanto inesperado em um estudo sobre educação, encontrará sua justificativa – além do que já foi e do que será dito – quando falarmos do extremo cuidado com que os Institutos da Filadélfia "educam" os movimentos do corpo e das mãos, o equilíbrio do corpo no espaço e a convergência ocular.

Esta digressão nada tem que ver com a noção anacrônica e mais do que limitada de Educação Física.

Na verdade, ela é um apelo veemente para que se comece a dar à visão, ao corpo e a seus movimentos o papel fundamental que eles têm para a personalidade, para a inteligência e para a vida social (postura, atitudes).

Para encerrar este capítulo, lembro que já há meio século são mencionadas – desenvolvidas e aplicadas – "técnicas corporais em psicoterapia". Isto é, como conseguir modificações de personalidade mexendo com o corpo ou no corpo e seu complemento: quantas dificuldades pessoais estão ligadas a corpos mal percebidos, mal arrumados ou muito amarrados.

Lembrar, enfim, o quanto o Oriente, desde data imemorial, cultiva e cultua técnicas corporais para desenvolver o... espírito! As muitas iogas, o tai chi, as danças sagradas e/ou estilizadas, as muitas artes marciais e tantas outras atividades corporais (que mal conheço pelo nome), todas elas realizadas visando ao aprimoramento da personalidade.

Por que não adotar algumas dessas técnicas em Educação Física? E, de novo, praticando o estruturalismo: convidar os pais para que participem.

Entre nós, o movimento e a Educação Física referem-se a competição esportiva exacerbada, futebol, olimpíadas, uma contínua violência contra o corpo. Uma tortura de anos para ganhar um décimo de segundo a menos – e uma reluzente medalha de campeão mundial, um segundo de glória na TV.

E contratos publicitários polpudos para o primeiro – só para o primeiro!

Imagine como se sente o segundo!

TRÊS MODELOS RADICAIS – E DIVERTIDOS!

A comunicação não-verbal é sistematicamente subestimada, negada e muito mal compreendida na maioria das ciências humanas – e nas filosofias.

Comecemos com o negativo: a cara do jogador de pôquer (igual à do especulador e à dos porta-vozes das autoridades). Absolutamente impassível, impessoal, monótona, em um só ritmo – só palavras.

Robô.

Claro, pronunciadas com cuidado para não revelar nada além do que as palavras (de dicionário) dizem.

No caso do jogador de pôquer, a imobilidade facial é imperativa. Se o rosto (ou as mãos!) se moverem espontaneamente, os oponentes adivinharão o jogo que o descontrolado tem em mãos. Entre os grandes negociadores, o caso é bem parecido.

Em outro mundo acontece a mesma coisa: no das mansões inglesas de altíssimo nível. Falo da mais típica das figuras humanas – o mordomo (o "maior da casa"). Por que típica? Porque ele só pode ter uma cara, uma expressão fisionômica. Na verdade, apenas uma máscara fixa, rígida, impassível.

Por que seria?

Você não imagina? Gente rica faz coisas incríveis, ainda mais variadas, exóticas, loucas e ridículas do que eu e você – com cara séria e convicta. Ai do mordomo se seu rosto mostrar por pouco que seja seu julgamento, seu parecer e seus sentimentos em relação a essas tolices e manias. Será despedido imediatamente, e jamais será contratado por outro milionário.

Cena de um filme francês sobre a época dos Luíses.

A senhora Marquesa está, nua, tomando banho de banheira no quarto. A seu lado, o mordomo (o tal!) mantendo um regador à altura conveniente, como chuveiro. Com cara e posição de estátua.

Ai dele se desse uma olhada daquelas (por demais presumível!) na senhora Marquesa nua. Ai dele se apenas afrouxasse o gesto, "caindo" involuntariamente, de leve, na direção da senhora Marquesa.

Iria para a Bastilha!

O que já disse e continuo a perguntar teimosamente neste livro é: por que ninguém fala disso?

Eu sei: se começássemos a falar das caras uns dos outros, 90% das convenções e das escalas sociais de poder viriam abaixo! Muitas amizades e casamentos também. E muitos empregos seriam perdidos.

A CRIANÇA HUMANA E SEU CÉREBRO

O cérebro do recém-nascido tem pouco mais de 20% do peso de seu corpo; no adulto, pouco mais de 2%. Note a diferença!

Basta olhar com atenção para um nenê e ver que ele é muito cabeça.

Por que será que um fato tão evidente é tão pouco comentado? Por que será que, atualmente, quando o cérebro é tão estudado como indiscutível centro da inteligência, esse fato tão óbvio continua a passar despercebido?

Ele está dizendo que a criança é muito mais... inteligente do que qualquer adulto!

O peso do cérebro vai aumentando à medida que os neurônios crescem, espessam seus envoltórios de mielina, multiplicam os dendritos e se conectam – ou não!

Por volta dos 3 anos, o cérebro já alcançou 90% de seu peso!

Para acompanhar esse desenvolvimento acelerado, a circulação sangüínea do cérebro infantil é três vezes e depois ainda duas vezes mais abundante do que a do adulto, e vai se "normalizando" depois dos 6 anos.

Comparando: o cérebro do chimpanzé, apesar dos 98% de DNA igual ao nosso, não chega a pesar a metade do nosso e termina seu desenvolvimento aos 3-4 anos. Como a "tecnologia" que desenvolveram é primária e simplória, como sua habilidade manual é limitada e seu mundo é bem pequeno e sempre o mesmo, seu cérebro ficou por aí...

O nosso não parece ter limites. Descobriu que, inventando sempre mais coisas (tecnologia), ele se desenvolve sempre mais – para acompanhar o que vai inventando...

"Criança" – pequena! – "é feita" para aprender.

Uma das percepções mais geniais do grupo de Doman foi esta: o tempo de aprendizado da criança, como tudo nela, é de longe muito mais acelerado do que o nosso.

Por isso, ao ensiná-las – exibindo figuras e nomeando-as, por exemplo –, é imperativo exibir a imagem e dizer a palavra a ser ensinada durante não mais que um a dois segundos. Depois, será preciso repetir algumas vezes (sempre depressa) para que os dendritos se conectem afetivamente com outros neurônios, e o conhecimento se faça estrutura cerebral permanente.

Daí que uma "aula" para crianças de poucos anos – ou até de alguns meses! – seja constituída de cinco a dez imagens em sucessão bem rápida.

Os pesquisadores do grupo de Doman não dizem, mas o fundamento para essa rapidez talvez esteja ligado à dificuldade da criança de manter a convergência ocular, conforme desenvolverei adiante.

A "aula" (dez palavras) dura meio minuto. Depois, será necessário repeti-la quatro a cinco vezes por dia. Poucos dias mais e o conhecimento será para sempre.

Note-se a vantagem, inclusive econômica, dessa escola em relação ao que nós chamamos de Escola!

Incidentalmente, esse fato explica o apego das crianças ao computador e à TV, que "respondem", "ensinam", nessa velocidade, e repetem quantas vezes ela quiser.

Como já disse, essa aptidão é biologicamente necessária: filhote que não aprende depressa é comido. Nossos "filhotes" também. Pensando na pré-história, se eles não percebessem e fugissem em tempo, podiam ser apanhados. (Recorde o prefácio!)

Daí as brincadeiras de esconde-esconde e "acusado", e a de aparecer de repente para uma criança – o que a excita e assusta.

Por isso, também, o cérebro é visomotor: assim, os filhotes aprendem depressa, por imitação. É ver-fazer igual, sem explicações, sem palavras que demoram...

Sem escola!

Sem palavras.

Doman e seu pessoal foram aprendendo e aproveitando bem todos esses fatos. Aos poucos, vou descrever e elucidar tanto os fundamentos quanto as técnicas desse grupo de pessoas privilegiadas, que começaram a ver a... criança – e descobriram para que serve sua grande cabeça.

Há meio século, estudam como favorecer o desenvolvimento ordenado do cérebro infantil – com resultados mais do que surpreendentes.

Começaram tentando recuperar crianças com sérias lesões neurológicas. Estimulando o que restava de função no cérebro, conseguiam resultados extraordinários em uma época na qual "lesão cerebral" infantil significava o irremediável. Ou a família passava a existir em função do infeliz ou ele era deixado em... depósitos de horror.

NOVAS NOÇÕES SOBRE A CRIANÇA HUMANA

O repertório motor e a capacidade sensorial de um recém-nascido são mínimos – inclusive sua capacidade digestiva (cólicas!) e sua competência respiratória (alguns morrem dormindo por asfixia).

Se não nos preocuparmos em organizar seqüências de estímulos em certa ordem (a ser especificada logo mais), o cérebro do neonato se desenvolverá aleatoriamente ao sabor do que acontecer à sua volta, em função do tratamento que receber, podendo até não se desenvolver, ou apenas tornar-se "igual" ao da maioria – "normal"...

Neurose é a conseqüência dessa carência e desordem pedagógica, da inconsciência ou da ignorância dos educadores, isto é: família, escolas e ministérios – a sociedade, em suma.

O erro coletivo reside em considerar a criança um bichinho simpático e ignorante que só poderá começar a aprender a sabedoria dos adultos quando tiver alcançado a... idade escolar.

Bem explicitamente: "todo mundo" está errado em matéria de educação.

São conhecidas histórias terríveis de crianças que permanecem isoladas em um só aposento durante anos. Não desenvolvem nem as mais simples aptidões animais. Têm a metade do tamanho corporal esperado, são microcéfalas, jamais aprendem a falar e são irrecuperáveis.

Sem experiências variadas, o cérebro não se desenvolve.
Exposto a experiências muito repetidas (é a regra), ele se faz um autômato – desenvolve... "bom comportamento".

OS CÉREBROS NÃO SÃO IGUAIS

A influência da experiência sobre o desenvolvimento cerebral vem se fazendo cada vez mais clara, e um resumo das conseqüências pode ser lido na seguinte citação:

Os cérebros são tão diferentes quanto os corpos – até mais. O diâmetro da comissura anterior (feixe de fibras nervosas ligando regiões homólogas dos dois hemisférios) pode variar de volume de um a sete em vários indivíduos. A "massa intermédia" (núcleo de neurônios) nem sequer existe em uma de cada quatro pessoas. A área visual do córtex cerebral pode variar em extensão, em indivíduos diferentes, de um para três. Até a amídala [afetiva!] pode variar de dois para um em volume – o mesmo acontecendo com o hipocampo. O córtex cerebral pode variar em extensão ou espessura de um para o dobro, conforme a pessoa.

(John Robert Skoiles, in Howard Bloom, *The global brain*, Nova York, John Wiley & Sons, 2000, p. 237)

Claro, tais e tantas diferenças só podem ser devidas ao número e à variedade de experiências vividas pelas pessoas.

Hoje é possível, em certa medida, favorecer o desenvolvimento ou provocar a atrofia em áreas cerebrais experimentalmente, impondo ao animal de laboratório um grande número de repetições de movimentos ou, ao contrário, impedindo-o de fazer tais ou quais movimentos.

O cérebro de ratos criados em ambientes com muitos estímulos (cores, sons, irregularidades de solo, até brinquedos) chega perto de ser o dobro do das testemunhas "normais". E a diferença acontece em vinte a trinta dias – mas note que ratos vivem apenas dois anos.

Espero que o leitor se lembre desses fatos quando, mais para a frente, apresentarmos as teorias e as técnicas dos Institutos da Filadélfia.

O cérebro não se desenvolve sozinho. Ele é "feito" pela experiência vivida por seu... proprietário – e pelo ambiente onde ele se desenvolveu. O porquê de, apesar disso, os cérebros serem, em conjunto, bastante semelhantes entre si será discutido adiante.

O que a criança aprende quando a observação nos diz que ela parece uma débil mental?

As crianças aprendem muito, e muito mais depressa do que nós, e só nossa cegueira preconceituosa (e a organização patriarcal da sociedade) nos impediu de perceber esse fato.

Pode-se comparar uma criança quando vem ao mundo a você sendo deixado em um país estranho e sem saber a língua. Na verdade, sem saber falar!

E sem dinheiro!

E meio paralítico...

Em um ano, a criança já consegue se "virar" (passe a gíria).

Ao final, examino as origens históricas dessa omissão, do porquê de as aptidões infantis terem sido e continuarem sendo tão ignoradas. Na verdade, o porquê de a criança humana ser sistematicamente... subdesenvolvida pela pobreza tradicional de estimulação.

"Criança não compreende nada."

"É tão frágil, tão desamparada, tão impotente."

"Coitadinha!"

O Instituto de Doman publicou um livro (e um CD) fundamental sobre como favorecer o aprendizado motor da criança: *How to teach your baby to be physically superb – from birth to age six* [Como ensinar seu bebê a ser fisicamente soberbo – do nascimento aos 6 anos] (Nova York, Square One, 2006). Adiante, esquematizamos os exercícios que eles propõem para "formar" o cérebro motor até seu limite – dois terços do cérebro (o olhar vai junto).

PEDAGOGIA, PENSAMENTO E INTELIGÊNCIA

Repetindo: de há muito se diz que a inteligência tem bastante que ver com "a cabeça" – com o cérebro. Mas em nenhum de meus diversos contatos com a educação ouvi coisa alguma sobre o cérebro!

Nem nos preclaros mestres europeus, começando com Edgard Morin (*A cabeça bem-feita: repensar a reforma, reformar o pensamen-*

to, Rio de Janeiro, Bertrand Brasil) e chegando a *Educação: um tesouro a descobrir* (São Paulo, Cortez), em que mais de uma dezena de grandes educadores europeus se manifestam sobre educação.

Para hoje, terceiro milênio, diz o prefácio. A verdade é que nem sequer ao corpo eles se referem – quanto menos ao cérebro! Muito menos à visão, aos movimentos ou às emoções.

Palavras, palavras, palavras.

Aceita-se no texto que palavras podem ensinar tudo que é preciso aprender para se orientar no mundo!

Para conhecer a realidade.

Que saber é saber falar!

Que saber viver é saber "pensar" (em palavras).

E o mestre e o livro permanecem impávidos na cátedra do conhecimento...

O mestre sabe.

Sempre o Velho Patriarca impedindo o nascimento da criança.

Prefiro consultar Newton – o da maçã, mesmo. Segundo ele, a Física (toda a Física) consiste em investigar e conhecer os movimentos de todas as coisas. Em "descobrir" como o movimento começa, o que determina sua velocidade, direção, aceleração, como ele passa de um objeto para outro.

Como se propagam as influências...

Dizer que a realidade é criação contínua é dizer que o movimento "faz" tudo que acontece.

Que toda noção estática "estabelecida" é medo de sentir vertigem...

Ou de levar um tombo!

Nosso equilíbrio (falo do corpo) é precário!

Mas nem Newton se deu conta de que tudo isso está em nossa motricidade (no corpo), que podemos sentir "a" força nos músculos, "fazer" força e por isso... compreender as forças.

Só depois de fazer força e de senti-la em nós seremos capazes de abstrair dessa experiência o que é a força, como dado da experiência sensorial pessoal. Depois – só depois – poderemos, baseados nessa experiência, abstrair a noção de força e então explicar a física, explicar "racionalmente" o que agora se transformou em conceito, todas os movimentos que ocorrerem em nós mesmos e em torno de nós, criando a mecânica, a cinemática e a estática...

Como seria se não fosse assim?

De onde teria nascido a noção senão da experiência pessoal, como todas as demais noções ou conceitos?

Sem sensação de base não há conceito – desde Aristóteles...

Bastava a Newton sentir a força que fazia ao se levantar da cadeira para conceber a gravitação universal.

Mas o físico, como a maior parte dos pensadores, parece não ter corpo – ou não senti-lo. E então o centro da física se faz... metafísica.

Ninguém "sabe" o que é uma força porque ela não é um conceito abstrato: é uma sensação...

Estranho, não é?

Por que as pessoas não têm consciência da sensação de força?

O CONFLITO MOTOR PRIMÁRIO

O problema reside no conflito entre duas sensibilidades, a visual (visão) e a propriocepção, nosso sexto sentido sempre ignorado. Cuidemos dele.

Se você "prestar atenção" a si mesmo enquanto faz alguns movimentos lentos – experimente! –, poderá sentir com clareza tanto a posição do corpo a cada momento como todos os movimentos que for fazendo.

"Perceber a posição" é perceber o "sistema de forças", a estrutura, que o mantém... composto ("com" + "posto"); na verdade, a postura!

Você não precisa se ver em um espelho para saber como está ou que movimentos está fazendo.

Mas você só sentirá com clareza esses movimentos se prestar atenção a eles e se eles ocorrerem em "câmera lenta".

Na primeira infância (do nascimento até 1 ano, mais ou menos), o corpo precisava sentir as próprias aptidões motoras a fim de se mover, a fim de organizar seus movimentos. A criança se movia devagar e enxergava mal, movendo-se quase sem rumo, ou sem propósito. Movia-se para se mover. Na verdade, movia-se visando aprender a se mover.

Sua experiência no útero – onde se movia bastante em um ambiente entre pastoso e líquido – de pouco lhe servia, ao nascer, para se mover no plano, "esmagada" pela pressão da gravidade.

Movia-se a fim de aprender a se mover e, no mesmo ato, desenvolvia sua sensibilidade proprioceptiva – as sensações de posição e movimento.

Importante era aprender a mover esse corpo, essa "máquina" tão complexa e versátil.

O mundo, o espaço, as coisas ficavam em segundo plano. Eram apenas cenário, e o desejo não tinha pressa...

Não adiantava ter. Ela não dispunha de coordenação motora suficiente para ir depressa nem para ir aonde quisesse, pois não havia querer, não havia intenção. Na verdade, não havia... espaço!

Em gravidade zero é assim: não sentimos nosso peso, que é a direção primária em relação à qual todas as demais "têm sentido".

Entretanto, à medida que se movia, a criança aprendia a se mover, isto é, ia desenvolvendo automatismos motores – como era preciso. As bases de nossos movimentos são complicadas demais para ser confiadas à escolha, à "vontade".

O feto aprendia a se mover sem prestar atenção a seus movimentos.

Por que era preciso?

Porque na selva, onde, ao longo da Evolução, todos os movimentos se desenvolveram, sobrevivia o que se movesse melhor e mais depressa. Não havia tempo para... pensar! Era ver–fazer.

Então, e por isso, o comando motor foi passando para o olhar–cenário, aonde ir, por onde ir.

Será preciso ir depressa?

Ou dá para ir passeando?

O olhar foi educando, aperfeiçoando o movimento-no-cenário. E a consciência aos poucos foi se distanciando da propriocepção, que se fazia cada vez mais automática (mais inconsciente) e cada vez mais submetida à visão.

Hoje, movemo-nos quase todos, quase sempre, como autômatos de precisão (ou nem tanto...), inconscientes de nossos movimentos, obedientes ao comando da visão-na-cena ou da visão-ligada-à-intenção.

Para que tantas voltas a fim de explicar os movimentos, algo que, afinal, já está feito – é tão fácil – e não parece tão importante?

E mais: que importa tudo isso para a educação?

Importa porque, desde o começo, pouco se considera, tanto em psicologia quanto em educação, a formação dos movimentos. Tanto por isso como por motivo de identificações. Estudaremos o estar ou o mover-se como o outro se move.

Como conseqüência, as pessoas nem de longe dispõem de seus movimentos com a eficiência, a graça e a precisão que eles podem ter. Se cuidássemos deles desde o começo, poderíamos nos tornar todos bailarinos e ginastas de primeira – como acontece com as crianças dos Institutos.

E mais: nossas inibições e "amarras", tidas como apenas psicológicas, estão todas enraizadas em nossa movimentação precária, mal organizada, automática (inconsciente) e por isso difícil de modificar.

Pior: toda ela feita de imitações sem que a pessoa perceba que está imitando.

É de longe mais difícil "corrigir" atitudes mal organizadas do que favorecer sua formação "bem-acabada", desde o começo.

Adiante retorno ao tema e sugiro como fazer para cultivar a motricidade até sua melhor forma, assim como alguns meios aptos a reparar a má organização motora quando esta já se estabeleceu.

(Insisto: neurose pode ser tida como má organização motora, como corpo amarrado, preso.)

Bilhões de anos antes de Galileu, Newton ou Arquimedes "pensarem" em movimento, a natureza viva já se movia – e como!

E quanto!

E com que variedade!

Na verdade, muito da famosa "seleção natural" tem que ver com a capacidade de movimento dos seres vivos.

Mecânica e sobrevivência são quase sinônimos!

Sobrevive o mais móvel! Versatilidade motora, vivacidade mental e esperteza costumam andar juntas.

Solenidade, lentidão e gravidade (atitude grave!) são a forma do conservador. Fácil perder o equilíbrio quando se está tão amarrado.

Sem o campo gravitacional da Terra, condição essencial na formação de toda a mecânica viva dos animais terrestres, a vida seria completamente diferente do que é.

Piaget e Wallon tentaram dizer coisas remotamente parecidas às dos Institutos. Sobre eles, sei o que já disse – e nada mais. Sobre Vygotsky, bem mais. Mas nem estes sabiam o suficiente acerca de nossa motricidade complexa, tampouco do cérebro, o que prejudicava e simplificava suas análises.

Ainda, ignoravam de todo o fenômeno da identificação (imitação), que influi poderosamente na organização motora e provavelmente supera, em importância, tudo que se pretende fazer deliberadamente com a criança.

Já os achados dos Institutos são avassaladores tanto em qualidade quanto em quantidade, excluindo qualquer possível objeção acadêmica.

O cuidado que dedicam ao desenvolvimento motor é exemplar, e não creio que se possa imaginar algo melhor. Todo o trabalho é desenvolvido sobre excelente base neurológica.

Mas, como nada é perfeito neste mundo e como ninguém foge a suas circunstâncias de formação e de vida, eles também, americanos que são, ao cultivar a motricidade de forma modelar, atêm-se a ela mesma, ao saudável, ao movimento por amor ao movimento – no que eles, os americanos, são excepcionais.

Michael Jackson, *Cantando na chuva*, Fred Astaire e Ginger Rogers, Esther Williams, Madonna, os fantásticos espetáculos de luxo e movimento da Broadway... Depois, o Cirque du Soleil, a mais incrível exibição de todos os movimentos que podemos fazer – como espetáculo de circo!

Tudo e todos realizando movimento por amor ao movimento.

Nada que ver com Reich e nada que ver com o valor psicológico dos movimentos na formação – e deformação – da personalidade e das relações pessoais e sociais.

E o muito que o movimento tem que ver com a inteligência. Nada.

Fora dos espetáculos... espetaculares, continuam todos fantoches, movidos pelos fios invisíveis dos costumes tradicionais, dos preconceitos e condicionamentos sociais.

O QUE DE FATO FAZEMOS COM AS CRIANÇAS?

Diz a pedagogia tradicional: "Educar consiste em cultivar ao máximo as aptidões da criança".

Como se faz isso?

No lar, isso se faz dizendo "não" cinqüenta vezes por dia (no mínimo, e durante vários anos), "corrigindo" a toda hora, ensinando com ar professoral ou maternal "como se faz", "como é certo", "como se deve", "como é normal"...

"Quem ama educa", diz o livro bem-sucedido, "põe limites" – frase que resume toda a incerteza dos pais mais cônscios de sua função.

Impõem aos filhos, ou tentam impor, os limites que sofreram, transmitindo-os sem refletir. A maior parte deles são antes costumes sociais que individuais.

Tradição!

E, sendo coletivos, não permitem... a individualização!

No entanto, a alma do aprendizado está no respeito rigoroso ao interesse espontâneo do... discípulo, sem o qual toda "lição" é uma agressão. E uma perda de tempo.

Paradoxo: os limites convencionais, os "bons costumes", são tidos como limites... naturais – "iguais para todos".

Já a ligação desses sábios "ensinamentos!" com nosso mundo perverso e absurdo permanece nas sombras.

Diz-se: "A família é a célula-*mater* da sociedade", e todos acham lindo e sábio. Mas se esquecem de concluir: será que nossa sociedade, que nasce da família, é tão boa assim?

Valerá a pena esforçar-se para que ela continue? Ou "a" sociedade nada tem que ver com a família e com a educação?

Será que todos os perversos, os maldosos, os bandidos e os exploradores se formaram – todos – fora da família e da escola?

Pense, leitor.

RESPIRAÇÃO E CÉREBRO

É provável que nossa emoção primária – ou a mais fundamental – seja o medo, do qual a ansiedade, a angústia e a ameaça de pânico estão bem próximas. São, além disso, as precondições de toda a patologia psicossomática.

Quase podemos afirmar: a "causa" de todas as doenças é... o medo!

A diferença é clara. Sentimos medo se houver uma ameaça evidente nas proximidades. Diremos que é ansiedade se não houver.

Freud abriu caminho para compreender o fato: ansiedade é medo de fazer algo condenado pela sociedade – ou pelos circunstantes. Medo dos próprios impulsos e desejos. Na verdade, medo dos outros, porque todos vigiam a todos para que ninguém faça o que todos gostariam de fazer.

Todos prisioneiros e policiais do... sistema!

Acrescento outra espécie de ansiedade (a meu ver a principal, a mais geral): medo de todas as ameaças implícitas em nosso mundo autoritário, competitivo, opressivo, violento e implacável.

Assista a um telejornal, qualquer um, e você saberá do que estou falando.

O hábito e o irremediável (pouco podemos fazer para nos proteger) nos levam a desconsiderar essas ameaças que nos cercam o tempo todo, de todos os lados. Viver com elas, sentindo medo sempre, seria insuportável; então aprendemos, quase todos, a *fazer de conta* que "tudo bem"...

A inconsciência das ameaças que nos cercam, ao mesmo tempo que nos garante certa paz, é a raiz da alienação, do faz-de-conta que tudo está bem.

Mas nosso bicho não se tranqüiliza com explicações; e qualquer bicho "inconsciente" dos perigos que o cercam é a presa favorita de qualquer predador. Como entre nós e os poderosos que vivem de nossa alienação (de nosso medo).

Onde há medo há perigo.

O medo é um alarme primário da natureza – e não pode ser "falso" ou "imaginário".

Nenhuma espécie insensível ao medo sobreviveria.

Nem a nossa.

Essas afirmações valem para todas as ansiedades e medos do mundo.

Repito: onde há medo, ou ansiedade, há perigo – e será mais do que prudente tentar descobrir sua origem. E ver o que se pode fazer, apesar dele.

Em função de minha experiência como terapeuta (e em minha vida), aprendi muito sobre essas emoções e o quanto elas estão ligadas, de um lado, com a respiração tolhida e, de outro, com a deficiência na oxigenação cerebral.

E o quanto, além disso, o medo, "que é bobagem", limita a iniciativa das pessoas, limita a coragem de viver e de arriscar, de decidir, de mudar, de se opor, de ignorar ou transgredir algumas normas sociais, tantas delas descabidas.

Pareceu-me que seria por demais desejável incluir no programa de aprendizado – de vida! – meios para se haver com essas emoções penosas e maléficas, responsáveis pelas doenças psicossomáticas (cada vez mais freqüentes), por todas as limitações da iniciativa das pessoas (que decorrem do medo) e pela infinita passividade dos cidadãos "normais".

Para tanto, resolvendo minha estranheza ante o fato de que, em pedagogia, pouco ou nada se diz sobre o cérebro, e levando em consideração sua importância para o aprendizado, para a vida e para a personalidade, passo a resumir pontos de interesse sobre o medo/ansiedade, indissoluvelmente ligados à oxigenação cerebral. Portanto, à respiração e à circulação.

Entenda-se a essência: se em um avião ocorre uma pane na aviônica (nos circuitos eletrônicos que garantem o vôo), até os pilotos poderão entrar em pânico.

Assim também com o oxigênio e o cérebro, que é a soma de tudo que nos governa, protege, sabe fazer, organiza a corrida, a luta, a negociação e mais...

O medo, a ansiedade e o pânico acontecem quando o cérebro começa a ficar asfixiado, com falta de oxigênio.

O metabolismo (a atividade) do neurônio, ao lado do da fibra muscular, é o mais alto em relação ao de qualquer outro tipo de célula do corpo. Isto é, seu funcionamento eletroquímico se faz com grandes e instantâneas transformações de energia.

Portanto, basta que o aporte de oxigênio mais glicose sofra mesmo que uma pequena redução para as funções neuronais ficarem imediatamente prejudicadas.

Além disso, o cérebro nunca repousa, consumindo, dia e noite, 20% de todo o oxigênio que inalamos (mas não de forma uniforme pelas várias regiões).

Foram feitas experiências de interrupção da circulação cerebral com muitas pessoas. Ajustava-se um manguito de pressão em torno do pescoço e bastava apertar um botão para que o indivíduo fosse "estrangulado" macia e instantaneamente.

Nessas condições, temos de sete a oito segundos de consciência.

Mas é preciso acentuar: essa forma de impedir a circulação cerebral não é radical. Se fosse, não sei se teríamos mais de dois ou três segundos de consciência.

Quem já viajou de avião sabe: ainda antes da decolagem, a primeira instrução ouvida da aeromoça diz respeito à máscara de oxigênio e, surpresa: "Primeiro coloque a máscara em você e depois na criança, se houver". (Porque, se você tentar cuidar dela primeiro, poderá "apagar" antes de conseguir!)

Como falamos muito sobre respiração e oxigenação cerebral, vale a pena conhecer a seqüência de sintomas ligados à falta de oxigênio (hipóxia) para o cérebro.

O primeiro é o gradual escurecimento e fechamento do campo visual, chegando à cegueira completa.

O segundo é a dificuldade dupla de entender palavras e de conseguir dizê-las. De "pensar".

O terceiro é a dificuldade de realizar movimentos delicados ou complexos.

O quarto é a dificuldade de tomar alguma decisão diante de uma situação complexa.

O quinto, enfim, é a dificuldade de manter o equilíbrio se a pessoa estiver de pé. Daí a última: o desmaio, perda da consciência. Antes do desmaio, todos os demais sintomas podem ser graduais, limitados.

Lida com atenção, essa lista resume os sintomas da crise de pânico!

Bastaria respirar, e o pânico se dissiparia!

Essa seqüência liga-se bem claramente ao grau de complexidade das funções nervosas correspondentes. Na verdade, liga-se a todas as funções corticais, as mais complexas e delicadas do cérebro.

Mesmo que a vítima do pânico desmaie, ela não morre porque as regiões inferiores do cérebro (v.i.) são bem mais resistentes à falta de oxigênio.

Alguns dados sobre a circulação cerebral:

- volume de sangue que passa pelo cérebro: 700 a 1.000 cm³ por minuto (20% do total de sangue contido no aparelho circulatório, como foi dito);
- ou 55 a 60 ml por 100 g (de cérebro) por minuto, desigualmente distribuídos, conforme o momento funcional;
- na criança: 105 ml por 100 g (de cérebro) por minuto.

Para nutrir 1 grama de substância cinzenta, são necessários 180 cm³ de sangue por minuto.

Acostumadas a ver a figura do cérebro inteiro, fica nas pessoas a impressão de que ele sempre funciona... por inteiro. O que é falso.

Lembrando, como exemplos, o centro respiratório, as pequenas regiões do córtex cerebral que controlam a posição e o movimento de cada dedo e as que comandam a fala e a audição das palavras, compreendemos que o cérebro *é um vasto conjunto de regiões relativamente independentes*, com estrutura microscópica e funções distintas.

Um mosaico funcional.

Claro, esses "subórgãos" estão complexamente ligados por feixes de fibras e funcionam coordenadamente, mas não sei se em alguma eventualidade o cérebro funcionará por inteiro.

Inclusive, é difícil saber o que ou como isso seria.

No alerta?

Igualmente difícil de compreender é sua total anulação funcional. Seria a morte.

O córtex é o mais sensível, seguindo-se o cerebelo, os núcleos da base, o tálamo, o hipotálamo e outras regiões mais inferiores (e mais antigas)! O funcionamento de cada uma delas depende estritamente do volume de sangue que nutre a região.

As técnicas atuais de mapeamento da atividade cerebral baseiam-se nisto: qualquer que seja a função solicitada do cérebro, acontece instantaneamente – basta "ter a intenção" – o aumento da circulação sanguínea nas regiões envolvidas na atividade solicitada.

Se dissermos ao sujeito: "Cerre a mão direita", mal ele *entende* a ordem, imediatamente a circulação aumenta (vasodilatação) nas áreas motoras envolvidas no movimento solicitado.

As artérias do cérebro são quase terminais, isto é, se obstruídas, o território que nutrem e oxigenam pode morrer – como no coração.

Em outras partes do corpo, as artérias maiores trocam ramos colaterais entre si (anastomoses) e então, mesmo que uma seja obstruída, outras irrigam a região. Tudo nos leva a crer que o mesmo acontece nas regiões em desenvolvimento. Se a circulação não nutrir o processo, ele não se fará ou será deficitário.

Recorde-se o volume da circulação no cérebro da criança: três vezes mais abundante do que no adulto nos primeiros meses de vida, diminuindo gradualmente depois.

A título de complemento, cito dados de Doman em seu livro *Como multiplicar a inteligência do seu bebê* (Rio de Janeiro, Record, 1999, p. 98).

Enfim, o endotélio (paredes) dos capilares cerebrais também é especial, altamente seletivo, permitindo ou não a passagem de produtos do sangue para o cérebro – ou ao contrário, conforme o momento funcional. Quando diminui a pressão arterial geral, a do cérebro se mantém (dentro de limites) – outro indicador de autonomia de seu controle circulatório.

Essa relativa autonomia da circulação regional do cérebro ajuda a compreender o desenvolvimento maior ou menor de certas regiões, como viemos dizendo em vários contextos.

A cabeça do recém-nascido tem 35 cm de circunferência; aos 2 anos e meio, ela mede 50 cm e aos 21 anos... 55 cm! Todo o crescimento ulterior será de conexões (dendritos) e/ou espessamento da bainha de mielina.

O cérebro foi o órgão que mais evoluiu (que mais aumentou) na história da vida, nos últimos três ou quatro milhões de anos. As áreas ligadas à agressão vêm diminuindo e as ligadas ao prazer, aumentando – por mais que isso possa surpreender.

Estima-se que a área endotelial (capilar) do cérebro meça cerca de 20 m² de superfície.

Em suma, os neurônios morrem por falta de uso, ao que se soma a hipóxia (baixa oxigenação) crônica do... bom comportamento, como procurei mostrar de vários modos.

OPRESSÃO, RESPIRAÇÃO, MEDO E ANGÚSTIA

A seguir, um texto longo e inesperado para um livro sobre pedagogia.

A justificativa para o paradoxo – como dissemos – é o predomínio, no mundo de hoje, da ansiedade ou angústia, das crises de pânico, da depressão e das doenças psicossomáticas.

Talvez o denominador comum de todos esses transtornos seja o medo. Além disso, eles ajudam a compreender as toneladas de psicotrópicos que ocupam as prateleiras das farmácias, em volume muito maior do que o dos tóxicos ilegais nas favelas.

Todas as perturbações citadas têm muito que ver com restrição respiratória, e me pareceu essencial começar a propor esta questão na lista das prioridades pedagógicas.

Dito de forma simples – e simplória: vivemos todos meio sufocados ou com medo.

Ademais, muitos desses males têm que ver – quem diria! – com nossas formas de educação familiar e escolar. E, se essas conexões fossem mais bem conhecidas, seria possível sanar diversas dessas omissões de tão sérias conseqüências.

Para tanto, será imperativo trazer para o texto alguns dados sobre a respiração.

A restrição de movimentos corporais, exigida na escola e no lar (e pela sociedade), tem alguns efeitos psicofisiológicos insuspeitados, mas evidentes, *depois que se aprende a ver – e a sentir*.

Poucos se dão conta desse fato porque todos sofremos o mesmo processo, isto é: poucos desenvolvem a capacidade de perceber como respiram. No Ocidente, a respiração é tida apenas como mais uma função vegetativa – sem a menor conexão com a... mente, as emoções, a consciência, a opressão (social, familiar, profissional), a depressão. Ela, como a digestão, se faria por conta própria, automaticamente e sempre tanto quanto o oxigênio fosse necessário.

Omite-se, no mesmo ato, toda a sensibilidade cerebral à menor restrição de sua circulação-oxigenação.

Continuando com o exame da educação "normal": educar não consiste apenas em ensinar coisas falando, explicando, a fim de que o aluno "aprenda", "guarde" em algum lugar do cérebro.

Vamos "ensinar" à criança o que é certo e o que é errado, o que é normal, como se deve... O que se diz (palavras!) é sempre muito bonito, até edificante; o que se faz (restrição dos movimentos) é outra coisa – bem outra.

Na realidade, consiste em restringir gradualmente os movimentos, em *modelar o comportamento*, e isso acontece à margem das palavras ditas na aula – ou no lar – e sem que alguém diga às claras o que está acontecendo (inconsciência coletiva).

É a questão dos muitos "nãos".

Mais precisamente: educar, também na escola, consiste na gradual restrição dos movimentos da criança, que vão se fazendo cada vez mais repetitivos e mais "característicos" de cada um, à medida que ela vai adquirindo sua "personalidade", seus modos e gestos próprios, *poucos e repetidos* que, por isso, a identificam – "é o jeito dela".

Em casa não é muito diferente e, implicitamente, espera-se que a criança aos poucos "tome jeito", comece a fazer mais ou menos como os adultos, a ser previsível, a "deixar de ser criança".

Notar: estou falando do que *se vê*, e não do que *se diz*. Estou falando de caras, posições e gestos, e não de explicações verbais.

O efeito dessa modelagem do caráter é evidente – e triste: a criança aos poucos vai perdendo a graça e a leveza que lhe são próprias.

Por que nasceu então o mito da "criança feliz" e, ao lado dele, o "da infância que não volta mais"?

É "a idade" ou a educação repressiva que vai liquidando a infância feliz? O paraíso perdido...

Uma observação atenta mostraria que a criança vai perdendo a leveza e a espontaneidade e ficando meio quadrada, angulosa, repetindo atitudes e gestos que a identificarão: "Ela é assim mesmo".

Posso dizer que, oprimida, reprimida, pressionada, "corrigida" de vários modos, a criança vai sendo "modelada", ficando "bem-educada", e de novo falo do que se pode ver, e não do que se fala.

Todo esse processo é tido como "natural" e inevitável.

Na verdade, desejável e até obrigatório.

Afinal – direis! –, o que quer dizer "educação" se não for isso?

Depois, se fizeram isso comigo, devo fazer o mesmo com meus filhos ou estarei criando crianças "fora do normal", diferentes das demais.

Passada essa educação centrada na contenção do corpo, a criança tem "limites" – os dos pais e da região onde eles moram.

Nessa descrição sumária, está quase tudo que Freud denominou de repressão.

Mas a inconsciência não é só dos indivíduos ou dos pais, é de todo o sistema pedagógico – escolar e familiar.

Note, leitor: é preciso ir muito além de Freud, é preciso chegar ao cérebro (Reich se aproximou) e aos músculos, aos movimentos e às posições (posturas, atitudes, gestos, expressões faciais).

Na verdade, é preciso considerar o corpo, esse eterno omitido, que vai sendo cuidadosamente amarrado. Se solto, ninguém sabe do que seria capaz...

> Tudo que estou descrevendo resume-se a isto: os movimentos das crianças vão sendo limitados.
> Repito: os movimentos! (Os dois terços do cérebro, lembre-se.)
> A respiração da criança vai se restringindo na mesma medida em que ela vai se contendo, ficando "bem-educada", "bem adaptada" – "normal".

Para bem compreender esse fato, tido à primeira vista como descabido, precisamos compreender melhor a respiração.

No ensino fundamental, aprende-se que a respiração é feita no tórax (intercostais) e no abdome (diafragma) – sempre assim e só assim, contrariando a observação mais elementar.

O fato é que todos os músculos do tronco (tórax e abdome) e das raízes das cinturas escapulares (braços) podem influir sobre a respiração, auxiliando-a ou restringindo-a. Respiramos com amplitudes diferentes conforme os movimentos que fazemos (muitos ou poucos, fortes ou fracos) e a posição em que estamos.

Só como exemplo: eleve os braços e respire – a posição facilita a expansão do tórax. Debruce-se para a frente aproximando o tórax dos joelhos e perceba: assim é quase impossível respirar. Se você estiver deitado de lado, um pulmão respira mais do que o outro.

Esses são exemplos didáticos; a realidade é muito mais variada e complexa.

Você sabe (mas não pensa): o volume de ar respirado por minuto é de 5-6 litros, quando estamos em repouso! Mas pode chegar a mais de 100 litros (no exercício do atleta treinado).

Por isto os músculos potencialmente respiratórios são tantos: para inspirar e expirar mais amplamente e para acelerar os movimentos respiratórios sempre que necessário.

Mas o centro da questão é este: ao contrário de todas as demais funções vegetativas, todos os movimentos respiratórios são feitos por músculos estriados, isto é, são – ou podem ser – voluntários.

Posso respirar bem pouco ou respirar muito "por querer". Não posso fazer isso com o coração, o estômago, os rins e demais órgãos.

De outra parte, posso "esquecer" a respiração – como fazemos quase o tempo todo – e ela continua a acontecer "sozinha".

Supõe-se que ela esteja ocorrendo "normalmente", mas não é verdade; ela está restringida pelos movimentos contidos. Ela se encontra no centro das contenções (tórax–diafragma–abdome).

Enfim, é importante saber que temos dois sistemas de controle respiratório: um para fornecer oxigênio a todas as células do corpo (e eliminar o gás carbônico); e outro, bem diferente, para falar.

Ao falarmos, a respiração se submete à necessidade – e às limitações – de produzir os fonemas (os sons) que compõem as palavras e só fazemos assim durante a expiração. Essa restrição vale tanto para as palavras efetivamente ditas como para os diálogos consigo mesmo, para o falar sozinho.

Por tudo isso, se meu corpo foi sendo "amarrado" aos poucos e meus movimentos foram sendo restringidos, minha respiração também estará restringida.

Falando posso respirar, mas bem menos do que se apenas respirasse.

Falar é uma defesa contra a ansiedade, porém uma defesa precária: ao mesmo tempo que a alivia, eterniza-a.

Por isso, as pessoas falam tanto – e com tão pouca oportunidade ou necessidade. Não sei quantas das palavras ditas no mundo têm algum sentido ou servem para alguma coisa.

Cem milhões de celulares no Brasil (2007)!

Notar: se a criança – ou o adulto – fizer movimentos rápidos e intensos (recreio, esportes, academia), os centros respiratórios vencerão qualquer barreira, durante e logo após os exercícios. Isto é, a pessoa respirará bastante.

Contudo, na maioria das situações habituais, estamos parados ou fazendo poucos movimentos respiratórios. Nessas circunstâncias, eles são bem limitados e então vale tudo quanto estou dizendo. Refiro-me a pessoas vendo TV, lendo, na escola (sentados), no papo do bar ou da balada, no trabalho de escritório, na condução.

Na maior parte do tempo, estamos falando (para fora ou para dentro) e sub-respirando.

Basta conter a respiração um pouco mais e começamos a ficar ansiosos (aí ligamos o celular e falamos – respiramos!).

Toda ansiedade está ligada a uma restrição respiratória que a pessoa não percebe porque está "pensando", atenta a suas idéias e inconsciente de sua respiração, de seus movimentos e de sua posição, que estão restringindo sua respiração...

Exemplos: contemos a respiração quando apressados ou impacientes, em expectativa (de exame, de sinal de fim de aula, de sinal de trânsito, de espera em fila, de gol), ao "nos segurarmos" (raiva!), ou seja, quando contemos emoções, ao sermos obrigados a ficar onde não nos interessa – na aula, no sermão, no discurso... Nosso animal "quer ir embora" e nós o seguramos, restringimos seus (nossos) movimentos.

Enfim, sempre que você começa a prestar atenção, pára de respirar por um tempo; se o objeto da atenção continuar, a respiração pode ficar parada muitos segundos.

As pessoas percebem pouco e mal sua respiração, assim como sua posição e os movimentos que estão fazendo – ou contendo –, e todas as medidas pedagógicas são de "comporte-se", contenha seus movimentos, "contenha-se".

Por isso, as pessoas mal percebem o quanto vivem presas.

Ao mesmo tempo que contemos a respiração, prejudicamos o funcionamento cerebral – e este é com certeza um dos processos ou situações (aula!) que vão matando nossos neurônios por hipóxia crônica (baixa oxigenação cerebral).

São dois fatores convergentes: "comporte-se" quer dizer contenha seus movimentos – é o que se pretende. Mas isso acarreta restrição respiratória, o que é de todo ignorado, "inconsciente" (inconsciência coletiva)! Essa restrição não é percebida nem por neurologistas, nem por psicólogos, nem por médicos, nem por pedagogos. E muito menos pelos professores – ou pelos pais!

Pais e professores não se dão conta do fato, pois passaram pelo mesmo processo visto como "normal".

"Educar é isso!", ou "assim".

Nem mestre Doman pensou em ansiedade, ainda que tenha dado muita atenção ao desenvolvimento da capacidade respiratória – mas visando apenas à eficiência dos exercícios aeróbios.

A psicanálise nada diz da respiração. O homem freudiano não tem tórax, nem coração, nem pulmões!

Notar: na ansiedade, como no medo, a ameaça existe, porém não é percebida. Quem imaginaria que na escola ou até no lar podemos estar sendo sufocados? (Mãe sempre atenta, pai autoritário, professor severo, ficar sentado duas horas entediado...)

Para bem compreender os efeitos desastrosos desse duplo processo – restrição da mobilidade corporal e restrição respiratória –, recordo como e quanto eles contribuem para a absurda atrofia da metade de nossos neurônios citada no começo.

Essa atrofia é tida como "normal" ou inevitável. Nem sequer é reconhecida fora de círculos especializados, e só recentemente começou a ser denunciada.

O que dizem os Institutos a respeito da respiração? Dizem bastante, mas estritamente em relação aos exercícios aeróbios, a como manter a suficiência respiratória mesmo ante demandas acentuadas (corrida longa).

Nada dizem – absolutamente nada – sobre as ligações entre respiração, estados de consciência (ansiedade) e desenvolvimento de estados superiores de consciência, como se estuda e se pratica no Oriente.

AS RAÍZES DA BAIXA AUTO-ESTIMA

Outro efeito profundo da restrição motora crônica, de manter atitudes e fazer gestos quase sempre iguais, é este: "Sinto que não posso dar tudo que tenho, que estou, que vivo 'amarrado' e, por isso, com medo (ansioso)".

Em condições naturais, na selva, um animal amarrado – mesmo que parcialmente – seria presa fácil. Assim, sentiria muito medo e... baixa auto-estima – como está na moda dizer.

A autodepreciação pode chegar ao desprezo por si mesmo: "Sou covarde, incapaz de me afirmar e até de me defender!" Ou, no extremo oposto, criar o personagem tortuoso, disfarçado, rancoroso, invejoso – porque ele não consegue se defender de outro modo.

OS INSTITUTOS

Nos textos, eles se referem a si mesmos desse modo, então farei o mesmo.

A matriz foi o Instituto para o Desenvolvimento do Potencial Humano, sediado na Filadélfia, Pensilvânia (EUA), que funciona sem fins lucrativos há mais de meio século.

Lá, reuniu-se – e continua a se reunir – uma equipe de especialistas: médicos, neurologistas, neurocirurgiões, psicólogos, e fisioterapeutas. Originalmente, procuravam saber se era possível fazer algo pelas crianças com lesões cerebrais. Naquela época, aceitava-se coletivamente que eram irrecuperáveis.

Aos poucos, por tentativas e erros (compaixão, teimosia e esperança!), foram descobrindo, ampliando e depois sistematizando métodos de estimulação motora e sensorial (do cérebro) das crianças.

Resultados limitados mas promissores alimentaram a esperança e, gradativamente, foram alcançando resultados mais do que surpreendentes – com o auxílio tenaz e desesperado de pais (das mães, em particular) inconformados com a fatalidade.

O princípio ia se fazendo claro: estimule-se o que restou de funcional e aos poucos as funções vão sendo ativadas.

Se resta alguma visão, lampejemos luz nos olhos, muitas, várias vezes ao dia – e a visão começa a melhorar. Assim também com a audição, os movimentos, a capacidade de falar, a leitura etc.

Daí foram transitando quase que insensivelmente para a "educação" de crianças normais, à custa de métodos simples de estimulação sistemática, conquistando mães e pais para a função de professores – domésticos! – de seus filhos.

Não cansam de elogiar a cooperação de mães e de casais em suas conquistas.

É tocante o encantamento de Doman com seus inumeráveis filhos, o amor e o respeito que dedica a eles e a profunda admiração pela facilidade com que aprendem – qualquer coisa!

SOBRE A CAPACIDADE DE APRENDER DA CRIANÇA – DESDE QUE NASCE

A descoberta fundamental dos Institutos foi a seguinte: o que se considerava atenção dispersiva da criança, incapaz de se "concentrar", na verdade estava dizendo, para quem soubesse ver, que ela aprende tudo muito depressa – e logo depois se desinteressa. Tem muito mais a aprender. Porque, de algum modo, ela sabe que precisa aprender muito. Tal constatação está na base de todo o sucesso das técnicas de ensino e aprendizado dos Institutos.

Aqui vai uma amostra mínima do clima psicológico e do modelo dos "conselhos" dados às mães (e aos pais):

Mantenha sempre as promessas que fizer.
Como você tem um respeito infinito por sua criança, será ine-

vitável que ela retribua na mesma moeda. Se você mantiver a palavra em todas as coisas, o tempo todo, ela o respeitará. Se você não mantiver o que diz, ela pode até continuar a amá-lo, mas não o respeitará.

Que vergonha privá-la de tal alegria!

(Glenn Doman, Janet Doman e Susan Aisen, *How to give your baby encyclopedic knowledge*, Nova York, Square One, 2005, p. 240 [*Como multiplicar a inteligência do seu bebê*, Rio de Janeiro, Record, 1999])

É tocante e comovente para mim o modo como essas pessoas se referem à criança, mostrando ao longo de toda a exposição e a cada página esse amor, esse respeito e esse encantamento pelo brilho da luz que acenderam e agora as ofusca. E já começa a iluminar um mundo que parecia sem remédio.

Insistindo: trata-se de uma equipe completa de estudiosos e, segundo transparece nos textos, pessoas apaixonadas pelo que estão fazendo e surpreendidas com os resultados.

Seus sete livros – todos sobre "Como fazer para que seu filho..." –, publicados em várias línguas, já venderam milhões em todo o mundo, e centenas de milhares de crianças já se beneficiaram dessas noções e práticas.

Enfim, essas noções e práticas nasceram há quase meio século e vêm se aperfeiçoando desde então.

Difícil exigir mais idoneidade dos cientistas envolvidos e fundamentação científica de melhor qualidade – e de maior duração.

> **Resumindo os resultados:**
> estimulando adequadamente o cérebro de crianças desde o dia em que nascem até os 6 anos de idade (e depois), consegue-se fazer de praticamente qualquer uma um gênio.

São crianças que se movem com a graça, a eficiência, a competência e a resistência de campeões olímpicos. Fazem qualquer coisa com as mãos. Falam, lêem e escrevem em um, dois, três idiomas. Programam computadores. Tocam muito bem um ou dois instrumentos musicais. Possuem um conhecimento, inclusive de matemática, que vai muito além – *muito além* – de tudo que se poderia aprender somando os programas dos doze anos de todo o nosso ensino básico, supondo que ele seja de primeira linha (e que os alunos aprendam)...

São alegres, afáveis, cooperativas, destacando-se aonde quer que vão.

Quase tudo pode ser aprendido basicamente em casa – e com certeza em um tempo e a um custo consideravelmente menor do que o consumido em qualquer outro sistema pedagógico.

Tudo aprendido em um clima de alegria, de calor humano e de admiração contínua dos pais ante as realizações de seus... pequenos (desde *dias* de idade).

Mães e pais são os principais "professores" do lar-escola, consumindo essa educação-estimulação um tempo surpreendentemente curto.

Nada, absolutamente nada, é imposto à criança – ou à mãe. O refrão do texto, repetido a cada poucas páginas é: se você (mãe) não estiver a fim ou se ela (criança) não estiver a fim, não faça.

Se não forem interessantes e divertidas, as "aulas" não devem acontecer...

As mães – tidas pelos Institutos como suas principais e insubstituíveis colaboradoras –, além de se sentir orgulhosas e felizes, convictas de estar fazendo deveras o melhor com e para seus filhos, também vão aprendendo muito mais do que suas mães jamais imaginaram ser possível!

Sem contar a satisfação do dever familiar excelentemente cumprido, com amor e alegria.

Eu sei.

Parece bom demais.

Mas é possível, não custa muito tempo, nem aprendizado complexo ou demorado para os instrutores, nem alta formação intelectual, nem muito dinheiro.

De minha parte sinto-me, eu também, encantado e fascinado pelos resultados e, ademais, por todas as respostas a perguntas que eu me fazia sobre o funcionamento e a maturação do sistema nervoso.

Sobretudo sobre os cinqüenta bilhões de neurônios mortos por falta de uso.

Partindo dos resultados rigorosamente experimentais dos Institutos, é possível reescrever de modo bem mais inteiro e compreensível o que está nos textos de neurofisiologia. Especialmente acerca do desenvolvimento do cérebro: como se faz para cultivar sistematicamente seu desenvolvimento, em que ordem, fazendo o que e como.

Benefício adicional por demais importante dessas realizações – e que por óbvias razões não consta dos textos dos Institutos – é a profilaxia radical da neurose.

Desde o começo do texto, venho acrescentando estes aspectos: o quanto a falta de uma direção e de uma ampliação da educação é a responsável pela maior parte da patologia mental (adiante retorno).

Eles não estudam patologia mental nem mostram interesse algum pela psicologia! Sabem de nosso mundo precário, mas não se detêm sobre ele.

A mais – e de novo sem se dar conta do fato –, fazem a profilaxia dos velhos valores tradicionais, os quais, se persistirem, podem acabar com a humanidade como vêm fazendo desde que a sociedade se fez patriarcal, autoritária.

Sobretudo agora, quando esses valores estão sendo seriamente abalados pela revolução nas comunicações e pela ameaça de tornar o planeta inabitável.

O único modo de acabar com esses velhos valores (!) é iniciar uma nova sociedade da qual o centro seja a Criança – e não o Velho.

Passo a exemplificar então algumas das técnicas de estimulação desenvolvidas pelos Institutos. Para conhecimento efetivo e pormenorizado desse assunto, contudo, recomenda-se a leitura de pelo menos um dos oito volumes da coleção.

Esses livros são de leitura fácil, não usam nomenclatura especializada, descrevem as técnicas em pormenores, a duração de cada exercício, a freqüência com que devem ser realizados, sua intensificação gradual com o decorrer do tempo e, enfim, as tabelas para avaliação do progresso. Todos os exercícios trazem a explicação das funções neurológicas que estão estimulando, isto é, desenvolvendo.

O somatório da influência desse novo... Evangelho tem o nome oficial de The Gentle Revolution (A Revolução Gentil) e pode ser encontrado em um site com esse nome, assim como no Google sob o nome de Glenn Doman.

O QUADRO-GUIA DOS INSTITUTOS

No livro *How to teach your baby to be physically superb – From birth to age six*, em página dupla, colorida e repetida no início de cada capítulo, figura um mapa – ou tabela – com dez colunas (uma delas preenchida por uma figura) e sete níveis ou linhas.

A figura representa o sistema nervoso, da medula ao córtex, dividido em sete níveis. É a concepção dos Institutos sobre a organização do sistema nervoso e serve de guia para a organização de todas as atividades (estimulações) que serão feitas com as crianças.

Embora seja possível começar a ensinar algumas crianças (não todas) a ler a partir do 7 ou 8 primeiros meses de vida, é claro que elas não compreenderão as palavras. Estarão apenas desenvolvendo as vias óticas e visuais (os feixes de fibras nervosas e os neurônios dessas duas regiões sensoriais). Na verdade, estão aprendendo a ver e a ouvir. Só mais tarde compreenderão.

Inicialmente, digamos, trata-se apenas de um aprendizado "mecânico". A repetição de estímulos contribuirá para a formação, ampliação e consolidação das vias e centros nervosos correspondentes, da capacidade de ver, de ouvir e de se mexer.

O quadro assinala com clareza, ainda, os limites individuais. Cada aptidão pode se desenvolver bem cedo em algumas crianças; em outras, bem mais tarde; e a maioria, na média.

Por exemplo, "diferenciação do córtex primário" quanto à leitura: "compreensão de dez a 25 palavras e de duas palavras juntas". Os precoces aprendem já aos 9 meses; os mais atrasados, aos 3 anos; e a média, por volta de 1 ano e meio.

Esse esquema se repete em relação a todas as etapas do desenvolvimento.

Como meu livro não pretende ensinar todo o método, achei de bom alvitre apresentar essa panorâmica, a fim de antecipar algumas objeções óbvias – como algumas que eu mesmo farei ao longo do texto.

A SAGA DO MOVIMENTO

No fim do segundo mês da gravidez, o feto começa a se mexer. Vi os movimentos de um embrião de 1 mês e meio fugindo do aparelho de sucção que o buscava. Um verdadeiro peixinho flexível e veloz fugindo – frenético – da morte.

Note-se: movimento claramente funcional de resistência a um sorvedouro de todo estranho em seu mundo, "sabendo" a seu modo que "aquilo" era perigoso.

Lá pelo sexto mês, o feto se mexe bastante. Nos dois últimos, mexe-se demais (as mães que o digam!).

No útero, como o feto não experimenta o efeito da gravidade e está elástica e uniformemente contido, qualquer movimento que faça é, em certo sentido, igual a outro.

Ele é puro movimento, sem intenção e sem direção.

Astronauta!

Ou, talvez, melhor: é puro aprendizado de movimento – gravidade zero!

Ao nascer: **"Fazemos tudo para suprimir a mobilidade da criança!" (Glenn Doman)**.

Tradução: para criar... paralíticos, ou para deixar morrer bilhões de neurônios por falta de uso!

No berço maravilhoso!

Em plena segurança!

A crença implícita (inconsciente) é a de que movimentos não têm importância alguma ou de que eles se desenvolverão "sozinhos".

Na verdade, Freud jamais pensou que é aí, é então e é assim que vão se estabelecendo todas as piores deficiências da personalidade – com total aprovação coletiva. Ou até como exigência social.

Aí, bem no fundo do... inconsciente, bem nos primórdios da estruturação cerebral.

É aí, é assim e é então que se iniciaria a formação do famoso ego. O que pode ser ele senão iniciativa de movimento?

Mas é aí, é assim e é então que, com nossos costumes, "cuidamos" da criança de tal forma que se faz impossível para ela desenvolver movimentos organizados, intencionais ou apenas funcionais.

"Nada posso fazer por mim. Preciso de todos para tudo."

Poderia ser diferente?

Sim.

É até bem fácil, curioso e fascinante.

O QUE FAZER?

Não embrulhe o recém-nascido em roupas demais (antigas "faixas"), não o coloque no berço de costas como sempre se faz, como até se acredita que seja "natural".

Desse jeito, segundo Doman, ele parece uma tartaruga com as patas para cima...

Qualquer movimento que faça será sem sentido, não servirá para nada – alimentando na certa a sensação de inutilidade, de "Não posso fazer nada por mim". E seu complemento "Preciso dos outros para tudo".

Essas são as raízes deveras profundas da dependência humana, do pior elo que se poderia estabelecer entre seres humanos.

Doman recomenda: faça o nenê rastejar muito desde o primeiro dia de vida. De preferência, rastejar o tempo todo em que não estiver trocando fraldas, mamando ou no colo de alguém.

Dormindo também de bruços (já volto).

Providencie uma "pista de rastejamento" em toda a volta da cama do casal (cama baixa, facilitando o contato e a vigilância). Trata-se de uma canaleta posta no chão, de madeira, com 40 cm de largura, bordas elevadas de 15 cm. Toda a canaleta (centro e bordas) será revestida de espuma de borracha fina mais um tecido macio e fácil de limpar.

Desde o primeiro dia, a criança, com roupa que não "amarre" os movimentos, será colocada e ficará permanentemente *de bruços* na pista. Em horas ou dias, ela começará a rastejar, a se locomover. É bem capaz que ao fim de um mês ela já consiga fazer todo o percurso da canaleta – ou mais – por dia.

E, talvez, ao fim de 1 mês e meio ou 2 meses, ela comece a dirigir o olhar para certos pontos, esforçando-se depois para "chegar lá"!

A ativação da motricidade (rastejar) favorece simultaneamente a maturação do aparelho visual e estimula a convergência dos globos oculares (adiante diremos muito sobre essa convergência).

Note, leitor: uma criança capaz de se locomover por conta própria e depois até em busca do que lhe interessa, com 2 ou 3 meses de idade! É a raiz cerebral da noção de "alvo", objetivo, propósito, intenção, "caminho"...

E, quiçá, da noção primeira de "eu", indissoluvelmente ligada ao "quero": "Eu quero!" Aos 2 meses de idade!

Logo seguida de "Eu vou!"

"Eu" igual a direção, intenção; "desejo", diria Freud – impropriamente!

"Desejo" sem eu, sem vontade, sem intenção e sem movimento é uma palavra... sem sentido.

E tudo isso pode começar já nos 2 primeiros meses de idade – o que compromete todas as noções sobre o desenvolvimento da personalidade existentes até hoje, assim como todas as idéias sobre dependência infantil.

E sobre o papel dos pais, ou da família.

Rastejar é o primeiro... passo (!) para que a criança comece a desenvolver a sensação de "Posso fazer alguma coisa por mim" e depois, aos poucos, até "Posso ir aonde eu quiser".

Se o leitor tem conhecimento de certas teorias psicológicas que acreditam descrever como se desenvolve a criança, ficará surpreso com essa... técnica – e com esses prazos.

Repetindo: as noções usuais descrevem um petiz completamente impotente e dependente da mãe!

Os Institutos mostram como fazer para que em 1 ou 2 meses a criança comece a desenvolver sua independência – seu "ego". "Ego controla a motricidade", disse...Freud!

Alguém logo dirá: "Mas rastejar! O tempo todo de bruços?"

A maior parte do tempo, ao menos, diz Doman....

Ele nota astutamente: temos a noção do nenê gorduchinho como saudável, cheio de "pneus" de gordurinha nas coxas, mas o fato é que ele é obeso, e pelas mesmas razões que se aplicam aos adultos – bem alimentados e com pouco movimento!

Os nenês de Doman não acumulam gordura; desenvolvem músculos!

De bruços inclusive para dormir. Crianças se mexem mais durante o sono do que quando acordadas, na certa para "fazer exercício" espontaneamente, como já faziam no útero (e como estudaremos ao falar em propriocepção).

Sabe-se hoje que o feto "sonha" a cada hora e meia, mantendo esse ritmo de sono-com-sonhos muito ativo por vários meses. (Sabe-se do fato pelo registro elétrico da atividade do cérebro do feto.)

Lembrando sempre que o cérebro é dois terços motor e o córtex um terço visual, torna-se plausível avançar na hipótese de que o sono-sonho dos nenês tem muito que ver com o desenvolvimento de sua motricidade! É como se o cérebro mostrasse um filme ao nenê, a fim de que ele o tomasse como... realidade e reagisse de acordo, com movimentos.

Levando em conta as numerosas técnicas de fantasia ativa usadas na terapia de adultos, essa hipótese ganha plausibilidade.

Continuam os Institutos: não usar andador, utilizar o mínimo de carrinho e não deixar a criança no chiqueirinho – sossego para a mãe, mas desespero, prisão e mais limitação de movimento para a criança.

Repetindo: os costumes antigos eram ótimos para cultivar a dependência. Já adultos, obedecíamos passivamente a qualquer líder carismático como se a força fosse dele: o Pai e a Mãe, o Patrão, Jeová, Alá, o Professor, o Pastor, Hitler, Stalin, Mão Tsé-tung...

Na verdade, a força do líder provém de nossa fraqueza!

O limite da paralisia era o uso da faixa – de múmia!

Bem mais adiante direi alguma coisa sobre as raízes sociais inconscientes – porém eficazes e poderosas – relativas à organização autoritária da sociedade, e como tudo contribui para mantê-la.

A começar pela educação, a paralisação desde o primeiro dia da vida!

Confirmando a técnica dos Institutos: vi uma seqüência de fotos mostrando um recém-nascido que, posto sobre o abdome da mãe, foi se torcendo, escorregando e rastejando até chegar ao mamilo!

E pense: filhote de mamífero que não consegue chegar à teta da mãe morre de fome.

Herbívoros ou começam a andar em menos de dez ou quinze minutos, ou a hiena está por perto à espera do almoço.

Não é apenas um exemplo. É uma lei – implacável.

Filhote que não aprende a se mexer depressa é comido, e não deixa descendência!

Por isso, 90% do cérebro se desenvolve nos primeiros meses de vida (entre os animais) e nos seis primeiros anos de vida (em nossos filhos).

AMOR E CALOR

O item "pouca roupa" (para não atrapalhar os movimentos) merece reparo. Nada impede mais os movimentos do recém-nascido do que elas.

Mas há um senão. Temos um complicado sistema fisiológico cuja função é manter constante nossa temperatura corporal ante amplas variações da temperatura exterior.

Uma vez que no interior do corpo materno a temperatura é constante; ao nascer, o corpo do nenê não sabe como fazer para controlar sua temperatura. Se ele nascer no inverno, será preciso mantê-lo aquecido por um a dois meses – ou mais. Daí a roupa.

Os Institutos aconselham, em vez de roupa, o uso de uma lâmpada de infravermelho à altura conveniente sobre o berço ou sobre a pista de rastejamento. Sempre com pouca roupa, é claro.

E atenção à pele do bebê e aos tecidos usados na pista de rastejamento.

Sua pele é bem delicada, sabemos. Nada de colchão e travesseiro muito fofos e macios. Há recém-nascidos com força suficiente para se virar de bruços e há histórias tristes a respeito de sufocação de bebês, porque eles não conseguiram se desvirar... Tanto que a classe médica dos Estados Unidos está lançando proclamações "proibindo" que se coloquem nenês de bruços no berço, ignorando o que aconselham os Institutos, toda a teoria e todos os cuidados recomendados.

Doman, é claro: quanto mais tempo no chão, melhor.

Incisivo: povos que não permitem o rastejamento não desenvolvem cultura nem civilização!

Acrescento: rastejar não apenas em um quarto preparado para isso, mas pela casa toda.

Basta ler essa proposta para se dar conta de que nosso mundo adulto não foi feito para nossos filhos! E de que não fomos feitos para favorecer sua liberdade.

A maior parte das pessoas achará absurdos esses conselhos: rastejar pela casa toda? E os perigos? Não é arriscado demais?

A ansiedade de todos, da qual já falamos, não perde oportunidade de se manifestar diante de qualquer novidade que se proponha. Tomadas por essa ansiedade, as pessoas mostram-se incapazes de perceber... o contrário!

Existe algum perigo para a criança que rasteje pela casa, mas o perigo de sua imobilidade e dependência é de longe pior – muito pior!

Pense um pouco!

Não! Pense muito!

Será melhor correr alguns riscos ou será preferível deixar a criança crescer meio paralítica e impotente, como nós?

Como nós, como você, pense bem!

Você está de fato feliz com a vida que leva e com o mundo em que vive? Você quer este mundo para seu filho?

Criança no colo é (muito!) mais seguro do que um petiz de 2 meses rastejando pela casa! Será difícil mostrar às pessoas que a incompetência motora é muito pior, pois aqui-e-agora o petiz não está precisando se mexer!

Mas os perigos podem ser previstos – móveis baixos, tomadas elétricas, móveis fáceis de ser derrubados.

Além da ansiedade dos adultos, há a indolência. Na verdade, para deixar a criança livre pela casa é preciso rearrumá-la extensamente. E, depois, concordo que levará tempo para aceitar que o bichinho ande por aí à vontade...

E ele vai andar – que ninguém duvide. Procurará explorar todo o espaço e tudo que encontrar nele! Aprenderá a mover-se cada vez com mais facilidade e precisão, conhecerá "o mundo" (o seu mundo) cada vez melhor.

O que se pode desejar de melhor a um petiz de 2, 3, 4 ou 5 meses?

O que **ele** pode desejar de melhor?

Claro que ele se fará cada vez mais independente!

Eu compreendo você, leitor, e mais ainda você, leitora – e mãe.

É uma idéia "muito louca". Mas ela é possível e, como acontece com as poucas revoluções autênticas, ela vira pelo avesso todas as noções e práticas preexistentes.

Se você já leu matérias sobre a total dependência infantil descrita em todos os estudos sobre o desenvolvimento da criança, estas páginas vão deixá-la muito perplexa – ou revoltada.

Vamos continuar nossa triste história ou vamos preparar nossos filhos para que comecem uma nova humanidade?

A escolha é sua e o começo está em suas mãos.

Seu filho – e a humanidade – depende de você.

Um benefício pouco aparente, mas muito importante, de rastejar bastante está no desenvolvimento da articulação coxofemoral, a junta da perna com a bacia. A criança nasce com um esboço muito precário dessa articulação, e nada melhor para organizá-la e fortificá-la do que o rastejamento e depois o engatinhamento freqüente.

É essa articulação malformada que costuma dar complicações mais tarde na vida.

ORIENTAÇÃO MORAL

Faz parte da filosofia dos Institutos jamais criar condições de competição, comparação, ou fazer testes. Estes apenas comprometem a sensação de confiança e de... fé da criança no adulto, estimulando, de um lado, insegurança e dúvida sobre as próprias aptidões e, de outro, a competitividade – esquecendo de si no esforço de superar o oponente.

Os Institutos são claros e insistentes neste ponto: nada de competição.

Excelente conselho nesta época em que os testes estão na ordem do dia. Os testes facilitam o julgamento automático baseado nas "médias", excluindo o momento, o qualitativo e a individualidade – tanto do testado quanto do testador.

Sobretudo, péssimos na avaliação dos progressos do nenê, pois as diferenças entre eles podem ser muito grandes.

Claro que não tenho como resumir aqui tudo que os Institutos recomendam.

Posso apenas oferecer tira-gostos, assegurando ao leitor que todos os textos da Revolução Gentil são – repetindo – fáceis de ler, claros, específicos e pormenorizados em relação a todos os exercícios propostos.

E sempre mais do que sensatos, respeitando demais as crianças e contando com a cooperação incondicional de suas mães-mestras.

Os autores manifestam um contínuo pasmo e encantamento diante de tudo que a criança pode aprender e da espantosa velocidade com que ela aprende tudo que se queira lhe ensinar – com uma curiosidade e uma alegria inesgotáveis.

Repetindo: "O que as crianças mais desejam é aprender".

Na verdade, é do que mais precisam, para aumentar suas chances de sobrevivência.

Deveras uma profunda lição de fé na humanidade, tanto para os educadores quanto para as crianças.

Seres humanos bem cuidados e bem atendidos desde o nascimento podem alcançar alturas inimagináveis, concretizando todas as previsões e expectativas já sonhadas pela humanidade.

Mas é preciso animar-se a fazer de modo diferente – bem diferente – dos respeitáveis costumes tradicionais... É preciso, principalmente, começar a perceber que saber falar está muito longe de saber viver.

Relação alguma entre saber falar e saber se mover!

Saber "se virar", como dizemos.

EQUILÍBRIO

Do corpo, no espaço, é claro.

É incompreensível a omissão desse fato em todas as teorias sobre a personalidade que conheço (mais de uma dezena).

É o cúmulo.

Só nós, seres humanos, pusemo-nos de pé, somos bípedes e não quadrúpedes. Com isso, libertamos as mãos que, soltas no ar, sem função determinada, começaram a fazer coisas, mágicas, rituais, ferramentas, tecnologia e mais tarde... letras.

Mas é claro que isso não tem nenhuma importância psicológica! É instintivo. É automático. Acontece sozinho – não é preciso fazer nada.

Basta deixar dois terços do cérebro à vontade e ele faz.
É tão fácil!

Pensar é que são elas. As palavras, elas é que são importantes. O mistério dos afetos, da dependência oral, da agressividade, da sexualidade, das ligações familiares... Essas coisas importantes nada têm que ver com os movimentos!

Espero que o leitor compreenda minha amarga ironia e participe de meu espanto ante essa incrível inversão de coisas. De toda a incompetência e de toda a incapacidade que... cultivamos... amorosamente em nossos queridos filhos.

De novo e sempre: tanto em psicanálise quanto em sociedade, pode se falar à vontade, tudo que se quiser.

Mas não faça nada.

Fazer – começar a fazer – é muito perigoso.

Continue falando...

Movimentos não têm importância nenhuma.

A gente já nasce sabendo!

Voltemos, então, para a sensatez, para os Institutos e sua preocupação em estimular – cultivar – a motricidade.

DE QUADRÚPEDES A BÍPEDES – MUDANÇA RADICAL

Principalmente o equilíbrio do bípede, nossa maior conquista e nosso ponto mais fraco. Podemos cair facilmente.

Estamos o tempo todo sujeitos a forças opostas (conflito!) que nos equilibram, podendo, portanto, nos desequilibrar. Isso porque, altos, com base pequena, fazendo força nos braços e com a pesada cabeça "no topo", facilmente nos desequilibramos.

Enfim, toda nossa organização motora é de opostos. Somos capazes de fazer qualquer movimento – e seu contrário!

O que recomendam os Institutos?

Desde os 3 meses e, depois, a cada nova etapa do cultivo básico da motricidade (são quatro), os Institutos propõem exercícios vertiginosos incríveis (têm de ser!) para estimular os centros nervosos do mesencéfalo.

Ligados aos canais semicirculares, os centros nervosos do mesencéfalo constituem a primeira etapa na conquista da posição ereta. Faça a criança girar em todos os planos e em todas as direções, sobre um tapete, nos braços da mamãe ou do papai, movimentos cada vez mais rápidos (à medida que o petiz se delicia e exige mais do brinquedo)!

Sempre obedecendo à Lei Universal da Estimulação Eficaz: pare um pouco antes de a criança querer parar!

Com nenês de 1 mês e meio a 2 de idade, recomendam manobras que, faladas, fazem arrepiar os cabelos.

São nada menos do que quinze variedades de exercícios de balanços e rodopios em todas as direções (em relação aos três eixos do espaço). Claro, com instruções precisas, máximo cuidado, velocidade gradualmente crescente e atenção fixa nas reações do petiz.

Os titios do passado às vezes jogavam o nenê para cima!

Intuição?

Trata-se de estimular os núcleos vestibulares do mesencéfalo – essenciais para o futuro equilíbrio do bípede (voltarei ao tema).

Os cuidados com a segurança nos movimentos mais arriscados não são poucos, e os conselhos para garanti-la são dados a cada poucas páginas.

Esses exercícios imitam tudo que um macaquinho pode sentir quando, agarrado à mãe, vê esta partir para suas acrobacias pelas árvores em busca de alimento – ou em fuga.

Os Institutos também recomendam fornecer sempre espaço e tempo para continuar o rastejamento, que passará espontaneamente, depois de dois a quatro meses, primeiro para o engatinhamento homolateral (perna e braço do mesmo lado avançando juntos), depois para o engatinhamento heterolateral (braços e pernas movendo-se em X), preparando a correlação sinérgica fundamental entre os dois hemisférios cerebrais e a motricidade combinada dos quatro membros.

Ao mesmo tempo, cultiva-se o "agarramento" (*grasping reflex*). Faça a criança agarrar com cada mãozinha um de seus dois indicadores (ou os dois polegares), postos "em linha" à sua frente e bem próximos do rosto dela. Convide-a para que se eleve usando o "galho" que você está oferecendo. Cada vez um pouco mais, sempre atento à regra de ouro dos Institutos: pare sempre um momento antes de a criança se desinteressar.

O tédio é o pior inimigo do aprendizado – quem não sabe disso?

O agarramento será repetido várias vezes por dia e aumentará de duração gradativamente, com a criança se elevando cada vez mais até conseguir ficar de todo pendurada nos dedos do "galho", durante um tempo progressivamente maior.

Esse cultivo continuará logo em seguida com a braquiação, o "andar" nos degraus de uma escada horizontal. O exercício é altamente prezado pela equipe e válido por tempo indeterminado. Equivale ao modo básico de locomoção dos macacos quando passeiam pelos galhos das árvores, usando principalmente os braços-mãos e o agarra-solta sob rigoroso controle do olhar.

Eles dizem bem: de início, o nenê agarra-se e *não consegue* soltar-se "por querer" – "reflexo de agarramento", vital para o macaquinho não se separar da mãe! Se você o mantiver, ele fica até não agüentar. Mas não chegue lá.

Aos poucos, ele aprende a agarrar–soltar, a soltar "por querer" – e é o que se pretende.

Envolve um agarrar–soltar as mãos segundo um controle cronológico muito preciso, um controle voluntário cada vez mais fino e, ao mesmo tempo, um golpe de vista também progressivamente mais preciso – trata-se do afinamento da correlação oculomanual, a primeira etapa.

De novo, os autores não se referem à importância psicológica do que fazem.

Falamos de pessoas "agarradas", seja lá ao que for – ao outro, ao dinheiro, à religião, à mãe etc. Porque não aprenderam a... desgarrar-se, a soltar as mãos a fim de aprender a parar de pé e andar...

Mas o passo é bem maior do que parece. O macaquinho precisa aprender o momento exato de soltar – ou cai da árvore!

Note, leitor: esse "não-aprendizado" permanece como estrutura neurológica sobre a qual mais se construirá, mas que permanece na base. Para Freud e para a psicologia, será "o" inconsciente.

A braquiação contínua, com distanciamento crescente entre os degraus, produzirá certamente uma ampliação da arcada costal (do tórax), além de uma excelente formação dos músculos da cintura escapular (raiz do braço e da mão).

Os dois efeitos repercutirão na ampliação da capacidade respiratória e no controle cada vez maior e melhor das mãos, do agarra–solta.

A braquiação progride, com suporte cada vez menor do adulto, até se conseguir que a criança vá e volte sem auxílio nenhum.

O comprimento da escada (horizontal, não esqueça), o número dos degraus e a distância entre eles vão crescendo, atingindo os cinco metros aos 4 anos, com espaço de 30 cm entre os degraus.

Enfim, tenta-se induzir o pequerrucho a realizar verdadeiras "manobras" na escada, girando, trocando de mão e "andando" (pendurado) de vários modos.

Na etapa de 2 a 3 meses, eles solicitam às crianças que façam todas as voltas e balanços possíveis quando penduradas pelos pulsos nas mãos de papai ou mamãe, como cambalhotas de frente e de costas (assistidas).

Mais tarde, a equipe aconselha que se dêem à criança caixinhas com coisas para pôr, tirar, encaixar e outros objetos que exijam habilidade manual independente para as duas mãos.

Quando a criança começa a andar, os Institutos solicitam aos pais que as façam andar em terrenos variados, lisos ou com irregularidades, subidas e descidas, equilibrando-se/andando sobre faixas pintadas no chão e depois sobre vigas de madeira a alguns centímetros do chão.

Espera-se que os braços atenuem gradualmente sua função de equilibrar o corpo durante a marcha, a fim de poder gozar de movimentação independente das mãos, começando a "fazer coisas" com elas, cooperativamente.

Em seguida, espera-se – ou sugere-se – que os braços passem aos poucos a participar da corrida como impulso adicional, como se faz nas corridas atléticas. Enfim, correr longas distâncias, inclusive subidas, para ampliar gradativamente a capacidade respiratória.

Até que, aos 4 anos, a criança consiga correr, sem desorganizar a respiração, por até 5 km!

Eles garantem que as crianças adoram correr. E que correm tudo isso com facilidade.

Sempre respeitando a vontade da criança, sempre acompanhando-a com muitos elogios, abraços e demonstrações de alegria.

Eles insistem muito nessas manifestações da... audiência!

Nada melhor para elevar a auto-estima!

Nada melhor para atenuar a vontade de competir. Se já recebo tudo que desejo, por que competir?

Aos 4 anos, espera-se que a criança tenha desenvolvido até o limite a corrida, com alternância perfeita dos membros e o controle total das mãos – habilidades motoras que só o cérebro permite. A rigor, que só o córtex motor permite.

Na última etapa, pretende-se desenvolver a habilidade desigual mas cooperativa entre as duas mãos.

Essa é a condição para aprender a tocar instrumentos musicais. Os Institutos têm preferência pelo violino e descrevem artistas excepcionais com 4 anos de idade. É a condição, ao mesmo tempo, para a realização do... artesão, antecessor do tecnólogo.

Toda invenção humana começou com o trabalho cooperativo das duas mãos sob o controle do olhar.

De novo, eles não se dão conta do tanto que esse progresso motor tem que ver com a integração psicológica, com uma independência bem fundada... na competência!

É pena.

Acredito até que, inconscientemente, eles sabem disso – e por isso fazem muito do que recomendam...

VOLTANDO AOS INSTITUTOS

Esta é uma panorâmica sumária da estimulação-organização motora dos quatro primeiros anos. Quando firmes de pé e capazes de correr longas distâncias, as crianças, continuando as outras rotinas, passam para orientadores especiais de ginástica com várias especialidades e modalidades, das atléticas às de dança.

Em relação a todas as etapas, há instruções precisas sobre quanto tempo gastar em cada atividade, quantas vezes por dia, como ir acrescentando tempos e reduzindo o auxílio dos adultos, quase sempre necessários no início da realização de uma técnica.

Repito: cada capítulo destina-se ao desenvolvimento de um nível neurológico, bem marcado nas ilustrações e bem qualificado no texto.

Enfim, cada capítulo mostra como avaliar o progresso da criança comparativamente. Por exemplo, tal conjunto de movimentos estará bem desenvolvido em crianças de 4 meses (os melhores), de 5 meses (os "normais") ou de 6 meses (os mais lentos).

UM DOS MISTÉRIOS DE MINHA VIDA (QUASE) ESCLARECIDO PELOS EXERCÍCIOS DE MR. DOMAN

A rigor, meu mistério se dividia em dois, intimamente relacionados: um deles se referia ao equilíbrio do corpo e o outro ao fato de dois terços dos neurônios do cérebro servirem ao movimento (contrações, intenções, inibições) e à postura (tensões estáticas de apoio aos movimentos).

Minha surpresa começou quando li no livro do mestre Doman que já na criança que mal engatinha é muito importante fazer, tomando-a no colo ou sobre colchonetes, amplos balanços até vertiginosos para lá e para cá, em todos os ângulos.

Disfarcei para mim mesmo a estranheza do fato lembrando que, afinal, os núcleos vestibulares (ligados ao equilíbrio) estão no mesencéfalo, são muito primitivos – marque o fato, leitor.

Em todas as etapas seguintes, Doman aconselha insistentemente mais movimentos que, na verdade, desafiam o equilíbrio e, portanto, estimulam os processos compensadores de aprendizado.

Surpresa final: na penúltima etapa do desenvolvimento, Doman exagera. Faz uma lista de trinta exercícios, brinquedos e técnicas de ginástica capazes de estimular a sensibilidade e as reações do corpo sempre que seu equilíbrio seja comprometido.

Citarei só alguns: andar carregando um objeto com algum peso, serrar (!), subir (ladeiras, escadas, árvores), praticar salto em altura e salto em distância, pular corda, plantar bananeira, fazer piruetas, balançar, dar saltos ornamentais, patinar e surfar.

Você pode imaginar muitos outros.

O segundo grupo de fatos se refere ao labirinto (vesículas e canais semicirculares). Todo mundo sabe que eles têm que ver com o equilíbrio; popularmente são conhecidos porque podem produzir tonturas!

Eu também ficava por aí e me parecia que os primeiros conselhos de Doman para balançar a criança tinham apenas esta finalidade: estimular todo o chamado sistema vestibular (nervo vestibular, que caminha junto com o nervo acústico, porém nada tem que ver com o som).

Mas era necessária uma visão muito mais ampla do passado para compreender a mais do que complexa função de equilíbrio do corpo, com os exercícios de Doman e com os dois terços de neurônios cerebrais envolvidos nesse equilíbrio.

Foi preciso apelar também para mestre Newton!
É preciso vir de longe: a água-viva é um bom começo. Esse organismo primitivíssimo já dispõe de um número par de vesículas cuja estrutura é praticamente igual à que existe em nosso ouvido interno: uma vesícula forrada inferiormente por células sensíveis que emitem filamentos para cima. Esses filamentos estão mergulhados em uma espécie de geléia sobre a qual se encontram minúsculas pedrinhas de sais de cálcio. Sempre que a vesícula é balançada de um lado para outro, as pedrinhas entortam os filamentos e os neurônios dos quais eles fazem parte, informando ao sistema central que o... equilíbrio foi perturbado, que a medusa não está "direita", "de cabeça para cima".

No ouvido interno existe uma estrutura praticamente idêntica à da água-viva – o utrículo e o sáculo. No utrículo, há uma superfície ciliar (feita de cílios) praticamente horizontal e outra no sáculo, mais vertical. Elas informam continuamente o cérebro sobre a posição da cabeça e sobre as acelerações lineares (se você está parado, indo para a frente ou se, andando, diminui a velocidade).

O conjunto do labirinto informa continuamente o cérebro sobre a posição da cabeça: é nela que se encontram todos os "radares" que dirigem nossos movimentos! Se ela não estiver nivelada ou se você estiver se movendo, muda toda a organização dos movimentos que forem necessários.

Além das vesículas, temos os três canais semicirculares que sinalizam os movimentos da cabeça. Esses dados são enviados a várias regiões cerebrais que dão, à consciência, a noção de como o corpo está e quais os movimentos a fazer, seja para "endireitá-lo", seja para atuar a partir da posição em que ele estiver.

O "mesmo" gesto, feito em posições diferentes, exige que o corpo se arrume de outro jeito a fim de apoiar o movimento desejado – sem perder o equilíbrio!

Por isso, tanto esse mecanismo quanto o seguinte existem para comandar e organizar os movimentos do corpo, capazes de pô-lo da melhor forma possível para "enfrentar" o que esteja... à sua frente – ou aos lados!

Esses fatos são tão importantes para as ações de sobrevivência que poderíamos denominar seu conjunto de "instinto de posição", "instinto de enfrentamento", incluindo o "instinto da vertical".

Além dos dados do labirinto, a sensação de "estar direito" obedece também a sensores situados na área visual do córtex cerebral. Nessa área, há neurônios especializados em perceber – na cena à nossa frente – as linhas horizontais, as verticais e todas as linhas oblíquas que se abrem "em leque" entre a vertical e a horizontal. Eles também existem para nos dizer se a cabeça está "direita" ou não. Eles têm muito trabalho, por exemplo, se estivermos em um barco de tamanho médio que balança muito. Nessa situação, verticais e oblíquas do cenário visual mudam continuamente. Talvez por isto tantas pessoas enjoem: porque o equilíbrio se torna demasiado difícil com um chão (ou um mundo!) que balança.

Muitos dos atrativos dos parques de diversão se devem a isto: desafiam e estimulam todos os nossos sistemas de equilíbrio, mas sem desafiar os movimentos que seriam necessários se estivéssemos fazendo algo determinado. Não sei se desse modo eles ajudam a reforçar as ligações entre movimentos do corpo e equilíbrio.

DA IMPORTÂNCIA DE ESTAR DIREITO...

De estar – e não de ser...

Dado que todos os animais existem no campo gravitacional da Terra (inclusive os marinhos), toda sua motricidade está organizada em função desse fato. Todos eles "param de pé", alinhados com a gravidade, e, se afastados da vertical, perdem eficiência mecânica.

Se colocados "de cabeça para baixo", seus movimentos ficam desorganizados e, então, poderosos mecanismos automáticos de atuação muito rápida os põem de pé imediatamente.

É vital "parar de pé", ou seja, manter o equilíbrio. Especialmente para nós, mais do que para qualquer outra espécie: só nós somos bípedes, com pequena base, muita altura e muito peso "em cima" (ombros, braços e cabeça)!

Para cada uma das mil ações que somos capazes de realizar, o corpo assume mil posições diferentes a fim de apoiá-las, mas todas precisam "parar de pé", precisam ser realizadas sem que se perca o equilíbrio, sem que se leve um tombo.

Enfim e tentando esclarecer ao máximo: podemos realizar mil ações diferentes permanecendo basicamente de pé; contudo, se pedíssemos a mestre Newton que explicasse a complexidade mecânica necessária para garantir esse resultado, ele teria sérias dificuldades em fazê-lo.

Não esqueça, para fim de conversa, que temos duzentas alavancas ósseas e quinhentos músculos. Além disso, nenhum músculo trabalha sozinho. Para a realização de cada atividade, faz-se necessária a ação simultânea de um grande número de microvetores (unidades motoras) atuantes em cada movimento – veja o esclarecimento no fim do texto. Visando facilitar a intuição sobre a complexidade mecânica descrita, reveja apenas a última lista dos exercícios citados (da lista de trinta...) aptos a desenvolver as sensações e a organizar os complexos movimentos necessários para o desempenho dessas atividades, ou das reações motoras correspondentes.

De tudo isso resultaram minha paixão por nossa capacidade de movimento, pelo cérebro que os organiza, e meu agradecimento a Mr. Doman, pelas dezenas de exercícios relativos ao equilíbrio presentes nas lições que dá a suas crianças incríveis.

Ele ou eles contribuíram demais para que eu conseguisse compreender, após um longo tempo de buscas, por que dois terços do cérebro servem apenas – apenas! – para nos mover.

A OUTRA RAZÃO PARA OS DOIS TERÇOS MOTORES DO CÉREBRO

A leitura atenta dos textos e dos exercícios destinados a estimular as funções cerebrais explica por que os cérebros são tão diferentes, conforme foi dito e bem exemplificado no começo deste ensaio.

Há discussões intermináveis sobre a localização da memória.

Em tudo que li até hoje acerca desse assunto, não vi nada que se referisse à diversidade sensorial das memórias.

Em nosso contexto, distingo, em particular, a memória de imagem (visual) e a memória de movimento ou motora.

A primeira só pode estar distribuída pela metade visual do córtex, e a de movimento só pode estar nos centros de integração motora.

Como poderia ser de outro modo?

Não é muito acertado dizer que o cérebro "guarda" experiências "na memória". As memórias das experiências, como há pouco especificadas, são a própria estrutura do cérebro.

Ou seja, dizendo de outro modo: a estrutura cerebral *é* a memória de tudo que o cérebro (a pessoa) experimentou.

POR QUE OS CÉREBROS SÃO TÃO IGUAIS E TÃO DIFERENTES?

Tratados recentes sobre anatomofisiologia do cérebro, destinados a médicos e paramédicos, descrevem que as estruturas são iguais em todos os cérebros – é como se o cérebro funcionasse sempre do mesmo jeito.

No entanto, dei anteriormente uma pequena lista de variações nas estruturas cerebrais. Muito mais do que isso, acumulam-se observações clínicas mostrando quantos modos/funções cerebrais podem se reativar e recombinar se forem adequadamente estimulados.

Nesse particular, as técnicas dos Institutos podem ser tidas ao mesmo tempo como experimentais e miraculosas. Elas demonstram, além de toda dúvida possível, que o cérebro é extraordinariamente versátil. Entretanto, "no meu tempo" (1940-46), no meu curso de medicina, a lição categórica do curso de neurologia (aliás, excelente) era fatalista: o cérebro é assim e lesões cerebrais são irremediáveis.

Falando das várias espécies de mamíferos, inclusive a nossa, é inegável a semelhança dos cérebros a um primeiro exame.

Mas é preciso dizer, ao mesmo tempo, que o esqueleto e os músculos são tão semelhantes em todos os mamíferos que têm o mesmo nome, quer se refiram a nós, a ratos ou a elefantes.

E mais: o aparelho locomotor (ossos e músculos) dos mamíferos responde por cerca de dois terços do peso total dos animais. Por isso, os cérebros são tão semelhantes. Melhor seria dizer "tão proporcionais".

São a anatomia maciça do aparelho locomotor e suas complexas funções que garantem a semelhança básica entre o cérebro das várias espécies de mamíferos.

ESCREVER E DOMINÂNCIA CEREBRAL

A última fase dos exercícios dos Institutos procura estimular a dominância cerebral, tornando-a definitiva e competente. Sabe-se que os hemisférios cerebrais têm funções parcialmente distintas, precisam agir simultaneamente, mas participando em intensidades e em formas diferentes. Têm de organizar uma ação única, de forma desigual porém complementar.

Modelos:

- manejo do arco (mão esquerda) e da flecha (mão direita), com o olho direito no alvo;

- escrever: mão direita com a caneta e olho direito na ponta desta; mão esquerda desocupada;
- disparar uma carabina: mão esquerda apoiando o meio da arma (suportando o peso), indicador direito no gatilho e olho direito no alvo;
- chute: perna direita no impacto com a bola e esquerda no apoio.

Podemos dizer que toda a tecnologia do artesão tem, na base, a chamada correlação oculomanual: a mão direita fazendo, a esquerda apoiando e os olhos... supervisionando!

Até há pouco, estivemos estimulando atividades que exigem cooperação análoga entre os dois hemisférios cerebrais – a marcha, a corrida, a natação estilo livre (*crawl*), por exemplo. Elas exigem cooperação alternante ou cruzada entre os quatro membros.

A coordenação cerebral "assimétrica", uma mão fazendo algo com cooperação da outra, como acima exemplificado, é a mais alta realização do cérebro humano:

a independência cooperativa das mãos!

COMO ENSINAR SEU FILHO A LER

Desde o começo (primeiros meses de vida), os Institutos ensinam quase tudo com base em cartazes com palavras escritas, mostradas e pronunciadas na frente da criança. Pequenos círculos vermelhos em cartões grandes (30 × 30 cm) para matemática e depois imagens realistas sempre acompanhadas de palavras (faladas), ditas com clareza quando a imagem é apresentada à criança (em meio a um segundo para cada cartaz e não mais!).

Essa técnica pretende, de início, estimular sistematicamente as vias cerebrais óticas e acústicas, e não se espera que nessa fase a criança apreenda ou compreenda os significados.

Notar enfaticamente: ver uma imagem representa muito mais, em relação à inteligência, do que apenas ouvir uma ou mais palavras.

O "saber" visual nos dá uma noção bem clara da coisa – o que a palavra não dá.

Descrições quase nunca são breves. Se vejo, identifico facilmente e quase sempre saberei de imediato o que fazer, ou como me pôr se for necessário fazer alguma coisa.

A palavra, por sua vez, só permite replicar com... palavras.

Exame oral sobre a... realidade.

Ensinar por meio de figuras explica, logo de saída, por que os Institutos aconselham ensinar uma criança com menos de 1 ano de idade a ler – e muitas outras atividades –, mostrando imagens e dizendo a palavra que designa a coisa mostrada.

Contudo, a ordem da tradução dos textos no Brasil não foi das mais felizes. O primeiro deveria ser *How smart is your baby* [Quão inteligente é seu bebê] (Nova York, Square One, 2006), a verdadeira cartilha de toda a técnica: como *iniciar* o ensino de tudo partindo do recém-nascido – a ver, ouvir, sentir, reagir, "mover-se", manipular, etapa por etapa.

O livro *Como ensinar seu bebê a ler* (Porto Alegre, Artes e Ofícios, 1996) pode ser considerado um curso universitário, mas, sem o primário, fica meio desligado dos fundamentos que figuram no *Smart*.

Começa-se mostrando palavras, e não letras isoladas – como logo específico.

Na verdade, estamos estimulando sua visão e sua audição, e é claro que, de momento, a criança nem entenderá o que é apresentado nem conseguirá dizer as palavras mostradas (afinal, não tem idade para falar). Mas estará vendo e ouvindo e logo mais começará a compreender, a ligar uma coisa à outra.

Não esquecer que ela está cercada de palavras por todos os lados...

Mostra-se a ela um retângulo de cartão com 50 cm na horizontal e 15 na vertical, com letras de 7 cm de altura e, nele, palavras escritas sempre em letras minúsculas, bem separadas, iguais em todos os cartazes, em traço grosso de cor vermelha (mais tarde, de cor preta).

Inicialmente, o vermelho é mais atraente e crianças pequenas enxergam mal – ou ainda não sabem ver –, daí as dimensões dos cartões.

Frente a frente com o filho, a mãe terá no colo um maço de cinco cartões com palavras diferentes. A cada um ou dois segundos, ela retira um cartão de trás do maço e o exibe à criança, pronunciando claramente a palavra escrita no cartão. Faz o mesmo com os cartões restantes.

A "aula" dura cinco segundos ou menos e se repetirá cinco vezes ao dia, por dez dias. Depois, as palavras vão sendo substituídas uma por vez, periodicamente.

Os autores insistem muito na rapidez da apresentação e, conforme pude ver no CD demonstrativo, é difícil acreditar que a criança consiga perceber alguma coisa do que lhe é apresentado nessa velocidade.

Começa-se com uma só palavra no cartão, mais tarde duas, depois três, até chegar a frases. O livro exemplifica e sugere muitas dessas palavras, começando com as que se referem ao cotidiano e ao entorno da criança.

Pormenorizei essa primeira etapa, mas não cabe aqui expor todo o método com suas variantes e complicações – quantas vezes, quantas palavras, como ir substituindo as palavras etc.

O processo continua até a criança... fazer um livro com as muitas palavras bem sabidas (entre os 2 e os 3 anos)!

Reparo importante: o leitor, que sofreu na escola como eu, perguntará: "Mas não é mais certo começar com o alfabeto, depois a silabação (o famoso "bê-á-bá"), até chegar às palavras?"

Somente estudiosos da língua e programadores de escolas pensam assim, presos que estão à tradição cultural enrustida...

O alfabeto é fruto de um alto nível de abstração em relação à fala e à leitura. É mais do que sabido que a invenção de escritas – portanto das letras – aconteceu várias vezes na história e sempre muitos séculos depois de a língua estar sendo usada, dos hieróglifos ao cuneiforme, ao grego, ao latim e aos fenícios.

Logo, não há a menor dúvida sobre isso: uma criança que aprendeu a ler não tem a menor consciência de que as palavras são compostas de letras!

Nem no caso de ela ter aprendido segundo a técnica que expusemos (cartazes com as palavras escritas).

Só ao começar a escrever é que a criança passará a perceber a equivalência audiovisual, isto é, a relação entre a palavra falada e a palavra escrita, entre os sons e as letras.

Depois dessa experiência – e só depois dela – é que terá sentido falar em alfabeto, mas nem sei se a essa altura importa falar a seu respeito!

Os Institutos insistem que a criança ouve mal – ou mal ouve–, mas há numerosas experiências mostrando o contrário.

Os Institutos ignoram o trabalho cuidadoso de W. S. Condon e Louis W. Sander, do qual quase basta citar o título para saber do que se trata: "Neonate movement is synchronized with adult speech: interactional participation and language acquisition" [Os movimentos do neonato são sincronizados com a fala dos adultos (próximos): participação interacional e aquisição da linguagem] (*Science*, v. 183, p. 99-101, jan. 1974).

Com todos os controles científicos imagináveis, os autores (comportamentalistas) demonstraram que recém-nascidos fazem vários pequenos movimentos simultâneos em função do ritmo da silabação de adultos próximos.

Simplificando: recém-nascidos "dançam" (fazem vários pequenos movimentos) ao ritmo da "música" da voz de adultos próximos que estejam falando.

Os movimentos são sempre os mesmos para as mesmas palavras! (Ou os mesmo sons?)

Vale a pena citar alguns trechos literalmente: "Um leitor acústico de discurso permite localizar o número do sonograma (equivalente ao fotograma), os limites temporais dos segmentos do discurso, tais como fonemas, sílabas e palavras". Ou seja, quanto dura cada um desses elementos do falar e em que ordem (numerada!) se sucedem.

Quanto aos movimentos da criança, um exemplo: "Quando um adulto emite o som kk (de *come* ['venha', em inglês]), que dura 0,07 segundo, a cabeça da criança se move bem de leve para a direita, o cotovelo esquerdo estende-se levemente, o ombro direito gira para cima, o ombro esquerdo gira levemente para fora, a anca direita gira rapidamente para fora, a anca esquerda estende-se de leve e o hálux (dedão) do pé esquerdo aduz-se (vem para o plano médio). Todas essas partes do corpo mantêm os movimentos em direção e velocidade durante o 0,07 segundo".

Gostou, leitor?

Eles acreditam em comunicação não-verbal. Via de regra, ela acontece nesta velocidade – não esqueça: fração de segundo.

Olho vivo, pois!

Contradição insolúvel: esse trabalho, feito com todo o rigor de registros de som, de filmagens das crianças e de sincronização precisa (centésimos de segundo) entre sons e movimentos, contradiz frontalmente Doman.

Para ele, a criança nasce praticamente surda – ou sensível apenas a sons muito intensos.

Aliás, no *How smart is your baby,* Doman contradiz a si mesmo. Começa estimulando a audição com barulhos intensos (até buzina de carro!) e, pouco depois, em um texto lindo (escrito por sua mulher?), diz-se que é possível dialogar com uma criança de 1 ou 2 meses, se você estiver disposto a aprender a sua língua – mas aí fica claro que a criança está ouvindo e respondendo à conhecida fala da mamãe, ou de alguém que a acompanha diariamente.

Ela está dançando – e cantando – uma "música" conhecida!

Segundo o *Smart*, a criança de 1 ou até 2 meses vê muito mal e certamente não perceberá nuanças de expressão fisionômica.

Há muitos dados que contestam Mr. Doman.

Quanto à visão, além de tudo que já dissemos sobre sonhos do feto e do neonato, temos o relato de estudos do feto que, aos 7 meses, começa a mover os olhos –, na certa de forma conjugada, já que olhos com movimentos independentes nem sequer podem ser imaginados.

Sabe-se também – é visível – que mesmo nenês de poucas semanas, ao serem levados no colo de um adulto, "olham" insistentemente para tudo que esteja à sua frente.

Quanto aos sons, o caso dos Institutos é bem pior.

Recém-nascidos identificam com certeza a voz da mamãe – o que é estranho, pois essa voz, ouvida ainda dentro do útero e com obstáculos, é bem pouco parecida com a voz ouvida após o nascimento. Isso indica sutileza na audição, a capacidade de "traduzir" a voz intra-uterina (passe a frase) com a extra-uterina.

A solução talvez resida na diferença entre palavras ditas e música da voz. Não só. Experiências várias mostraram que, se a mãe ouve a mesma música muitos dias antes do parto, o nenê dá mostras de identificar a canção (por seus movimentos ou pelo ritmo da sucção).

Mais: se a mamãe leu certo trecho de livro muitas vezes antes do parto, a criança dá indícios de reconhecer não o texto – é óbvio –, mas a "toada" da leitura!

Enfim, o pior: estimular a audição do neonato com sons intensos tem um efeito definitivamente traumático, como seria de imaginar. Sons ou qualquer estímulo intenso despertam uma tensão global que "significa": "Não sei o que fazer!"

Essa talvez seja a emoção-sensação básica das neuroses traumáticas!

"Algo muito poderoso está bem perto e não consigo fazer nada, nem mesmo sair correndo – não sei qual a direção de afastamento! Desorientado, posso ir parar na direção do monstro."

Insisto: imagens (visuais) assustadoras são menos apavorantes, pois fica ressalvada a direção de fuga. Os intensos estímulos sonoros não dão essa oportunidade. A pessoa se sente encurralada seja qual for a fonte ou a localização do barulho.

Imagine-se dando um passo para atravessar a rua e uma buzinada intensa mais o ronco de um caminhão pesado passando rente a você!

Por conta da importância do falar para nossa espécie, vale a pena... perder tempo (!) discutindo a questão.

A referência feita à relação entre a fala (dos adultos) e a "dança" (dos neonatos) é para mim altamente inspiradora, dada minha paixão pelos movimentos (pelos dois terços do cérebro – a dança...) e pela respiração, da qual nasce o som das palavras.

Posso ver, nessa experiência, o começo da compreensão do... significado (ou do "sentido") das palavras.

Na verdade, refinando, o sentido da relação pessoal nesse momento!

O tom da voz é um retrato da emoção; e o significado da palavra, seu "pensamento" – ou seu sentido!

O comportamentalismo diz mais: as palavras funcionam como "sinais condicionados" desatando comportamentos, movimentos, ações, desde reações simples – expressões fisionômicas, por exemplo – até reações de corpo inteiro, como diante de alguém com uma voz paterna agressiva.

Para mim, depois de anos de observação da comunicação não-verbal, essa noção cabe por inteiro. Palavras ditas em tom convencional, via de regra, não desatam grandes comportamentos, é claro; contudo, podem liberar pequenos sinais não-verbais, hoje bem aparentes quando se grava o diálogo entre duas pessoas e depois se reproduz a gravação em câmera lenta. Nesta, aparecem "microssinais" misteriosos (muito rápidos) que os estudiosos não compreendem – mas eu sim!

> **Não sou cientista, mas psicoterapeuta, e esses "microssinais" foram sendo observados por mim em seu contexto clínico, o que me levou a começar a compreendê-los. Em grupos de estudos, gravávamos um colega durante dez ou quinze minutos e depois examinávamos a gravação por uma hora, em várias velocidades, com muitas paradas. Fiz isso durante centenas de horas e estou bem treinado para perceber expressões faciais e corporais, mesmo que muito rápidas. Considerando o contexto e o interlocutor, os pequenos sinais podem ser compreendidos – e são bastante reveladores!**

Quando dialogamos, há quatro "entidades" relacionando-se: duas que falam palavras intencionalmente (aí valem os significados das palavras, do dicionário) e dois "bichos" que respondem um ao outro com as microexpressões, concordando, apaziguando-se, solidarizando-se, acreditando um no outro ou brigando, desconfiando, desafiando, duvidando e mais.

Esse "bicho" bem pode ser o equivalente adulto – ou o derivado evolutivo – da "dança" do neonato ao ouvir pessoas falando.

A dança seria a primeira tentativa da criança de "compreender" as palavras. Aprendendo a dançar conforme a música, como se diz.

Talvez as relações pessoais possam ser resumidas em termos de par de dança – se danço bem ou não com a outra pessoa. Essa ligação, que existe (v.i.), será considerada "muito profunda" e tida facilmente como "inconsciente", ou seja, difícil de perceber, bastante sutil.

É claro que o neonato dança apenas com o ritmo e com o som (música) da fala, e não em relação ao significado.

Se ainda não bastasse o que aí está, acrescento isto (lido na mesma pesquisa): o neonato dança diante de *qualquer* língua falada perto dele – e não dança com música!

No *Smart*, há meia dúzia de páginas inspiradas, creio que redigidas pela esposa de Doman, relativas à compreensão não-verbal entre criança e mãe (ou adulto sensível). Compreensão entre faces e músicas da voz.

Pena que nem os Institutos se deram conta da comunicação não-verbal, ainda que a usem bastante – é líquido e certo – ao lidar com crianças que não falam, que falam mal ou não entendem palavras.

Nem sei se eles explicitam esse fato, mas é claro que "compreendem" a fala dos lesionados cerebrais – todo o texto dá a entender que é assim.

Estranho: entendem... inconscientemente!

Quando as pessoas começarão a perceber claramente que toda fala tem pelo menos dois (ou três?) sentidos – a letra, a música e a dança! –, além dos muitos sentidos que uma só palavra pode reunir?

Não percebem e então "discutem a relação" interminavelmente, apenas falando e ouvindo palavras. Se percebêssemos, aumentaria entre nós o acordo – e o desacordo –, mas as mentiras tenderiam a desaparecer. Todos ou quase todos perceberiam a diferença entre os que acreditam no que estão dizendo e os que não acreditam.

Seria instintivo!

Animais não se enganam.

Os que se enganaram foram comidos...

CENTROS CEREBRAIS DO RELACIONAMENTO

Cabe aqui complementar o tema lembrando dois centros cerebrais conhecidos: um que nos permite reconhecer faces – não só faces de pessoas conhecidas, como certamente expressões fisionômicas de cada pessoa (mas aí o neurofisiologista não se manifesta, não percebe que dinamicamente uma face são muitas faces).

O segundo, muito publicado na mídia recentemente (2005-2007), refere-se aos "neurônios-espelho", que têm o poder de reproduzir nos indivíduos, inconscientemente, o comportamento de outra pessoa presente em seu campo visual.

A função desses centros (mais de um) é óbvia:

- ou facilitam o entendimento, despertam a simpatia e tendem a sintonizar ritmos;
- ou permitem apreender ameaças e a preparar a defesa!

Isso sempre dentro do curto-circuito da visão-movimento, que atua muito mais depressa que a observação detida ou o diálogo verbal. Na verdade, antecipa esse diálogo, podendo torná-lo produtivo ou... impossível.

E a Educação?

Esses fatos têm tudo que ver com a sintonização do mestre ou mestra com as crianças.

Essa frase tão simples é na verdade o centro da relação pedagógica.

Se ela não for considerada, a educação será uma palavra vazia, uma atividade exasperante (para todos os envolvidos), cara e inútil.

Isso se não produzir efeitos exatamente contrários aos que se pretende.

Quando os altos poderes da educação compreenderão que estão mumificados em um "mundo líquido", como dizem com justeza os estudiosos de hoje?

"Mundo líquido" quer dizer: hoje, não há nada estabelecido, nada seguro, nada fixo, nada previsível, nada constante.

Querendo ou não, estamos entrando na era do aqui-e-agora – inapelavelmente. Aquário!

Generaliza-se a noção de "mundo líquido" (nada sólido).
Em vez de aprender a andar, precisamos aprender a nadar...
Ou nos iluminamos ou nos mumificamos.

Sobreviverão os que forem capazes de criar, os que conseguirem libertar seu potencial criativo ou de improvisação.

Atenção com as palavras: "improvisar" é criar, mas na linguagem comum isso parece descabido. O improvisador não é muito respeitado...

O FALAR E A RESPIRAÇÃO

A questão da fala vai além.

Doman percebeu que, ao tentar responder ou comunicar-se com sons, a criança faz um esforço especial que ele compreendeu como "esforço (respiratório) adicional", como se a criança precisasse "tomar fôlego" para falar.

Quase como se estivesse... nadando.

Essa percepção pode ser inteiramente válida quando tratamos de crianças com lesões cerebrais. Mas a respiração é mais do que isso.

Procurando sentir o que sucede conosco ao falarmos, será fácil notar que o falar muda não só o ritmo como também toda a forma – ou toda a aeromecânica – da respiração.

Ela passa a funcionar como a respiração do músico que toca um instrumento de sopro, tendo por isso de dividir o sopro global em sopros elementares, ligados aos movimentos dos dedos sobre as chaves do instrumento musical, cada "tecla" uma interrupção no fluxo respiratório, uma sílaba!

Aí caberia dizer que o artista "fala" com o instrumento.

Tentando resumir esse longo trecho complicado relativo às palavras: se, bem latinos, falamos com o corpo todo e com toda a face, a dança das frases se faz evidente e na certa comunica tanto quanto o significado das palavras. No som da voz vai a emoção.

Se, como os anglo-saxões ou os germânicos, mantemos a cara dura e os gestos contidos, aí passamos para o interlocutor poder/controle – e informação –, mostrando pouco ou nada de nós mesmos.

Somos objetivos, isto é, semelhantes a objetos...

A fala do robô ilustra o que estou dizendo.

COMO PASSAR PARA A CRIANÇA UM CONHECIMENTO ENCICLOPÉDICO

O título (*How to give your baby encyclopedic knowledge*) parece pretensioso demais – lembre-se, estamos falando de crianças com 2, 3, até 6 anos de idade.

Mas é de todo verdadeiro e a técnica é inteiramente eficaz, podendo substituir, como disse, tudo que costuma ser ensinado em nosso aprendizado básico.

A técnica continua a mesma, mas os autores dedicam muitas páginas do livro à descrição, em forma bem classificada, de uma enciclopédia audiovisual com figuras e palavras, a ser passadas gradualmente para o aluno.

Ensinam em pormenores a fazer a coleção de figuras. Oferecem as que foram feitas nos Institutos aos que quiserem. Palavras de início, uma palavra para cada figura (cartaz) bem distinta e isolada. Em outra rodada, frases curtas com a mesma figura e com informações adicionais sobre ela, em complexidade crescente.

O livro já foi traduzido: *Como multiplicar a inteligência do seu bebê* (Porto Alegre, Artes e Ofícios, 1984).

É possível ter uma idéia melhor assistindo ao CD com o mesmo título, mas falado em inglês.

A IDADE DOS PORQUÊS

Este é um bom momento para recordar a "idade dos porquês" das crianças. Doman assinala o quanto essas perguntas são inteligentes e surpreendentes, demonstrando o interesse e a curiosidade da criança pelo mundo que a cerca.

E, de novo, os adultos demonstram sua total incompreensão pela inteligência infantil. Poucos levam a sério as perguntas, muitos dão respostas ridículas, alguns chegam a se irritar pela insistência da criança (que lhes demonstra o quanto ignoram e quão pouco são curiosos...).

Conselho: se você não tem uma resposta convincente, olhe bem para a criança e diga "Não sei, mas gostei de você ter perguntado". Se tiver tempo e meios, convide-a para procurar a resposta junto com você, em uma enciclopédia ou com alguém próximo que saiba responder.

Pode sorrir, mas não ria da pergunta.

Ela ficará muito feliz se você a levar a sério, mesmo que você não saiba explicar. Dar-lhe atenção a deixará feliz e, mais ainda, se você conseguir passar para ela que a pergunta é inteligente.

Vez ou outra será curioso responder a uma pergunta perguntando de volta (a sério): "O que você acha?"

Também comente a resposta a sério.

AULA DE PORTUGUÊS

Sob este título, relato o que foi feito comigo, entre 1930-1935, no Ginásio do Estado de São Paulo, cadeira de Português, professor Rangel.

Nada que ver com os Institutos.

Como o tema tem valor próprio e é fundamental em nossos programas oficiais, acreditei que o relato seria útil hoje como foi naquele tempo.

Começo declarando: não sei por que se tenta ensinar gramática a quem mal sabe falar. Para quem lê bastante, ela é inútil. Para quem lê pouco, é incompreensível.

Em qualquer caso, ela está próxima da lógica, estudo bem pouco interessante e, a meu ver, muito difícil para jovens, com nível demasiado alto de abstração.

Durante três anos, três horas por semana, o professor Rangel fez assim: ao fim de uma aula, lia ou pedia a um aluno que lesse um poema, uma história ou um pensamento expressivo e concluía: "Redijam". Na aula seguinte, ele começava: "Vicente, levante-se e leia", e desse modo chamava em seqüência dez ou doze alunos para que lessem em voz alta o que haviam escrito. Quando um dos alunos escrevia alguma frase errada, o professor pedia que fosse ao quadro-negro e escrevesse a frase, e consultava a classe sobre o acerto. Invariavelmente, "corrigíamos" o erro! Isto é, a classe sabia gramática... Depois, ele dizia a regra de gramática aplicável ao caso. Mas nunca em exames propôs questões de gramática.

Foi assim durante três anos, e todos nós aprendemos a ouvir a leitura de um texto com atenção, a escrever com capricho (porque seria lido "em público" e "corrigido" pelos colegas), depois a ler em público o que havíamos escrito e, enfim, a comentar várias redações sobre o mesmo tema.

Logo se estabeleciam competições amistosas entre os mais competentes, e a classe torcia, esperando a aula seguinte para ouvir a resposta do outro fera...

Hoje, se eu fosse professor de português, acrescentaria um passo ao processo. Pediria ao aluno que se colocasse na frente da classe e lesse o texto com entonação, como se fosse um ator.

O tom de voz (a prosódia) é tão importante para a compreensão de um texto quanto o próprio texto (escrito). E, se lido com diferentes entonações, seu significado pode mudar bastante – e tudo isso também é aprender português, é afinar o ouvido!

Em vez de prosódia, palavra pouco usada, prefiro "música da voz".

Aula assim nem parece aula de português...

Nem parece aula!

Para que mais do que isso?

Fica a sugestão para os Altos Ministérios da Sabedoria Coletiva e para aqueles que crêem que é preciso aprender gramática para escrever e falar "certo".

MAS PALAVRAS SÃO MUITO MAIS DO QUE PALAVRAS

Ouvimos elogios demais sobre as palavras – e as criticamos de menos.

E as compreendemos e as usamos muito mal.

No entanto, prestar-se-iam a muitas aulas do tipo confusamente denominado "construtivismo".

Os alunos contribuiriam para melhorar a comunicação entre si e com os professores – inclusive com os pais, que poderiam ser convidados.

Pensando na Escola da Ponte (Portugal), da qual sei quase nada, poderíamos começar convidando os pais para virem à escola junto com seus filhos, ao menos alguns dias.

E então, combinando discussões sobre o falar e as palavras (todos têm o que dizer sobre essa... matéria) com gravações em videoteipe (como adiante se esclarece), teríamos a possibilidade real de iniciar uma profunda revolução pacífica da qual a escola seria o centro.

Estruturalismo – efetivo.

Revolução social, devagar e sempre.

Mudança profunda na relação pais–filhos, criação de um novo tipo de família, de "célula-*mater*" tão essencial para que comece a existir uma sociedade melhor do que a atual.

Sem aumento essencial de gastos públicos...

Por que não?
Voltando às palavras – e começando a discussão (!).
Se, específicas dos seres humanos, elas contribuem para o entendimento e a compreensão entre as pessoas – e entre as gerações! –, é também verdade que elas são igualmente essenciais nos desentendimentos humanos, tanto individuais quanto coletivos.

Para começar, a Torre de Babel, as diferenças entre as línguas (três mil?), as dificuldades decorrentes e os mal-entendidos que vão do cômico ao trágico.

Depois, o que chamarei de as minitorres de Babel, os mil dialetos em cada língua, chegando até às peculiaridades dos modos de dizer de cada bairro e de cada família.

Em seguida, considerar as diferenças de compreensão de significado de uma mesma frase conforme a época, as circunstâncias, o tema, o interlocutor, levando em conta se ele é outro indivíduo, um grupo pequeno ou uma multidão.

E ainda não falei da mixórdia dos significados (e dos significantes) nem das conseqüentes confusões lógicas. A fim de serem atenuadas, geraram sistemas lógicos altamente específicos e complexos, inclusive entre categorias de cientistas ou de profissões.

Mais difíceis do que mecânica quântica!

Mais dois fatos estatísticos: parece impossível que existam – em qualquer língua – palavras suficientes para dizer tudo que existe. Alguém sabe ou será possível saber "tudo que existe"? Depois, considerando indivíduos, é certo que alguns conhecem milhares de palavras, enquanto outros não conhecem mais do que algumas centenas.

Logo, "comunicação universal" é uma expressão com sentido bastante restrito.

Enfim, pouquíssimas palavras têm rigorosamente "o mesmo sentido" para duas ou mais pessoas.

Afinando a análise, direi que as palavras (os "conceitos") têm, segundo os lógicos e os lingüistas, duas qualidades essenciais: a extensão e a compreensão.

Extensão quer dizer: a quantos objetos ou situações semelhantes a palavra se refere? Quantas variedades de aviões contidas na palavra "avião" você conhece?

Compreensão quer dizer: quantas características estão incluídas em cada palavra? De novo, "avião": desde o planador até o jato supersônico, o que pode haver de comum entre todos eles?

Palavras são a principal variedade da informação – a palavra do terceiro milênio. Diariamente, se você folhear alguns jornais e revistas e ouvir alguns noticiários da TV ou do rádio, receberá dezenas de milhares de informações.

O que fazer com elas?

Raramente se pergunta: e o que eu faço com isso?

Na verdade, mesmo nos diálogos do cotidiano (telefones celulares!), as pessoas trocam um sem-número de informações e, novamente, cabe a pergunta: o que eu faço com isso?

Por que você me diz isso?

Por que eu digo isso a você?

Segundo o mestre da informação, o engenheiro Shannon: **"A informação serve para reduzir a incerteza"**.

Linda frase. Entretanto, se fosse possível resolver as incertezas da vida em função do número de informações que podemos ter a cada hora, então estaríamos absolutamente seguros em nossas decisões.

Como se vê, palavras estão bem longe de corresponder à fama que têm – de constituir informação explícita, clara e segura.

Na verdade, poucos campos de discussão verbal são tão amplos, antigos, incertos e intermináveis quanto os que se referem à palavra "interpretação".

Lembro só a Bíblia e a psicanálise...

Mas pior do que tudo que já disse é algo jamais... falado, seja entre as pessoas, seja em aula, seja na mídia.

Sem se dar conta disso, a maior parte das pessoas deixa passar, em relação a grande número de frases do cotidiano, coisas assim:
"Se eu falei, se eu disse o que acho, então está resolvido";
"Se eu falei, não tenho mais nada a fazer";
"Se eu falei, então está feito"; ou, enfim, o pior:
"Se eu disse de quem é a culpa e/ou quem devia, o que mais você espera de mim?"

A confusão popular entre "eu disse" e (implicitamente) "eu fiz" é incalculável, por mais ridícula ou tola que pareça.

E, claro, tudo que é preciso fazer continua à espera de quem faça...

VOLTANDO ÀS AULAS (!)

Começo com o pior, já lembrado: "Saber o nome não é conhecer a coisa". Contudo, 90% do que os alunos "aprendem" no curso básico é "saber" (decorar) nomes de coisas, com pouca ou nenhuma compreensão do que estão dizendo.

Entre os professores não é muito diferente!

Quantos serão capazes de descrever com clareza a imensidão e a complexidade do Sistema Solar, dando números e fazendo comparações com distâncias e massas familiares?

Quantos conseguirão dar uma idéia da complexidade dos seres vivos e de nosso corpo?

Sem comparações, sem figuras e sem entusiasmo da parte do professor, essas coisas miraculosas tornam-se aborrecidas e confusas – um monte de palavras que pouco ou nada dizem do que se pretende que digam.

Limitam-se quase todos a dar nomes (muitos!) e a exigir que os nomes sejam repetidos em certa ordem.

Então é claro – é claro? – que o aluno sabe do que está falando.

E o professor também!

Sem ofensa e a bem da clareza: aulas a papagaios.

Saber pensar é responder certo às perguntas da prova. No fim, você ganha um diploma...

E ai de você se não o tiver. Sua vida pode parar, será difícil arranjar um trabalho e ganhar a vida.

Em suma e em conseqüência: dois terços das "conversas" do mundo são banalidades, sempre as mesmas, ou "conversas de surdos" durante as quais as pessoas "fazem de conta" que estão se compreendendo muito bem quando, na verdade, mal ouvem o que estão... ouvindo.

E mal pensam no que estão falando.

Ou seja, mal pensam no que... estão pensando.

Veja-se que número de questões há para ser discutidas com proveito entre alunos, professores e pais, todas com reflexos profundos na vida social (na comunicação humana), todas capazes de produzir revoluções nas relações pessoais!

Será que isso não é estruturalismo?

Prático?

ISTO É PORTUGUÊS – OU NÃO É?

Todos esses elementos influem na determinação do significado das palavras, no que a pessoa pretende comunicar – e mal aparecem nos textos de lingüística, ou de gramática da língua portuguesa, ou nas aulas de português.

Seria fácil dizer que o terceiro milênio emergiu na história como o Século da Comunicação, mas por enquanto a antiqüíssima comunicação verbal entre as pessoas não é lá essas coisas...

Não será também por causa disso – na confusão das e nas palavras – que o desentendimento entre pessoas, entre vizinhos, parentes, bairros e povos é tão grande?

E serei deveras inconveniente. As pessoas discutem eternamente em palavras, e pouco e nada se fala do que fazer, do que foi feito, de como fazer, do que se está fazendo.

E FALANDO COMIGO (SOZINHO), SEREI MAIS CLARO?

O que você acha?

Por que Freud inventou a psicanálise a não ser para que as pessoas – "soltando" seus pensamentos ("associações livres") – chegassem, aos poucos, orientadas pelo terapeuta, a compreender o que seus pensamentos queriam dizer?

Acredite, essa é uma excelente definição operacional da psicanálise.

Você paga para que o terapeuta o ajude a descobrir o que você está realmente pensando!

Nem podia ser de outro modo.

Por que a falação interna – o "falar sozinho" – seria mais ordenada, mais clara, coerente e funcional do que a falação externa?

Piorando essa situação, já mais do que confusa, as pessoas acreditam que ao falar consigo mesmas – sozinhas (pensar) –, desenvolvem um discurso muito bem organizado e que seus diálogos interiores as ajudam demais a viver melhor.

Que "eu penso muito bem".

Que sou até bem inteligente!

Pensa mesmo, leitor?

Quem disser que "no íntimo" está tão confuso quanto nos diálogos exteriores despertará estranheza – até indignação – em muitas pessoas.

Mas pergunto: como pode o diálogo interno ser tão melhor do que o externo?

Voltemos ao principal: o que tudo isso tem que ver com educação? Agora podemos avançar na resposta.

Aprender português é aprender a pensar, principalmente, certo? Depois, a falar, a compreender o que me dizem, a dizer o que penso ou sinto e a responder com sensatez ao que me perguntarem.

Certo?

Tudo bem claro, mas estou há muitas páginas dizendo que nada disso acontece assim.

Não se trata de saber "quem está certo" e "quem está errado".

Trata-se de saber se você, leitor, concorda ou não com as confusões ligadas às palavras insistentemente denunciadas por mim.

Se você não concorda, esqueça este livro.

Ele de nada lhe servirá. Poderá até atrapalhar.

E, como sempre, você se perguntará (me perguntará): e o que tudo isso tem que ver com educação?

Só essa pergunta, depois de tudo que foi exposto anteriormente, já indica a quase impossibilidade de comunicação entre mim e alguns de meus eventuais leitores...

Mas meu triste destino é ter uma certeza ampla de que a palavra mais serve para confundir do que para esclarecer, orientar ou explicar.

Preciso ser a prova viva do que... digo!

Volto então a falar com os que concordam comigo no fato de que as palavras são, no mínimo, incertas e de que seria muito bom se essas coisas fossem... faladas na escola.

Trata-se, em termos mais familiares, de "interpretar textos", versos, notícias, assim como, ao final, rever as discussões que surgiram no decorrer das... interpretações. Logo retorno.

Mais um ângulo da questão.

Ao falar umas com as outras, as pessoas têm – pondo em números – de 30% a 50% da atenção no que estão ouvindo e 20% a 30% no que pretendem responder. Nem 20% da atenção se atém à comunicação não-verbal, ao que os olhos estão vendo (v.i.).

Claro que esses números variam – eles também – o tempo todo, de momento a momento, de diálogo a diálogo...

Mas claro, também, que os significados do que se diz estão sujeitos a todas essas variáveis.

E a outras!

A COMUNICAÇÃO NÃO-VERBAL: TUDO QUE É DITO JUNTO COM AS PALAVRAS

Pouco se fala da "comunicação não-verbal", resumindo-a a uma obra muito citada, de Pierre Weil e Roland Tompakow: *O corpo fala* (Vozes, 1986). O problema desse livro, fabulosamente bem ilustrado por um caricaturista genial, é levar o leitor a acreditar que existe uma espécie de "dicionário" das expressões corporais.

O que é péssimo.

Nada mais individual do que essa... linguagem.

Depois, lendo as palavras ("comunicação não-verbal") aqui e ali, compreendem-nas quase como se fossem uma curiosidade psicológica – um luxo –, mas é fácil mostrar sua importância. Pense na fala dos robôs. Eles não têm nenhuma comunicação não-verbal, são palavra pura.

São um texto lido sem a menor variação no tom da voz, sem nenhum gesto e sem a menor insinuação de música, de "expressão".

Uma fala sem prosódia – sem música e sem dança.

É como se uma máquina de escrever pudesse falar...

Ouça algumas vezes a voz gravada de uma secretária que responde a seu telefonema...

É a leitura totalmente impessoal de um texto.

Um escrivão lendo uma escritura de compra e venda de não-sei-quem a não-sei-quem...

A expressão não-verbal compõe-se de três elementos:

- **A *música da voz*, diferente de pessoa para pessoa e na mesma pessoa, em variadas circunstâncias. Esquematicamente: é o som da emoção. É a música que nasce do peito – do sopro da vida (respiração) – e do coração...**

- As *expressões faciais*, de duas espécies: as variações comuns, fáceis de ver e para cuja percepção e identificação temos centros cerebrais específicos, conforme vimos; as microexpressões, reveladas em gravações de vídeo quando se roda a fita em câmera lenta. Todavia, com experiência e atenção, as microexpressões podem ser percebidas também fora das gravações e, na verdade, exercer um efeito subliminar muito importante no curso do diálogo. Manifestam "intenções reprimidas", as quais, apenas esboçadas, são instantaneamente inibidas.
- Enfim, os *gestos dos braços e mãos*, assim como as atitudes de corpo inteiro. Esses movimentos e posições podem variar bastante ao longo do diálogo, mudando o sentido das palavras.

> Somadas, as expressões não-verbais no decorrer do diálogo podem ser consideradas as reações espontâneas de nosso animal tanto às palavras que ouve quanto às reações não-verbais de quem fala.

IMPORTÂNCIA DA CARA...

Comecemos contradizendo o senso comum: quem vê cara vê coração, sim senhor.

Se você prestar atenção às expressões faciais das pessoas, poderá "descobrir" muitas coisas sobre elas, inclusive muitas das que elas acreditam estar escondendo bastante bem.

Vamos aprofundar fatos importantíssimos bem pouco e mal declarados pelas muitas escolas de psicologia e de psicoterapia.

Quase todas se atêm ao que se fala e ao que se pode explicar em palavras – com todos os inconvenientes que terminamos de sumariar.

Excluem o não-verbal.

Uma confusão de palavras complicadas e explicações "puxadas pelos cabelos" para esclarecer emoções profundas, apegos dramáticos, acolhidas afetivas e distância, pré-estágios da formação do ego e do super-ego.

(Fui psicoterapeuta aplicado e estudioso durante meio século e conheci – bem! – quase todas as teorias da área. Por isso, meu azedume é muito bem fundamentado, e sofrido.)

Nenhuma escola ou teoria psicológica explora o que direi em seguida; o que explica, de forma bem clara, dois terços dos desentendimentos entre as pessoas.

Ninguém conhece seu próprio rosto (suas muitas expressões faciais) nem seu próprio corpo, suas atitudes e gestos (sua expressão não-verbal).

Ao se verem gravadas em vídeo durante alguns minutos de diálogo, respondendo a uma dúzia de perguntas pessoais, nove de cada dez pessoas mal acreditam ser aquela que estão vendo.

Que estão vendo – e podem ver de novo!

Mal se identificam com sua figura na tela – não se identificam consigo mesmas!

"Aquela lá (que sou eu) não sou eu..."

"Meu eu", "meu íntimo" é indevassável, reza a literatura. O que tenho no íntimo só eu sei, só eu posso saber.

Mais exato seria dizer: "O que eu sei de mim não é aquilo que... estou mostrando. Na verdade, aquele lá é meio (ou dois terços) desconhecido para mim".

Esse é o drama de Narciso, mal interpretado, desde os gregos, como símbolo de vaidade.

Se visse seu rosto pela primeira vez aos 20 anos, como Narciso na Grécia sem espelhos, você seria um completo desconhecido para si mesmo.

Esse foi o começo da... reflexão (espelho!) que prendeu Narciso para sempre.

Repito: ao se ver gravado durante uns minutos, você reviverá o conflito de Narciso.

Enfim: o "castigo" dos deuses foi transformá-lo em... uma flor!

Castigo ou prêmio?

Repito: nenhuma Escola de Psicologia do Brasil (conheci mais de uma dúzia) dá a menor importância a esse fato e, nas leituras de outros autores, só existem raras alusões a isso.

Exceto em William Reich, meu iniciador nesse reino, o primeiro psicanalista que começou a falar com o cliente frente a frente, reparando em suas expressões faciais e corporais.

Segui sua pista e desenvolvi bastante a questão, inclusive gravando colegas em grupos de estudo (centenas de horas) e examinando a gravação durante muito tempo – ouvindo ao mesmo tempo pareceres de todo o grupo sobre o que víamos.

A tragédia maior é esta: tudo aquilo que não sei que mostro (no rosto e no corpo) é tudo que meu interlocutor está percebendo de mim.

Para ele, sou o que pareço – além do que digo.

A fim de intensificar as complicações dessas negações, é preciso dizer mais três coisas:

- uma delas já foi bem dita: nosso cérebro foi feito para imitar (dois terços, motor e córtex; um terço, visual);
- há centros cerebrais especializados na percepção de faces e expressões faciais (*O homem que confundiu sua mulher com um chapéu*, de Oliver Sacks, é um livro famoso);
- enfim, mais recentemente, a descoberta de centros cerebrais "espelho", que imitam (inconscientemente) expressões faciais e gestos corporais de outras pessoas.

É preciso então liquidar de vez esta idéia de "quem vê cara não vê coração".

É preciso incluir o ver a cara nas "discussões da relação", hoje popular nas revistas e, além disso, alimento inesgotável das entrevistas de psicoterapia apenas verbais por meses sem fim. A relação se faz de caras, tons de voz, gestos, e não apenas de afetos profundos, confusos, inconscientes etc.

Olhe bem, que você verá – bastante!

Na verdade, aprendemos todos a fazer de conta que não vemos uns aos outros, mas alguma coisa em nós vê.

"O rei está nu", lembra-se dessa historinha dita infantil?

É o retrato de Brasília...

Portanto, seria muito bom e poderia condicionar mudanças sociais consideráveis se as pessoas começassem a se ver em vídeo – a se ver como os outros as vêem. A se ver enquanto falam, enquanto dialogam.

Mães e filhos...

Pais e filhos.

Professor e alunos.

Pastores e fiéis.

E está mais do que na hora de as escolas de psicologia diminuírem a falação e começarem a perceber – e a mostrar – que tudo quanto Freud acreditava que fosse "inconsciente" está na cara, no gesto, na atitude, na voz.

Porque a motricidade é muito mais veloz do que a percepção consciente e, por isso, escapa ao controle – e à percepção do interlocutor.

Se tocados, nossa face ou corpo reagem, segurando depois – um décimo de segundo depois!

Bicho que se engana quanto aos movimentos de outro bicho é comido.

Ninguém esconde nada de ninguém – a menos que um dos dois, ou ambos, prefira fazer de conta que nenhum dos dois conseguiria descobrir tudo que escondem...

Será?

COMO ENSINAR MATEMÁTICA À CRIANÇA

Os Institutos fizeram outra descoberta genial.

Nada de números – que são, como o alfabeto, abstratos demais.

Sempre os mesmos cartões grandes (30 × 30 cm) e em cada um pequenos círculos vermelhos que vou chamar de bolinhas, todas iguais, com 3 cm de diâmetro.

Mostra-se o cartaz e diz-se o número de bolinhas que estão nele, em menos de um segundo. Sem ordem!

De início, cinco cartazes, como para as palavras. A seqüência, como lá, é aleatória, podendo ter mais do que dez bolinhas por cartaz, e vai se complicando aos poucos até dez cartazes por vez. Os números chegam até cem, a serem apresentados ao longo de um ou dois meses – mas não em seqüência.

Mais adiante, passa-se às quatro operações, uma por vez. A técnica consiste em apresentar, digamos, dois cartões, um com cinco bolinhas, um com três e mais um com oito. Ao mesmo tempo, o instrutor diz claramente: "5 mais 3 é igual a 8". Muitas somas são apresentadas desse modo, com números cada vez mais altos (até cem), porém não em ordem. O mesmo se fará com a subtração, a multiplicação e a divisão – sem usar os símbolos clássicos. Estes só serão usados bem para a frente. O aprendizado prossegue com equações aritméticas que mais tarde chegam a ser bem complicadas.

Do livro em que isso é exposto – *How to teach your baby math* ou *Como ensinar matemática ao seu bebê* (Porto Alegre, Artes e Ofícios, 1994) – consta quantos quadros usar por vez, quantas vezes por dia, durante quanto tempo e em que ordem substituí-los.

Esse é o modelo básico, mas mesmo ele pode ir longe, mostrando até somas e outras operações com várias dezenas de bolinhas!

É espantoso como crianças de 2 anos olham para os cartazes e dão sinais bem claros de compreensão ante as operações mostradas, se as "contas" estão certas – ou não!

Isso também pode ser mais bem compreendido com o CD.

COMO ENSINAR A CRIANÇA A NADAR

No livro sobre a natação, *How to teach your baby to swim* [*Como ensinar seu bebê a nadar*], papai ou mamãe, na banheira, levam consigo o recém-nascido. Paulatina e cuidadosamente – com muitas ilustrações –, vão fazendo que ele se familiarize com a imersão total, aprenda a respirar na hora certa e, bem mais tarde, aperfeiçoe seu... estilo.

Segundo o texto, nada melhor do que a natação para favorecer o desenvolvimento e o controle da respiração.

Assino embaixo.

O MAIS TOCANTE

O livro que mais me tocou pessoalmente foi *What to do about your brain-injured child* (Nova York, Square One, 2005). A edição de 2005 (que eu li) deve ter sido a mais completa, mas não tenho meios para compará-la com a que foi traduzida para o português – *O que fazer pela criança de cérebro lesado* (Rio de Janeiro, Auriverde, 1980).

O livro conta a história – a epopéia – dos Institutos desde o começo, e de como foi se desenvolvendo toda a compreensão que alcançaram sobre o funcionamento do cérebro.

Recebendo crianças com todo tipo de lesão cerebral e verificando cuidadosamente as deficiências conseqüentes, foram aos poucos conseguindo correlacionar as duas séries. Construíram, assim, passo a passo (sofridos passos!), a seqüência topográfico-funcional das funções cerebrais, partindo da medula nervosa até as mais altas funções do córtex cerebral.

Desde meu curso médico, eu estava perdido nesse cérebro complexo do qual eram sabidos milhares de pormenores e, até encontrar os Institutos, não havia conseguido saber para que ele serve! Ou como funciona.

Ao conhecê-los, quase tudo ficou no lugar, não só a organização funcional do cérebro como também sua história: por que e como ele se desenvolve, o que fazemos para estropiá-lo e como fazer para que ele se desenvolva ao máximo.

Gratidão eterna!

Não conheço – não creio que exista – nenhuma outra forma de educação (do corpo e da mente) comparável a essa.

Nem mesmo a Escola Waldorf, igualmente admirável, mas com valores muito diferentes dos Institutos, nem de longe tão atenta ao desenvolvimento motor (e cerebral) – para mim, a base da personalidade.

Dois terços do cérebro não podem deixar de ser o fundamento da personalidade, principalmente depois que conheci mestre Reich e, com base nele, aprofundei tudo que a motricidade significa. Tudo, quase sempre, solenemente omitido, ignorado ou negado, seja pela psicologia, pela psicoterapia, pela sociologia, até pela filosofia e pelas noções religiosas sobre nós.

Tudo sempre a favor da palavra, da verbalização, da fala interminável da qual se espera a solução para todos os problemas da pessoa, da sociedade – e do mundo.

Basta compreender ou explicar em palavras e o resto acontece sozinho...

Considere, leitor, a inexplicável distância (ou ignorância) das pessoas em relação à importância de nossos movimentos – condição para tudo mais. Três livros dos Institutos já foram traduzidos para nossa língua – e muito bem apresentados –, mas o que se refere aos movimentos ainda não!

A "culpa" talvez seja dos próprios Institutos.

Ao livro sobre a educação motora deram um título pouco refletido: *Como ensinar seu filho a ser fisicamente soberbo*.

Triste, não é?

Como fazer de seu filho uma criança bem integrada seria bem melhor.

E bom mesmo seria acrescentar um subtítulo: "Como proteger seu filho da neurose ensinando-o a se mexer 'como se deve'".

Mais perfeito ainda seria: "Como fazer seu filho nascer em outro mundo"...

E a começar outro mundo.

Se este durar até lá.

Discípulo brasileiro

Doman foi agraciado com uma comenda pelo governo brasileiro.

Quase meio século atrás, o médico brasileiro Raimundo Veras formou-se nos Institutos e voltou ao Brasil, mas pouco se dedicou à educação, cuidando principalmente de crianças lesionadas cerebrais.

Mr. Doman tem simpatia por nós e fez o discurso de inauguração do Instituto para Crianças com Lesões Cerebrais (o nome não é exatamente esse), que atua no Rio de Janeiro, segundo os princípios dos Institutos.

Beatriz Padovan, inspirada pela antroposofia, desenvolveu técnicas semelhantes mas bem menos completas. Também aplicou-as a crianças lesionadas com razoável sucesso.

Eu a conheci pessoalmente, há muitos anos.

Grande figura.

COMO CULTIVAR A SENSIBILIDADE

Os Institutos cuidam, desde o nascimento, de cultivar a sensibilidade visual (já falamos dela e voltaremos), a acústica ou sonora (idem), e agora vamos cuidar da sensibilidade cutânea.

Reparo geral: pelos meios destinados a estimular o cérebro (como se lê no *How smart is your baby*), torna-se claro que, para eles, nos primeiros meses é necessário empregar estímulos fortes. Já vimos: lampejos de luz diretamente nos olhos, uso de buzina (a dois metros de distância!), pressão digital forte na planta dos pés, pedras de gelo na pele, beliscões (cuidadosos!), escovas de dureza variada.

Não tenho como contestá-los. No âmbito de minhas leituras e conversas, é claro que eles sabem mais – e experimentalmente!

O estímulo periférico inicial recomendado, nos primeiros 3 meses de idade, é uma pressão forte na planta do pé, deslizando da frente para trás (da raiz dos dedos para o calcanhar, em gesto que se liga ao Reflexo de Babinski).

Nem eles nem outras pessoas que cultivam massagens na planta dos pés se referem ao papel fundamental da sensibilidade desta parte do corpo na manutenção do equilíbrio. Isto é, na manutenção da posição ereta. Só a sensibilidade da planta dos pés indica as variações das pressões do peso do corpo sobre a superfície do chão, conforme ele se move fazendo coisas, inclinando-se em tantas direções.

MAS...

"Nada é perfeito neste mundo", como disse o Pequeno Príncipe.

Tudo que os Institutos afirmam, descrevem e cultivam são atividades físicas ou mentais básicas de valor indiscutível.

O respeito com relação ao cérebro e o conhecimento que têm sobre ele são ímpares. Sua gratidão pela colaboração dos pais (principalmente das mães) e sua admiração pelas crianças são tocantes.

Não obstante, deixaram de lado alguns outros aprendizados não menos essenciais.

COMO CULTIVAR – OU COMO NÃO IMPEDIR – OUTROS DESENVOLVIMENTOS

Primeiro, a ausência da sensibilidade-sensualidade, do erótico e da sexualidade – uma realidade contínua que só as palavras separam, realidade capaz (e só ela capaz) de proporcionar contato deveras profundo, se você ficar presente.

Se é verdade que "nada é mais profundo na personalidade do que a pele", então "nada mais profundo do que pele na pele"!

Muito estranha a ausência dessas coisas nos Institutos: nenhuma palavra sobre essas questões em nenhum dos sete livros da coleção.

Pior do que isso: ao se referirem à estimulação cutânea do bebê de dias ou meses, eles falam de algodões mornos ou frios, escovas e mais coisas – mas não falam de carícias!

Doman viajou bastante para conhecer o que era feito com as crianças em muitos países civilizados e selvagens (inclusive tribos indígenas brasileiras).

Certamente viu crianças nuas "coladas" às mães – igualmente nuas ou quase. Soube de ambas dormindo juntas na rede e da liberdade das crianças de se tocar à vontade, ou de tocar umas às outras.

Ele talvez não saiba (pouco provável!) que temos, os adultos, quase dois metros quadrados de pele, com quinhentos mil pontos sensíveis – tato, dor, temperaturas (frio/calor) distintas – e oito milhões de glândulas sudoríparas.

E mais: esses sensores estão presentes na pele bem precocemente e, como a superfície corporal das crianças é muito menor do que a nossa, é líquido e certo que elas são de longe mais sensíveis do que os adultos a tudo que lhes toque a pele!

Ainda: a pele é o indiscutível limite do ego – do eu, ou do "mim". O que me toca – o que toca minha pele – me toca; o que não me toca – não toca minha pele – não me toca...

E que portanto há milhões de sensações de contato, de carícia, de prazer sensual ou sexual – e de agressão!

Todos essenciais para nossa delimitação e integridade corporal e psicológica, e para o desfrute de nossa profunda capacidade de sentir.

Se há uma descrição do que seja "sentir-se vivo", ela se confunde com "sentir prazer" – de contato, em particular.

E que, de outra parte, enfim, o tato foi o primeiro dos sentidos a se desenvolver nos seres vivos, por óbvias razões.

Entre o que toca em mim e o que pode penetrar em mim – e me destruir –, a diferença pode ser mínima, e vital!

Sentimos qualquer toque na pele e, dependendo da relação pessoal com quem nos toca, da forma do toque e das circunstâncias, temos um número infinito de sensações variadas, desde as que parecem contato com coisas (inanimadas), até as mais prazenteiras (sensualidade), pessoais, delicadas e profundas. Estas podem caminhar na direção do erótico até chegar à excitação sexual.

No extremo oposto, temos as sensações de dor – até as insuportáveis –, como atestadas pelo número espantoso de torturas inventadas pelos seres humanos.

Doman insiste muito no festivo, no entusiasmo, no *hugging* (abraços e até beijos) entre a "professora" (mãe) e a criança, mas tudo no limite do afetivo ou carinhoso "em família" – na qual o sexo não tem existência "oficial", mesmo sendo seu fundamento!

E nada entre não-familiares, nada sobre contatos sensuais e menos ainda os eróticos.

A palavra "sexo" não aparece em nenhum dos sete livros...

No entanto, muitas crianças continuam nas escolas ligadas aos Institutos e, passando dos 5 ou 6 anos, chegam à adolescência. Portanto, incompreensível a omissão do contato com não-familiares, envolvimento amoroso, sensual, erótico e sexual.

Não sei se as crianças fazem essas distinções especiosas sobre se podem ou não sentir prazer deste ou daquele jeito, distinções geradas por nossos graúdos e arcaicos preconceitos sociais que obrigam a distância de pele.

Alguma coisa me diz que evitar o sensual é uma perda lamentável no contato com a criança. A meu ver (é só ver!), a criança é extremamente sensorial/sensual.

Na verdade, ela é só isso: sensibilidade, sem "idéias", sem palavras, certamente sem "princípios" nem preconceitos, sem culpa e sem limites!

Pergunto-me se ela não precisa de nossa aprovação, presente em nossos gestos e contato, a fim de poder sentir o que está a seu alcance sentir – mas que não será sentido se não houver contato.

Dito ainda de outro modo (a questão é muito importante e totalmente ausente em Doman): entrando em contato com a criança, se não aceitarmos o quanto esse contato é potencialmente aprazível, gostoso, estaremos a ensiná-la – sem palavras – que o prazer do contato é proibido.

Assim começa a repressão corporal (muito antes e muito além da repressão sexual).

Creio, enfim, que nesses gestos deliciosa e inocentemente prazenteiros que nos animamos a fazer com as crianças estamos nós, os adultos, aprendendo com elas a sentir prazer sem culpa nem pecado...

Amigos que leram este ensaio me preveniram: "Cuidado, Gaiarsa. Muita gente pode interpretar mal suas palavras, principalmente nesta época em que o 'assédio sexual à criança' virou o mais hediondo crime da humanidade – e a pior obsessão coletiva nos Estados Unidos".

Eu sei. Estou cansado de saber...

Mas sei também, de minha parte: com esse preconceito que alcançou limites francamente patológicos, continuamos criando gerações de crianças sem pele, sem sensação de contato humano – o que é mais do que lamentável e ajuda bem a compreender a falta de sentimentos de solidariedade entre pessoas. De sentimentos reais e profundos, que só nascem de sensações corporais.

Nem sei o quanto esses fatos contribuem para a criação de crianças "psicopatas" – sem sensação de humanidade nem de solidariedade com os demais.

Nada mais tranqüilizante, nenhum "remédio" melhor para o medo e a angústia, do que um abraço demorado, acolhedor, sentido de corpo inteiro.

Ou um colo.

A "doença" (o contato corporal) alcança níveis hilários. Vem se dizendo bastante, acerca da psicoterapia, que muito de seu efeito decorre da "acolhida" do terapeuta em relação a todas as manifestações do paciente.

Contudo, se falarmos em abraço ou colo, despertaremos estranheza e até indignação.

"Acolhida", sim, mas a uma respeitável distância – faça-me o favor!

Somando o desamparo da criança de costas no berço com a privação sensorial do contato, temos aí, assim e então, as raízes da sensação de impotência, de abandono e de... falta de contato – bem "no fundo" ou bem "no começo" (no inconsciente!) da personalidade.

Bem próximas ou confundindo-se, no contexto dos Institutos, *com os primórdios da formação do cérebro.*

Bem antes, ainda, de quaisquer frustrações "orais", lembrando Freud.

O que significa "desejo" sem movimentos?

E, para piorar, dizemos que o sintoma principal da esquizofrenia é a falta de contato!

De quem? Com quem?

Dos esquizofrênicos ou de todos os que o cercam, inconscientes do que lhes falta, do que nos falta e está tão próximo, tão aí, aparentemente tão fácil!

Contato – de pele!

Coitado do esquizofrênico, não é?

Do psicopata também – ele não tem o menor respeito pelo próximo, nenhum senso moral.

Tanto que a maior parte deles está na política, nas altas finanças, na direção de bancos, das Forças Armadas e de multinacionais, comandando a vida de todos nós – na verdade, fazendo ou dirigindo a história.

Não têm respeito ou não têm contato?

Ou nunca tiveram?

Mas parece que ninguém liga nada com nada; ou seja, ninguém se liga a ninguém, ninguém está em contato com ninguém.

Tudo transferência, disse Freud. Tudo repetição da falta de contato original que começou com mãe-e-filho – contrariando quase tudo que se diz sobre o amor materno.

Reich falou a respeito: muitas mães têm medo de sentir contato vivo e prazenteiro até mesmo com seus bebês!

O que significa, em resumo, que o contato entre nós adultos, assim como com as crianças, é mais do que precário; sentimos o contato profundo como uma ameaça. E, em algum nível superficial e perverso, as pessoas sentem que "contato íntimo" só pode ser sexual.

Tudo isso é muito triste e, de minha parte, senti profundamente a falta dessa questão nos textos dos Institutos.

E em todos os estudos sobre psicoterapia.

E em todas as conversas do cotidiano.

Essa é uma entre as muitas coisas que as crianças podem nos ensinar – ou permitir que aprendamos.

A ter contato.

Elas parecem inofensivas – "inocentes!" –, e talvez assim, e por isso, nos seja dado aprender com elas a ter intimidade confiante, desarmada, "pura"!

É possível que seja isto (quiçá o único legado de Freud): só entre mãe e criança – às vezes, raramente – há um contato ao mesmo tempo íntimo, profundo e prazenteiro.

E, se considerarmos a amamentação, então alcançamos também a qualidade do orgástico... puro.

Puro em todos os... sentidos.

Pura oxitoxina mais serotonina! (Cuja secreção é tão fácil de inibir quanto nossos desejos...)

E não sei se não estou descrevendo a origem de nosso sonho eterno da felicidade perfeita que está logo aí, sempre aí, no contato com o outro, mas tão difícil de alcançar.

Talvez esse trecho fique mais claro se, ao que foi dito, somarmos os costumes primitivos de criança "colada" na mãe durante muitos meses, ambas com bem pouca roupa e dormindo na mesma rede.

Não é o próprio sonho da felicidade perfeita?

Da segurança total?

Da total ausência do medo?

Pena que os Institutos sejam tão americanos...

Demais.

Meu desencanto maior com eles foi este: contato de pele quase impensável.

Mesmo quando recomendam enfaticamente à mãe que abrace, ria com a criança, faça festa, está no ar certa distância!

No *How smart is your baby*, eles consideram "estimulação cutânea" passar pelo corpo do bebê toalhas aquecidas ou resfriadas, blocos de gelo ou beliscões bem dosados, mas nem de longe lhes ocorre passar as mãos cariciosamente pelo corpo todo.

Por isso, quanto à consciência de pele e de corpo, só posso recomendar – enfaticamente – a **SHANTALA**.

Primeiro, o livro de mestre Frédérick Leboyer, *Shantala: uma arte tradicional; massagem para bebês* (São Paulo, Ground, 1986), ricamente ilustrado e com uma tocante apresentação poética. As ilustrações caminham passo a passo.

Para cultivar a sensibilidade cutânea da criança, não conheço nada melhor do que essa técnica tradicional da Índia no cultivo da relação mãe–filho. Há dúvidas sobre quando iniciar – o começo do segundo mês de vida parece o melhor, mas no primeiro mês nem de longe são excluídas carícias leves no corpo todo.

Existe um excelente modelo de Shantala em DVD, em português, realizado por Cristina Balzano Guimarães em sua filhinha e lindamente filmado.

Um encanto de prazer inocente de corpo inteiro.

Além da pele, a Shantala estimula extensamente as sensações proprioceptivas ao mover repetida e prazenteiramente partes do corpo ou o corpo todo ao longo da massagem.

Mas a "técnica", é bom acrescentar, deve ser usada se a mamãe tiver prazer no que está fazendo. Caso contrário, se for apenas "bom para meu filho", então seus gestos passarão para a criança todas as suas dificuldades de contato. E aí talvez seja melhor não fazer nada.

> **Esclarecendo o termo: propriocepção é nosso sexto sentido – sempre omitido. É a sensibilidade ou capacidade de perceber a posição e os movimentos do corpo a cada instante, em todos os instantes. Sem ela não conseguiríamos nos mexer. Como posso ir daqui até ali se não sei (se não sinto) como está meu corpo... aqui? Voltarei a ele no apêndice sobre a fisiologia da motricidade e sua ligação com a inteligência.**

Tudo isso faz parte do que eu chamaria educação afetiva, difícil de separar do contato físico. Assim – e só assim –, consegue-se cultivar na criança a mais profunda segurança emocional.

Nenhuma revolução mais suave do que esta...

Nem mais profunda.

Só o contato de pele – o tato – e a pressão dos corpos transmitem para nosso "animal" essa certeza de proximidade indiscutível.

Nada mais difícil de conseguir.

SEXO

Aos 7 meses de vida fetal, o garotinho exibe uma ereção a cada hora e meia, enquanto seu cérebro manifesta atividade de sonho. Esse ritmo de hora e meia de congestão pélvica acompanhada de sonho continua a vida toda, tanto no homem como na mulher.

Acrescento: parece-me impossível que haja congestão pélvica sem o aparecimento e a intensificação da sensibilidade específica nos genitais (tanto no garoto quanto na menina).

Se nos apraz o passado, diremos que Freud tinha razão quanto à sexualidade infantil – e as pessoas ou são cegas ou são obrigadas a se fazer de cegas porque falar do que se vê é quase sempre bem perigoso.

Principalmente quando é diferente do que todos dizem...

São dados incompreensivelmente omitidos em estudiosos tão presentes, atentos e sensíveis a todos os pormenores do desenvolvimento neurológico da criança.

Falo dos Institutos, é claro.

Pouco nos importa aqui interpretar essa omissão.

Importa-nos preencher o que falta.

O tabu contra a sexualidade começa com o mito da mãe que não tem genitais – nem atividade sexual –, glorificado no dogma (no mito?) da Imaculada Conceição de Nossa Senhora: a maior de todas as mães era e na certa continuou sendo virgem por toda a eternidade...

O mito da Grande Mãe nasceu, plausivelmente, na pré-história, quando as pessoas ignoravam a participação do macho na reprodução. A gravidez pareceria então um milagre inexplicável – e tornava-se compreensível atribuir poderes divinos à mulher.

É preciso insistir: vem-se falando em tantos lugares que a repressão sexual "já era", que não existe mais, mas mãe continua sem genitais e família ou não tem sexo ou tem uma espécie bem curiosa de sexo.

Talvez se possa dizer: tem um sexo respeitoso (porque nenhum dos outros sexos é respeitoso)...

O mito continua: mãe é virgem...

E assim o amor – ou o corpo – fica dividido ao meio: a parte superior (nutrição, calor, carinho, acolhida, aconchego) é maravilhosa. Mas a inferior fica desligada. É o lugar dos "baixos" instintos, da paixão, da carne e do pecado – ainda hoje, sim senhor!

Assista a programas de "educação sexual" na TV e trema, ou morra de rir. São terríveis. Só falam de genitais (e um pouco de hormônios), porém nada de carícias, de encantamento, de contato deveras íntimo, de prazer no corpo todo, de dança erótica.

Nada.

Quase digo sexo enlatado, feito em série, para consumo coletivo e barato (em todos os sentidos!).

Em todos os sentidos! Note a ambigüidade dessas palavras neste contexto. Todos os sentidos: olhar, ouvir, falar, acariciar, abraçar, cheirar, até lamber – por que não?

Se a mãe não continuasse compulsoriamente virgem, por que teríamos em relação a ela o pior palavrão da língua?

Mãe jamais se masturbaria, pai também não – e filha adolescente tampouco.

E não falemos disso.

É de mau gosto!

Ninguém sabe que cara fazer ao falar dessas coisas... em família. Fora da família, via de regra, as caras são péssimas – e as palavras piores ainda.

Como mudar essa noção tão ambígua, tão negativa, além de tão falsa?

Que os pais falem eventualmente das próprias relações sexuais com a naturalidade que conseguirem. Inclusive se foram ou são aprazíveis ou se há dificuldades. Que falem das próprias experiências antes do casamento, que perguntem com jeito a filhos e filhas, que tentem ouvi-los sem reações negativas.

Que se acentue o que há de íntimo e prazeroso nas relações e como é bom realizá-las em ambiente propício, com calma e tempo.

Que na escola (secundário? primário?) se fale de masturbação (se algum professor ou professora se julgar capaz de enfrentar o tumulto na classe!).

Nada mais útil do que isso, nada melhor para iniciar as atividades sexuais (abecê do erótico), nada melhor para evitar a gravidez na adolescência, nada melhor para estabelecer o diálogo entre adultos e jovens, para evitar as moléstias sexualmente transmissíveis.

O adulto, pai ou mãe, que se animar a iniciar o assunto ganhará com certeza a confiança do jovem – se tiver jeito!

E, se iniciar a conversa com "confissão" pessoal, será o máximo.

Gosto de sonhar...

Que no lar as portas estejam todas sempre abertas, inclusive a do banheiro.

Que a nudez não seja um escândalo, ou uma vergonha.

Que os gestos masturbatórios das crianças – nada raros e quase inconscientes – sejam acolhidos com sorrisos de cumplicidade, o sorriso de quem diz: "Gostoso, não é?"

É líquido e certo que as crianças sentem o caráter prazenteiro das regiões genitais e buscam mexer "lá" com as mãos, ou encostando e esfregando o púbis em alguma saliência – o olhar distante...

Que tampouco se banalizem essas coisas ou as utilizem para fazer graça ou dizer coisas grosseiras.

O corpo é gostoso, o contato é gostoso, carícias são prazenteiras e não têm de levar necessariamente a relações sexuais.

Deve-se compreender que "envolvimento" não significa sexo – não só nem sempre.

Esperar "naturalidade" dos adultos ao "explicar" coisas sexuais às crianças, como se diz nas revistas – e como eu aconselhei! –, é uma tolice. Ninguém consegue ter essa naturalidade, depois de tudo que sofremos e de tudo que continuamos fazendo.

De um motorista que me trazia de uma palestra ouvi esta confissão tão estranha: "Doutor, em casa ficamos pelados sem vergonha, eu, minha filha moça e os demais. Mas não consigo falar nada para ela, apesar da muita vontade de abrir assunto..."

Falar é tornar público...

Ver pode ser que só eu veja, mas, se colocado em palavras, todos poderão saber.

Nudez familiar falada em público é uma temeridade – e, se for pai adulto e filha jovem, pior ainda.

Enfim, pode até existir a nudez, porém não sei se as pessoas se olham a seu gosto – e sem restrições. Não sei se o olhar vai para todos os lugares onde gostaria.

Como a história do mordomo que vertia água sobre o corpo da senhora Marquesa nua – nua! –, empertigado, com olhar distante e cara impassível. Ai dele se a olhasse com curiosidade, ou prazer!

E que o pai, a mãe ou ambos falem de pílulas anticoncepcionais e camisinha com a famosa (e impossível!) naturalidade.

Vindas dos pais, essas coisas têm maior probabilidade de serem usadas – ou realizadas.

Está se expandindo um excelente costume: que a família deixe a filha ou o filho namorar, dormir junto, na casa da família.

É um passo importante para tornar tudo mais fácil.

A PRIMEIRA NOITE DE UM HOMEM

Já ao tentar romper o tabu, esse título do filme o reforça: só o homem tem a primeira noite, só ele tem a "responsabilidade" e o risco do pavor mitológico dos machos: a impotência.

Se fosse realizado um filme intitulado *A primeira noite de uma mulher*, a suspeita cósmica seria a de tratar-se de uma película pornográfica.

Nada se parece mais com uma agressão do que um homem

excitado e a penetração do pênis na vagina (como se diz em *Claudia*)...

No cotidiano, as palavras são outras...

Paradoxo: filmes pornográficos podem até ajudar, nessas circunstâncias! Podem substituir com vantagem os "conselhos" que, dizia-se, as mães davam a suas filhas na véspera do casamento – dá para acreditar?

Dá para acreditar que uma jovem aos 18 ou 20 anos, por volta de 1920 (no meu mundo), não sabia nada dessas coisas?

Retorno à minha estranheza ante os Institutos no que se refere à adolescência.

Colocam o desenvolvimento cerebral no centro de seus estudos e de sua prática, mas deixam de considerar esse período crítico do desenvolvimento: a adolescência, na certa o centro do furacão... endocrinocortical.

Sem dúvida, esse é o tempo do *imprinting* do encantamento amoroso (também chamado de romântico), bem diferente da banalização dos relacionamentos sexuais usuais – e do "ficar".

Tenho para mim que a oxitoxina, a serotonina e até a adrenalina têm muito que ver com o encantamento amoroso juvenil (mas ninguém pensaria em encontrá-las lá)...

Sempre será bom lembrar: Romeu tinha 14 anos e Julieta, 13. Só o gênio poético de Shakespeare explicaria a imortalidade do drama – ou ele sabia que era assim e por isso escreveu a tragédia da felicidade impossível?

Em Roma, ele aos 14 anos e ela aos 13 podiam casar-se, e na Idade Média também.

Qual o mistério dessa omissão incompreensível dos Institutos?

Como impedir-se de pensar em graúdos preconceitos anti-sexuais nesses indivíduos de outra forma tão bons observadores, tão interessados no desenvolvimento humano e tão ricos de sugestões capazes de melhorar esta pobre humanidade?

Ao falar de estímulos à sensorialidade, os Institutos dedicam bem poucos conselhos em relação a carícias.

Voltando a técnicas destinadas a reduzir preconceitos sexuais: ouvi de uma experiência que pode servir de inspiração para soluções coletivas.

Em algum país nórdico, como parte do currículo do ensino básico, há uma "aula" na qual as crianças de poucos anos ficam uma ou duas horas nuas, podendo se examinar e se tocar livremente, com um adulto presente apenas para impedir agressões.

Enfim, é bom lembrar essa coisa meio esquisita no nome: "Amori" (procure na internet). Expande-se a prática do "ame a quem você estiver amando", casado ou solteiro, ele ou ela, um ou mais – tudo cercado de respeito pessoal, de respeito aos sentimentos e aos desejos, e nada escondido de ninguém.

Estava na hora!

Qual a diferença – ou a semelhança! – entre isso e o "amor ao próximo"?

Impossível amar a qualquer próximo, muito menos amá-lo "para sempre" e só a ele. De outra parte, é até fácil amar a alguns próximos, que nos interessam, atraem, com quem simpatizamos, com quem nos apraz estar junto, dialogar com prazer e proveito – durante certo tempo!

Ou seja, enquanto esse "próximo" nos interessa, atrai, enquanto o achamos simpático, gostamos de dialogar com ele...

Sobre essas questões, os Institutos não dizem nada.

E NA HORA DE NASCER?

Lembre-se de que, desde a concepção, tudo que aconteça com o... filhote (e com a mãe) pode e deve ser considerado parte de sua educação. Ficará impresso em seu cérebro até o fim de seus dias (*imprinting!*).

Os Institutos nada dizem sobre os cuidados com a gravidez ou as condições do parto, mas é evidente que essas horas são muito importantes.

Desenvolvendo a noção de uma nova educação, acredito que

faria parte dela o muito que já se disse sobre "parto sem medo", "Nascer Sorrindo" (Leboyer) e ampla preparação física e psicológica para o parto.

Fundamental defender com unhas e dentes o contato precoce e tão freqüente quanto possível entre mãe e filho.

Como pode a medicina ignorar tão absurdamente a biologia elementar, separando-os um do outro logo após o parto?

Como admitimos essa prática despropositada?

Como exemplos: entre animais que se reúnem aos milhares na época de reprodução, se o filhote se separar da mãe logo após o parto, ela jamais o encontrará. Recorde-se de que, nas tribos primitivas, a criança permanece em contato contínuo com a mãe durante anos, acompanhando-a aonde quer que ela vá, dormindo na mesma rede, mamando quando lhe apraz.

Esse tipo de procedimento foi estudado por equipes médicas européias que viajaram à África (Uganda) a fim de verificar as condições do parto e o que acontece depois.

O relato final é impressionante e de novo recorda dados dos Institutos. A criança, *desde o terceiro ou quarto dia, mostra-se muito presente e interessada no mundo, é sorridente, dorme e chora pouco*, e a taxa dos hormônios do estresse do parto baixa em três a quatro dias.

(Nas crianças européias, esses hormônios demoram até dois meses para se normalizar...)

Eu sei, é difícil combinar essas coisas com a vida moderna nas cidades. Mas é importante não esquecer delas e pensar em como isso poderia ser feito – sempre que se pensa na criança do terceiro milênio ou em preparar uma humanidade mais decente.

E DURANTE A GRAVIDEZ?

É tão óbvia a necessidade de acompanhar a mãe com atenção, prestando-lhe apoio efetivo e afetivo, que não vou insistir na questão. Lembro apenas que desejar e propor é muito fácil.

É evidente o malefício que traz a falta desse acompanhamento quando se pensa numa acolhida de boa qualidade para a criança – um bom começo de vida.

Inclui-se aqui a participação do pai, sempre que possível...

A RESPIRAÇÃO – OUTRA VEZ

Os Institutos recomendam a natação nos primeiros dias após o parto e acentuam a importância dessa atividade como estímulo para a organização e o desenvolvimento da função respiratória. O que tem ótimo fundamento, pois a respiração dos recém-nascidos é precária nas primeiras semanas de vida.

Já comentei por alto o livro *How to teach your baby to swim*.

Além disso, vimos no esquema do desenvolvimento motor o quanto Doman insiste na corrida, visando explicitamente ampliar a competência respiratória (aeróbica!).

É óbvio, ainda, que a tão recomendada braquiação tem muito que ver, ela também, com a ampliação da metade superior do tronco (do tórax). Nesse contexto, porém, os Institutos nada dizem (e na certa não pensaram) sobre as relações entre a respiração e a meditação, de um lado, e sobre respiração, emoções e ansiedade (ou angústia), de outro.

Já disse algo a respeito, mas o tema merece a compreensão mais ampla possível.

Os muitos "nãos" – as muitas proibições – impostos às crianças pela "boa educação" têm como conseqüência uma restrição crônica dos movimentos.

Educar não é só nem principalmente ensinar coisas; é modelar atitudes. E, como sempre, não se percebe que essas frases, vistas (e sentidas) *no corpo*, envolvem uma redução crônica das expansões respiratórias do tórax e do abdome (que fazem a respiração).

Educar é sufocar...

Pense no empertigamento rígido do impecável lorde inglês, ou na *lady*...

A restrição respiratória é... compensada pela verbalização interminável, para fora ou para dentro (falar sozinho, ao celular).

Falando, precisamos respirar (só emitimos sons na expiração), mas ao mesmo tempo limitamos a respiração ao ter de modelá-la pelas exigências fonéticas!

É grande o número de pessoas que respiram bem menos do que seria ideal e, por isso, sofrem de ansiedade crônica. Vivem "preocupadas" com a sensação persistente de que lhes falta alguma coisa importante, ou a sensação de que precisam fazer algo igualmente urgente, sem saber o quê.

Enfim, de que precisam falar – urgentemente! – com alguém...

E falam com quem estiver por perto.

Ou ligam o celular.

Falando de educação e respiração, é bom lembrar alguma coisa do Método Montessori (que mal conheço, mas sei que envolve muito silêncio) e de Buda, ambos profundamente conscientes da posição central da respiração (e do silêncio) para a personalidade, a percepção, a compreensão – e para a vida.

Estranhamente, enquanto o Oriente sabe muito e usa demais a respiração, Freud – paradigma da psicologia do Ocidente – ignorou-a totalmente.

O homem freudiano não respira, mas fala!

O homem freudiano nem sequer tem tórax. Não tem coração nem pulmão.

Não sei como, depois disso, ele pode sentir emoções, desejos, "pulsões," anseios...

Avalie-se por aí a extensão da omissão dessa função primordial na educação ocidental.

Essas contenções pedagogicamente impostas são percebidas vagamente como amarras, restrições de movimento, daí a sensação de "não estou na posse de todas as minhas forças". Em palavras hoje usuais, falaremos em "baixa auto-estima".

Essas sensações nada têm de ilusórias: as amarras consistem em *tensões musculares crônicas que de fato restringem mecanicamente a liberdade de movimentos.*

Além disso, as pessoas mostram posturas mal organizadas (que elas também não percebem). As posturas, recordo, constituem as bases automáticas dos movimentos intencionais, e "atitudes" são formas corporais de se colocar – fáceis de observar: atitude de orgulhoso, de desconfiado, de autoritário, exigente, humilde. Também as atitudes profissionais, de advogado, de juiz, de pedreiro, de mecânico etc.

Posturas e atitudes dependem da motricidade: se esta se desenvolver de forma ideal, dificilmente sofrerá restrições comportamentais – ou disciplinares...

Enfim, o equilíbrio das pessoas "amarradas" é precário, de novo, em função das posturas mal compostas.

E o equilíbrio precário é sentido como... insegurança – claro! Insegurança no corpo e incerteza na consciência.

Para o psicanalista, tudo isso está "no inconsciente"; para Reich e para mim, está no aparelho locomotor, do qual a pessoa tem pouca ou nenhuma consciência e controle mais do que precário.

Ninguém cultiva a tal da propriocepção, a capacidade de perceber como estou – como estou amarrado e quais minhas... intenções ("em tensões"). No entanto, é possível ver essas coisas nas pessoas e, com jeito, senti-las em si mesmo.

A meu ver, o melhor da educação proposta pelos Institutos são as técnicas destinadas a desenvolver a motricidade – precisas, completas, iniciadas desde o primeiro dia de vida. O leitor deve estar percebendo: estou novamente no tema da má educação, que era e continua sendo o padrão ainda hoje. Padrão que a atenção dada pelos Institutos aos movimentos atenua, ou não permite que se forme.

Observando com atenção pessoas na praia, é triste ver o desfile de atitudes mal compostas.

Na TV, é terrível ver o que acontece – a imensa onda de boçalidade e a mediocridade tanto das palavras quanto das atitudes.

"Mau gosto" e movimentos mal organizados, desengonçados, "brutos", desleixados. Todas essas palavras são sinônimos, devendo-se acrescentar a elas um adjetivo: ineficientes.

Voltando à respiração.

Ela permanece um problema porque varia continuamente em função das trocas celulares, do estado de repouso ou de atividades das pessoas. Varia também em função da posição do corpo.

Em suma, não existe um modo simples e "certo" de respirar – sempre igual – que possa ser ensinado a todos.

A solução oriental, na ioga, consiste em experimentar bem conscientemente muitas formas, amplitudes e ritmos respiratórios. Assim, desenvolve-se aos poucos *uma sensibilidade peculiar*: a de perceber quando a respiração está prejudicada – e a capacidade quase automática de corrigi-la.

Afora essa solução complexa, o melhor que se pode recomendar é lembrar às pessoas periódica e insistentemente para que respirem, esperando que se habituem a perceber a respiração sempre que ela se altera.

Em muitas ou todas as "aulas" tanto dos Institutos como em qualquer aula ou palestra, eu acrescentaria periodicamente vários "Respirem!"

Sob a aparente simplicidade do "Respire!", há todo um mundo de emoções, desejos, temores, raivas, inibições, sonhos, pesadelos. Todos eles alteram a respiração, cada um a seu modo. Conter a respiração – ou deformá-la – é a maneira universal de contê-los.

Dar oxigênio ao desejo é dar força a ele, e vice-versa.

Repetindo: o modo universal de conter o desejo é conter a respiração.

O que gera a angústia!

JUNTANDO OS FATOS

Recordo a perda de metade de nossos neurônios ao longo dos primeiros anos da vida, a falta de estímulos adequados para que se desenvolvam e as mil proibições – cujo efeito é justamente esse.

Cruamente, para que as pessoas despertem: o tipo usual de educação tanto familiar quanto escolar consiste em deixar metade de nossos neurônios morrer por falta de estimulação, por inibição de comportamentos e proibição de fazer experiências.

Ainda, pelo fato de concentrarmos tudo que chamamos de conhecimento – ou educação – no que pode ser dito em palavras, e nada mais.

Enfim, em tudo que fazemos-exigimos em matéria de "bom comportamento" (mexa-se pouco!).

Sob outro ângulo: convém aos altos poderes que nos governam (e exploram) – hoje nem tão ocultos – que permaneçamos os impotentes e ignorantes, apesar dos grandes discursos e projetos educativos.

Não sei se isso é feito com plena consciência e total deliberação dos poderosos, contudo – mistério! – é assim que acaba acontecendo.

Falar pode, dentro de certos limites, mas fazer é perigoso!

Exatamente como em psicanálise: "Fale tudo que lhe vier à mente, mas não faça nada".

PALAVRAS E CONHECIMENTO

Tem-se falado demais sobre a excelência da palavra e o quanto ela contribuiu para o desenvolvimento do cérebro e da humanidade.

De outra parte, fala-se pouco – muito pouco – sobre as infinitas complicações, desentendimentos e enganações criadas por elas.

O pressuposto otimista e pouco crítico diz (repetindo): "Todos falamos as mesmas palavras e, com elas, todos dizemos as mesmas coisas – e, pois, estamos todos na mesma realidade".

Toda palavra, todo conceito, todos os significados são estatísticos, sofrivelmente claros quando se referem a substantivos concretos ou ações usuais. Mas inclusive aí...

Será que "a casa" que tenho em mente ao falar a palavra é igual à casa que você tem em mente ao me ouvir?

Já no caso de substantivos abstratos, ou mesmo adjetivos, as possibilidades de desentendimento crescem exponencialmente.

Justiça, amor, honestidade, liberdade, igualdade, maldade, bonito, feio, grande, longe...

Sob esse ângulo, é fundamental compreender o quanto os Institutos se dedicam a fazer que a criança *saiba do que está falando*, ligando imagem e palavra (quase sempre). São minuciosos ao exigir que as figuras nos cartazes sejam nítidas, isoladas e típicas.

Cuidam bem de desenvolver a capacidade de ver – as funções do aparelho ocular –, mas não ligam explicitamente imagens à motricidade!

É como se não tivessem percebido: nove vezes em dez, a direção e o controle dos movimentos do corpo estão sob regência ocular, que parece governar, também, a direção da atenção interna.

CRIANÇAS E COMPUTADORES

Esse tópico tão atual não é comentado pelos Institutos.

No lugar deles, lembro com grande prazer este outro educador primoroso: Don Tapscott e seu *Growing up digital* (Nova York, McGraw Hill, 1988) – em português, *Geração digital* (São Paulo, Makron Books, 1999).

Basta dizer que o livro apresenta centenas de balões, como os de histórias em quadrinhos, com opiniões de crianças e jovens de 8 a 20 anos sobre a internet. O autor mantém contato com cerca de trezentos jovens de muitas partes do mundo e está decididamente ao lado deles, com reparos incisivos contra conservadores irrefletidos.

A objeção mais plausível que se ouve contra o uso de computadores pelas crianças é o fato de elas permanecerem paradas o tempo todo – e sozinhas.

Se desenvolvermos o processo de cultivo da motricidade conforme ele foi descrito, a objeção perde o sentido. A criança sentirá falta de movimento e fará o necessário para se mexer...

A seguir, alguns trechos só para dar uma idéia (o texto tem trezentas páginas!):

> Genericamente, ainda que nos falte muito a conhecer, parece que a opinião dos pessimistas acerca dos efeitos psicológicos da internet sobre as crianças não têm cabimento [...] Aparentemente, eles estão desenvolvendo melhor sua cognição, intelecto e habilidades. Segundo nossas pesquisas, as crianças da era digital parecem espertas, curiosas, capazes de aceitar reveses, auto-assertivas, confiantes, com alta auto-estima e orientação global. A evidência sugere que elas elaboram informações de modo diferente do nosso; dispõem de novos instrumentos para o próprio desenvolvimento e para progredir na adolescência. (p. 104)

> Na verdade, toda a discussão sobre habilidades sociais chega a ser irônica [...] A maior vítima do tempo dedicado ao computador, a *videogames*, à internet é a... televisão! Os garotos começaram a trocar a assistência à TV, passiva, não social e isolada, pelo uso ativo e interativo da mídia digital. (p. 107)

Em outros trechos, o autor compara a TV autoritária, invasora, que deixa o espectador sempre em posição passiva, indefeso, com a internet, interativa e, pois, inerentemente democrática.

Computadores na escola podem ter um impacto positivo sobre o aprendizado e, assim, sobre o desenvolvimento intelectual. Computadores são melhores "professores" (do que os professores) [...] pois permitem ao estudante seguir seu ritmo e suas preferências, em oposição à "medida igual para todos" das aulas e dos livros escolares. Além disso, podem solicitar quantas repetições quiserem – ou precisarem –, o que seria impossível na escola [...] Parece que, desse modo, as crianças conseguem aprender e memorizar muito mais [...] E logo mais teremos tecnologia para que crianças com 3 anos ou menos possam se aproveitar de sua grande capacidade de aprender. (p. 100-1)

Só por volta dos 7 anos é que as crianças começam a compreender que as imagens da TV não são reais – que são produzidas "de propósito", inventadas. Por isso, o efeito da TV é muito perigoso, na medida em que convida a identificações com tudo que está sendo mostrado. (p. 99)

A sabedoria convencional nos diz que as crianças, pelo fato de, no computador, saltarem de uma atividade para outra, terminam tendo uma capacidade muito reduzida de prestar atenção. Mas a pesquisa não apóia esta noção.
Outra ironia: as pessoas que criticam a "falta de atenção" das crianças são as mesmas que as criticam pelo fato de ficarem no computador tanto tempo – prestando atenção! (p. 108)

Emerge, aos poucos, a noção de que as crianças aprendem muito depressa – como Doman percebeu e aproveitou.
Esses fatos tornam muito duvidoso o diagnóstico de distúrbio de déficit de atenção (DDA) de certas crianças. Chega-se a receitar medicação para que elas fiquem... retardadas! Ou para que reduzam sua velocidade à dos adultos e à da educação escolar.
Não se diz, em relação a computadores, o quanto eles ensinam a escolher rapidamente entre uma quantidade incalculável

de alternativas, a interpretar e responder depressa a um número de ícones maior do que o alfabeto chinês – em seqüência acelerada. A cada decisão, o computador abre uma nova lista de alternativas solicitando uma nova decisão!

Diziam os escolásticos que distinguir entre significados é a mais alta forma de inteligência...

Dizem os comportamentalistas que distinguir entre um estímulo e outro pode ser a diferença entre a vida e a morte.

Escolher e decidir são tidas como duas das funções mais importantes na vida. Nunca são simples e, via de regra, são seqüenciais. Popularmente, acredita-se que decisões são poucas – e... decisivas (!) –, mas o fato é que, no decorrer de um dia, preciso decidir continuamente se levanto da cadeira, se vou ao telefone, se tomo banho, se sento ao computador, se como alguma coisa etc.

Enfim: qual a velocidade de nossos pensamentos? Caetano Veloso cantou coisas sobre essa velocidade... Como posso ir daqui a não sei onde em um segundo?

O computador vai mais depressa!

Gostei de pensar – por minha conta.

Para mim, o computador é uma contínua fonte de espanto (nos meus 87 anos)... Sei escrever nele, passear pela internet e pouco mais.

Mas a toda hora vejo pessoas mexendo nele e cada nova "resposta" do computador (vício de biólogo!) desperta em mim um novo espanto – ou encantamento (quando se trata de imagens visuais).

Depois, imagino uma criança com o cérebro desabrochando velozmente diante daquela coisa que responde incansável e originalmente a qualquer tecla premida.

Uma caixa mágica de conteúdo... infinito.

De todo amistosa e obediente a qualquer tecla. Mas insensível e implacável, se a tecla não for aquela.

Paciência infinita diante de quantas repetições lhe forem solicitadas.

O computador é com certeza o equipamento perfeito para estimular o cérebro das crianças – do nascimento aos 6 anos... Um cérebro que está se desenvolvendo vertiginosamente em um mundo e diante de adultos que mudam em câmera lenta.

É claro que elas ficarão com ele, o computador, e a internet.

Convém complementar sua ligação com o computador convidando-a a se mexer fisicamente, porém será inútil querer separá-los.

Inútil tentar competir com eles.

Com os computadores.

Com as crianças.

Os computadores são educadores perfeitos para a criança – e, pensando em "coincidências", por que teriam sido criados agora?

São ao mesmo tempo os agentes e os dirigentes da formação da Nova Humanidade.

Sabendo o quanto sabemos da antiga... civilização, só podemos acolher com alegria o novo... profeta!

Com tranqüilidade!

Pior do que o passado é impossível.

A OUTRA REVOLUÇÃO

A outra revolução é mais conhecida e seu agente revolucionário é a comunicação eletrônica.

Agora, consideremos as outras duas: TV e internet.

A TV, apresentando imagens cada vez mais variadas e em ritmo cada vez mais rápido, é... ideal para "ensinar" as crianças; quanto menores, melhor (ou pior, segundo outros).

Berço colocado ante essa "babá" eletrônica – nada raro!

As pessoas não têm a menor idéia de quanto a criança está aprendendo. Lembre-se da descrição de como os Institutos recomendam que se ensine a criança a ler e a ver figuras com nomes.

Lembre que até os 7 anos a criança mal distingue o que está na TV, em filmes ou na realidade. Portanto, assistir a TV ou filmes é experiência vivida tanto quanto andar de bicicleta, ir à escola ou brincar no recreio. Porque o visual e o motor estão sempre juntos.

Lembre, enfim, que "valores e significados" morais – aprendizado de como se comportar socialmente, de se dar conta do que é "certo" ou "errado" no grupo em que se vive – vão sendo aprendidos pouco a pouco, à medida que se convive (!), percebendo (ou sofrendo) a reação dos demais.

Tudo sugere que crianças são... amorais. Não sabem o que é certo e o que é errado, segundo os adultos de seu mundo. Não nascemos com "bons costumes", porque estes variam de lugar para lugar e de época para época.

Com o tempo, as crianças passam a aceitar sem crítica o que seu grupo considera certo e errado... Isto sim é instintivo: fazer parecido com os demais, imitar. Quem não imita fica, sente-se e é posto de lado, marginalizado.

Dada a difusão da TV, podemos aceitar que as crianças do mundo estão vivendo o imaginário dos adultos nos filmes e nos anúncios – só os adultos compram...

Como esse imaginário tem muito de compensador em relação às frustrações coletivas, como a TV mostra bastante do que os adultos gostariam de fazer ou de ter (e nem fazem nem têm), logo mais as crianças estarão conduzindo estranhas revoluções.

Fazendo muito do que os adultos gostariam de fazer e querendo tudo que eles querem – bem ao contrário do que eles fazem!

A internet vem permitindo como nunca a comunicação entre os jovens do mundo inteiro.

Fala-se que, dentro em pouco, haverá um equipamento adicional, o tradutor poliglota. Qualquer que seja a língua de alguém, o equipamento a traduzirá instantaneamente para muitos outros idiomas. (Na verdade, creio que ele conhecerá apenas umas poucas línguas – as mais faladas no mundo.)

Esse será o mais incrível instrumento revolucionário já concebido, permitindo às crianças de todo mundo a comunicação verbal literalmente sem fronteiras.

Mas mesmo antes disso já havia uma revolução em curso que, em minha estimativa, já dura no mínimo duas dezenas de anos.

Multiplicam-se relatos sobre crianças de 3, 4 anos ou mais que começam a se tornar problemáticas ou inadaptadas porque seus processos mentais são muito mais velozes do que os dos adultos – e porque demonstram saber muito mais do que estes.

Vale a pena repetir: a defesa da sociedade adulta – representada, no caso, pela respeitável classe médica – inventou uma nova doença que só recentemente apareceu na sociedade, o distúrbio de déficit de atenção (DDA). Já existe medicamento para frear a velocidade mental das crianças a fim de que elas possam continuar na escola, onde programas e professores funcionam em câmera lenta.

Não sei se os estudiosos da questão "mediram" a velocidade mental de um grupo de pessoas tidas como "normais" a título de comparação com a mesma variável nas crianças. Se medissem, talvez ficassem surpresos com a lentidão dos... resultados.

Quanto aos menores, crianças e jovens, falta um passo: que os *hackers* se reúnam e, então, talvez nos seja dado assistir, sofrer ou ficar felizes com a maior revolução de todos os tempos – as crianças governando o mundo e realizando tudo com que os adultos sempre sonharam.

Só elas podem impedir a guerra, sintoma cardinal da loucura dos adultos.

Sonho ou pesadelo?

Conseguiriam a paz!

DESFRALDANDO A UTOPIA

Ou: Preparando nossos filhos para o terceiro milênio
Ou: Refuncionalizando a instituição familiar
Ou: Reestruturando a sociedade

Até hoje, nunca se criou um sistema pedagógico de educação tão amplo quanto o proposto pelo Instituto para o Desenvolvimento do Potencial Humano, da Filadélfia, sob inspiração de Glenn Doman.

O sistema foi testado com centenas de milhares de crianças em várias partes do mundo, envolvendo, via de regra, a participação direta de mães e pais como educadores primários.

Lembrando, o sistema baseia-se na estimulação sistemática e gradual do cérebro em etapas sucessivas, seguindo a ordem de complexidade funcional crescente – primeiro rastejar, depois engatinhar e enfim andar, por exemplo.

A base é esta: o cérebro não se desenvolve por conta própria. Ele se desenvolve, se organiza, ao absorver e integrar *todas as experiências pelas quais a criança vai passando*.

Para ser o mais claro possível, vale recordar este exemplo: se mantivéssemos vivo em laboratório o cérebro de qualquer recém-nascido (humano ou não), após um, dois ou mais meses, o encontraríamos igual ao inicial. Sem experiências – *sem contato e interação com alguma realidade* –, o cérebro não se desenvolve.

O sistema dedica atenção especial ao desenvolvimento motor, mas nem mesmo os autores se deram conta das conseqüências desse fato.

O que aprendi sobre técnicas corporais em psicoterapia me permitiu ampliar, e muito, o valor psicológico dessa organização motora. Depois, meu conhecimento de técnicas psicoterápicas (verbais, psicanalíticas e corporais) me levou a ampliar, para muito além do que os autores perceberam, o valor da visomotricidade para a personalidade (identificações).

É simples compreender e aplicar as técnicas dos Institutos, tanto que não é necessária a formação de professores especializados. Mães e pais interessados podem fazer o principal, em casa, sem grande preparação prévia.

Além das crianças que se desenvolveram sob a supervisão direta dos Institutos, os livros sobre o método venderam milhões no mundo todo, em mais de quinze idiomas, sendo impossível determinar quantas crianças estão sendo educadas segundo esses princípios.

O texto a seguir foi inspirado pela leitura desses livros, que acredito ter compreendido em toda sua profundidade, quase como se constituíssem uma revelação – de há muito esperada!

O DRAMA DA HUMANIDADE

Até hoje vivemos "para trás", respeitando demais e dedicando quase todos os recursos, leis e costumes à proteção das instituições arcaicas, "velhas", essencialmente autoritárias (patriarcais). E dedicando recursos, atenção e leis **de menos** às crianças – uma verdadeira inversão da mais profunda direção da natureza.

"A mais profunda direção da natureza" é a de melhorar continuamente as espécies, tornando-as cada vez mais aptas a sobreviver, a fazer cada vez mais e tudo cada vez melhor.

A natureza não conseguiu o desenvolvimento contínuo dos indivíduos, pois estes são mortais, e então criou seu complemento, o instinto de reprodução, a geração de novos indivíduos, de novas possibilidades de desenvolvimento, a fim de poder ir mais longe.

Para tanto, foi refinando todos os processos de proteção da prole, o degrau seguinte na série dos desenvolvimentos.

Da produção de milhões de ovos soltos ao léu, ela chegou ao feto humano único, com nove meses para ser gerado; e a seu cérebro, com cem bilhões de neurônios, capaz, como vimos, de alcançar níveis inimagináveis e ilimitados de excelência – e poder!

Esses conhecimentos são hoje tão concretos que foi possível operacionalizá-los, isto é, favorecer esse desenvolvimento de forma deliberada, sistemática e até fácil!

Nenhum ideal mais elevado do que o de vivermos – os pais (os adultos) e a sociedade – em função das crianças, para que elas nos superem, façam melhor do que nós. Dizemos que elas são o futuro, mas fazemos tudo para que permaneçam no passado.

Talvez elas sejam até nossa salvação!

Porque estamos perdidos.

E cada vez mais perdidos, como tentei mostrar anteriormente e amplio agora.

A educação escolar – não só, mas principalmente no Brasil – é um fracasso retumbante.

Vultosos recursos de tempo, dinheiro e pessoas para resultados pouco mais do que nulos. Técnicas obsoletas que ignoram ou omitem qualquer conhecimento razoável sobre as crianças, sobre o mundo eletrônico e sobre os potenciais ilimitados do cérebro.

Projetos ambiciosos, de "alto nível" cultural e rios de dinheiro completamente fora de qualquer realidade ou possibilidade de fazer o que prometem – ou o que se espera deles.

Competição já de longa data perdida para a TV, antes dela para o cinema e agora para os computadores, os *videogames*, a internet e toda a estirpe velozmente crescente da eletrônica, chegando às simulações cada vez mais perfeitas – que as crianças dominam muito melhor do que os adultos.

E a família?

Um desespero, como sempre foi, mas até há pouco bem disfarçado com eternos discursos sobre a nobreza da instituição, a santidade da mãe, a sabedoria do pai e outras frases feitas – repetidas milhões de vezes diariamente –, que servem para negar suas dificuldades e sua função **de conservar os costumes tradicionais de desigualdade social.**

Até segundo a Santa Madre Igreja, com toda sua milenar sabedoria, se Deus lhe deu a graça de ter um filho, então o Espírito Santo lhe ensinará tudo que é necessário para que ele chegue à gloriosa maturidade consciente, responsável, conhecedor das coisas – como você!

Nenhuma confissão mais clara de impotência e ignorância ante as dificuldades da educação, negando o quanto ela custa em incertezas, dúvidas pungentes, dinheiro e sofrimentos sem conta para a mãe, o filho e o pai – a Santíssima Trindade...

E para todos.

E jamais – jamais! – ouvi ou tive notícia, de país algum, da menor referência à necessidade de uma escola de família.

Viver com um desconhecido do sexo oposto, no mesmo ambiente limitado, durante dezenas de anos, e saber o que fazer para favorecer o desenvolvimento de uma (ou mais) criança são as duas tarefas mais difíceis e complicadas da vida e, ao mesmo tempo, as mais importantes para a sociedade.

No entanto, parece que nunca ninguém se perguntou como podemos, todos, desempenhar "bem" essas funções complexas sem nenhum preparo, afora a experiência pessoal vivida – e sofrida.

Nenhum país exige atestado algum para conceder a quem quer que seja o direito de casar, ter quantos filhos desejar e fazer com eles o que lhe aprouver.

A iniquidade social completa-se com o costume estabelecido: não critique jamais o que mãe ou pai estiverem fazendo com o filho na sua presença. (Jamais diga o que você está vendo...)

Mãe sabe o que faz, isto é, sabe repetir o que foi feito com ela.

Pai sabe o que faz – idem.

EM BUSCA DE UMA EDUCAÇÃO MELHOR

Vejamos então um projeto de educação que utiliza todos os dados citados até aqui.

Os achados e as práticas dos Institutos, a Shantala, *Gestos de cuidado, gestos de amor* (São Paulo, Summus, 2007; livro de André Trindade, excelente complemento a tudo que dissemos), uma gradual abertura para a sensualidade e a sexualidade, os cuidados amorosos com a mãe durante a gravidez, o parto estilo "nascer sorrindo", a ligação das crianças com a informática, a consciência e o controle preciso da motricidade, da visão, da respiração e, enfim, a atenuação das identificações entre filhos e pais – elo fundamental do conservadorismo.

Nada disso se consegue falando, explicando ou aconselhando (palavras!). Consegue-se modificando radicalmente a formação das crianças desde o primeiro dia de sua existência.

Vamos examinar algumas das conseqüências sociais da aplicação dessas técnicas e conhecimentos para a educação familiar e escolar, e as expectativas de mudanças necessárias nos Ministérios da Educação e do Esporte (que deverão ser imensas).

Primeiro, a gradual extinção dos cursos fundamental e médio, com todo seu equipamento de prédios, professores, leis sobre educação, além de uma reformulação radical desses Ministérios.

Leitor, antes de começar dizendo que isso é uma utopia (talvez seja), peço-lhe encarecidamente que continue a leitura até o fim. Sei muito bem que cada parágrafo deste texto pode dar lugar a inúmeras dúvidas, objeções e intensos movimentos interiores de descrédito, de protesto e até de indignação.

Mas este livro se chama *Educação familiar e escolar para o terceiro milênio* – está escrito bem claramente na capa –, e você o comprou ou está lendo porque o interessou...

Continuando, as funções pedagógicas das instituições tradicionais passarão em sua maior parte para a família, para a mãe de modo especial.

A escola que continuará existindo servirá para esclarecer e treinar as mães nos "cursos" sobre o que e como elas ensinarão a seus filhos, em estreita e contínua colaboração afetiva e corporal com eles.

Será importante que as mães diminuam seus horários fora de casa a fim de atender seus filhos.

Que ninguém se escandalize ou me considere conservador ou interessado em fazer que a mulher volte para o lar e para a dependência.

Não é nada disso, embora seja exatamente isso!

A mulher da qual estou falando neste texto tem bem pouco da... mãe antiga – e da antiga sociedade (que continua a existir).

Leituras e opiniões avançadas a favor do feminismo põem seriamente em dúvida a vantagem de *a mulher deixar o lar para se fazer tão escrava quanto o homem,* contratada para serviços 90% monótonos, inferiores, modestamente pagos, e muita aflição pela distância em relação aos filhos.

Esse "feminismo" parece antes uma nova forma nem tão sutil de exploração capitalista: como ter mais operários baratos à disposição...

Sem falar na dupla jornada: depois das oito horas estupidificantes de trabalho automático (linhas de montagem), ela ainda precisa se incumbir das atividades domésticas e maternais. E ser aquela mãe maravilhosa de que falam todas as revistas, as mesas-redondas da TV e todos os sermões sobre família.

Enfim: hoje é cada vez mais possível trabalhar em casa com remuneração.

A economia resultante da eliminação de todo o aparato pedagógico tradicional permitirá – com folga – que o Estado pague às mães pelas novas tarefas pedagógicas do Lar Escola.

Para grande parte das mães, o maior contato com os filhos e a possibilidade de lhes dar uma educação de excelente qualidade certamente serão mais do que bem-vindos.

Note-se, a mais, que essas atividades, em termos muito gerais, dificilmente consumirão mais do que duas a três horas por dia.

Vimos: todas as técnicas dos Institutos sublinham a rapidez das "aulas".

Ademais, as mães terão oportunidade única de passar, elas também, por um extenso processo reeducativo, aprendendo junto com os filhos. E de ter a certeza de estar contribuindo para o nascimento de uma sociedade da qual a mulher, a família e a criança serão o centro.

De verdade!

Além de realizar aquele que é certamente o maior sonho de quase todas as mães: a certeza de ser uma educadora excepcional e dar a seu filho a melhor formação imaginável.

Ou seja, excluindo todas as dúvidas penosas das mães sobre "Será que estou certa?"

Enfim, como se sublinha nas instruções dos Institutos, é muito importante que todo trabalho decorra num clima de alegria, de afeição e, portanto, de intensificação dos laços afetivos entre a mãe e seus filhos.

Dada a natureza das técnicas, essa alegria e entusiasmo surgirão espontaneamente.

Paradoxalmente, o tipo de formação proposto reduz muito a dependência do filho com respeito à mãe – e da mãe com respeito ao filho. Eles se tornam co-dependentes. De certo modo, não há "superiores" na relação, uma vez que por volta dos 3 anos a criança já sabe tanto quanto ou mais do que a mãe!

Deixamos claro também que a despesa com materiais pedagógicos é bastante modesta e não exige renovação anual (podem, inclusive, ser usados para outros filhos que venham depois).

Os pais (homens), em função do temperamento, poderão participar do processo na medida de seu interesse e de seu tempo disponível.

Os que se interessarem terminarão se apaixonando pelo processo, aproximando-se muito tanto da criança quanto da esposa na tarefa comum de criar um novo habitante para o Velho Mundo, e sentindo nascer em si a esperança bem fundada de estar contribuindo efetivamente para a criação de um mundo melhor – para seu filho e para si mesmo.

Um mundo efetivamente novo, cujos habitantes foram cuidadosamente preparados para não se parecer com os "normais" deste Velho Mundo sempre igual e sempre péssimo.

DECOLANDO PARA O SONHO MAIOR

Esse "aprendizado básico", que termina aos 6 anos e é primariamente familiar-doméstico, terá dado à criança tudo aquilo que foi dito na descrição das aptidões das crianças dos Institutos aos 6 anos de idade.

Vou repetir nas palavras do próprio Doman (*Como multiplicar a inteligência do seu bebê*, Porto Alegre, Artes e Ofícios, 1984, p. 18-20):

> É nosso dever dizer a cada mãe e a cada pai vivos o que temos aprendido.
>
> É fácil e divertido ensinar uma criança de 12 meses a ler.
>
> É fácil e agradável para uma criança de 1 ano aprender matemática (melhor do que eu).
>
> É fácil e agradável ensinar uma criança de 1 ano a ler e entender um idioma estrangeiro (até dois ou três se você quiser).
>
> É fácil e divertido ensinar uma criança de 2 anos e meio a escrever (não palavras, mas histórias e peças de teatro).
>
> Assim como:
> - ensinar um bebê recém-nascido a nadar, mesmo que você não saiba;
> - ensinar uma criança de 1 ano e meio a fazer ginástica (balé ou rolar da escada sem se machucar);
> - a tocar violino, piano ou qualquer outro instrumento musical;
> - levar uma criança de 1 ano e meio a conhecer pássaros, flores, insetos, árvores, répteis, conchas e quanto mais você estiver disposto a ensiná-la;

- ensinar uma criança de 1 ano e meio a desenhar, pintar ou qualquer atividade que possa ser apresentada a ela de forma concreta e verdadeira.

Capacidade de aproveitar integralmente computadores, internet e novos dispositivos eletrônicos que surgirem, capacidade física de nível olímpico, baixo nível de competitividade e alto nível de cooperação, ambas plenamente compreendidas. (Criança que tem toda a atenção de que necessita apresenta baixo nível de competição.)

Após esse "aprendizado básico", será necessário instituir novas escolas, pois mães dificilmente conseguirão ensinar Biologia, Química, Física etc., e muito menos preparar os filhos para o exercício profissional.

Desde já, proponho um de meus sonhos para o novo programa escolar. A história da humanidade será ensinada em um ano. No primeiro semestre, versará sobre "Tudo que a humanidade tem e fez de pior"; no segundo semestre, será lembrado "Tudo que a humanidade tem e fez de melhor".

O curso complementar, em seguida ao aprendizado doméstico, durará de quatro a seis anos (universitário), sendo os dois últimos já especializados: preparo profissional, com duração variável conforme a especialidade desejada.

Dirão muitos: então, a pessoa "se forma" com 15, 16 ou 17 anos?

Por que não?

É sabido que a maior parte das grandes idéias originais surgiram na mente de pessoas jovens e que a adolescência traz um novo surto de crescimento.

Além disso, estamos cansados de saber: nas escolas existentes hoje há uma fantástica perda de tempo tanto no que se refere ao que é ensinado quanto ao que é aprendido.

EDUCAÇÃO E NEUROSE

A rigor, o título deveria ser: "A falta de educação e a neurose", ou até "A ignorância, os preconceitos e as identificações inconscientes na determinação dos distúrbios de personalidade".

Ou ainda: "Por que tanta neurose (tantos distúrbios de personalidade, de caráter e de emoções), quando se costuma dizer que somos todos – ou fomos todos – 'bem-educados' pela família e pela escola?"

Afirmando que somos (quase todos) "normais".

Mais amplamente: o que quer dizer "normal", quando consideramos a "sociedade" em conjunto?

No final de seu *What to do about your brain-injured child*, Doman faz a pergunta que há séculos vem me perseguindo – e a muitos outros: "Se crianças bem cuidadas desde o primeiro dia de idade até os 6 anos desenvolvem tais e tantas aptidões 'excepcionais', de longe superiores à média da população adulta, pergunta-se: O que acontece – ou não acontece – com a educação familiar e escolar 'normais' que nem de longe produzem resultados comparáveis?"

A resposta é por demais óbvia e incômoda: **nossa educação familiar e escolar é gritantemente precária!**

E precária desde longa data; na verdade, desde o começo dos Impérios (adiante se esclarece)!

Com esse reparo, podemos até sentir compaixão por nossa triste história familiar e escolar. Em nossa ignorância e inconsciência do que uma criança pode aprender, só podíamos gerar essa história interminavelmente perversa, opressiva e injusta!

Bárbaros em sentido... cerebral.

Nenhuma geração e nenhuma civilização se dedicou a desenvolver todas – ou quase todas – as aptidões de que somos capazes, de que o cérebro mais do que privilegiado é capaz.

Nunca em nossa história as crianças receberam os cuidados pedagógicos que os Institutos lhes dedicam – com os resultados mais do que brilhantes e surpreendentes de que venho falando desde o começo.

Mr. Doman, apaixonado pelas mães, suas colaboradoras, capazes de qualquer sacrifício para recuperar uma criança lesionada, esquece a sabedoria do Oriente – a coexistência dos opostos.

As mães formam também – também! – o maior Partido Conservador da Sociedade.

O que qualquer mãe deseja acima de tudo é que seu filho seja "normal" e bem-sucedido no mundo em que os dois vivem.

Mães têm bem pouca visão crítica ou interesse social – mesmo em relação à opressão e aos abusos de que elas próprias foram vítimas durante milênios. E que elas propagam, inconscientemente, mantendo inclusive a posição de inferioridade da mulher (delas mesmas) na sociedade.

A família é a oficina de produção artesanal de normopatas para o sistema – assistida de perto pela escola onde pouco se aprende, sentado (imóvel) de quatro a seis horas por dia. E pelo Estado pirata que se mantém à custa de cidadãos ignorantes, passivos e inconscientes.

Despropositado e até absurdo falar em educação sem considerar a família, *indiscutivelmente* **a primeira escola da imensa maioria das pessoas.**

Lembrando que os seis primeiros anos da vida são determinantes para todo o futuro, essa afirmação recebe mais um reforço – dos mais poderosos.

Por isso abri com esse título e agora o desenvolvo, apelando inclusive para minha experiência como psicoterapeuta (que nada tem de específica): durante meio século, oito horas por dia, ouvi queixas das pessoas, das quais 90% referiam-se à família, a tudo que ela "devia" ser ou ter feito e não havia sido nem feito.

Porque jamais alguém será um pai ou uma mãe tão bons e tão perfeitos quanto o pai e a mãe "deveriam" ser, segundo a irrefletida e descabida mitologia relativa à família – ao mesmo tempo popular, universal e falsa ou impossível.

De acordo com relatório do Unicef, relativo a 1999, só na América do Sul, oitenta mil crianças morreram em decorrência de maus-tratos familiares.

Nada melhor do que uma criança indefesa e dependente para servir de bode expiatório para a miséria dos pais ou para os desentendimentos insanáveis tão freqüentes em casais.

Nada melhor do que uma criança para se repetir com ela tudo que de ruim foi feito na infância de cada um, com a convicção de estar agindo "como se deve". Se minha mãe fez assim comigo, como posso fazer de modo diferente?

A imitação de comportamentos – de pais para filhos – não obedece a nenhuma restrição moral e é tida até como "natural" e benéfica para a estabilidade social.

O que é verdade!

Mas ninguém pergunta o que se perde com isso, o que não se desenvolve e o que se reprime (ou sufoca) com essa pedagogia tradicional.

Nem se pergunta se nossa sociedade é tão boa que mereça continuar.

A estabilidade é o maior desejo de vida de quase todos – garantia de segurança. Contudo, é ao mesmo tempo sua pior inimiga, pois tudo que é vivo está mudando aceleradamente a cada instante!

Como todo o universo, aliás.

Mas o desejo irracional é poderoso e nem Buda conseguiu persuadir as pessoas da impermanência de tudo.

De tudo!

Piorando ainda mais a difícil situação da família, temos a lei criminosa (pela omissão): só casos extremos de agressões familiares chegam a tribunais ou são considerados "crimes". Ou seja, há um "direito" tácito de agredir em família.

Não sei o quanto, de novo, esse estado de coisas beneficia a sociedade – à custa de sofrimentos e injustiças individuais indizíveis.

Repito, então: falta uma escola de família e falta a exigência de alguma espécie de preparação formal para que os cidadãos sejam legalmente autorizados a ter filhos.

O ato mais importante da vida, dar a vida a outro ser humano, passa completamente ignorado por essa omissão criminosa – e universal. Estamos pagando bem caro por isso.

O mito – ou o preconceito – invade inclusive quase todas as teorias psicopatológicas. Ao relatar casos clínicos, aponta-se invariavelmente como origem dos males do paciente a família. A psicanálise apóia-se por inteiro no que aconteceu na infância e na família do paciente: complexo de Édipo.

O implícito diz o seguinte: essa pessoa teve a infelicidade de ter um pai assim ou uma mãe assado, o azar de viver em uma família "desestruturada". O contexto social (a estatística) é completamente silenciado, permanecendo a noção de que quase todas as outras famílias são maravilhosas, "normais" e "bem estruturadas"...

Essas fantásticas mentiras coletivas bem que mereciam estudo e divulgação. Fiz isso na TV durante bastante tempo. Metade dos ouvintes me agradece até hoje – a outra metade me odeia...

FREUD, REICH E SKINNER

Imagino que os leitores estranharão a presença desses personagens num livro sobre educação.

No entanto, as teorias psicopatológicas desenvolvidas por essas três figuras eminentes têm tudo – deveras tudo – que ver com pecados pedagógicos.

É sabido que a psicanálise centra quase toda a psicologia em torno do famoso complexo de Édipo, relacionado com pai, mãe, filho e tudo que acontece entre eles – ou que não acontece...

Curiosamente, a psicanálise confirma a seu modo a descoberta dos Institutos: tudo que a criança experimenta nos primeiros anos de vida permanecerá atuando nela até o fim de seus dias.

A experiência infantil é indestrutível (ficou integrada ao desenvolvimento do cérebro).
Crianças não aprendem apenas o que se pretende lhes ensinar.
Elas apreendem tudo que lhes acontece.
Um dos ideais da terapia psicanalítica era recuperar o máximo possível de todas as recordações que a pessoa guardasse da infância. Supunha-se que, conseguida essa recuperação, a neurose estaria "resolvida" (curada).

Doman diz exatamente o mesmo: tudo que se fizer com a criança ficará com ela até o fim de seus dias...

Podemos dizer ainda de outro modo: a experiência vivida pela criança permanece como estrutura cerebral – e social!

De outra parte, é claro que se organizarmos com cuidado a experiência da criança estaremos fazendo a mais convincente e radical profilaxia da neurose e a mais alta forma de educação.

Estaremos impedindo a neurotização das próximas gerações.

Estaremos ao mesmo tempo contribuindo para que pai e mãe tenham consciência do que fazem e aprendam o que é efetivamente melhor para a criança, atenuando assim pelo menos uma parte das experiências prejudiciais que eles mesmos sofreram – e tendem a reproduzir (inconscientemente, isto é, automaticamente).

Que não façam com seus filhos o que foi feito com eles.

E mestre Reich, como estará ele ligado a essa nova forma de educação?

Reich, em particular, foi o inspirador de tudo que neste livro concerne à motricidade e do fato de que "má educação" quer dizer movimentos mal organizados e imitações (motoras) inconscientes.

Podemos até considerá-lo em conjunto com mestre Skinner: os dois abordaram muito motricidade e comportamento. Ou seja, organização motora do corpo e sua importância na organização da personalidade.

Foi disso que falamos o tempo inteiro ao nos referirmos às propostas dos Institutos. E, nessa área, posso me mover com facilidade. Vivi sessenta anos de psicoterapia, com meus pacientes e comigo.

De outra parte, os Institutos nada dizem a respeito de psicopatologia – ou de sociopatologia.

Somente umas poucas frases de Doman, espalhadas aqui e ali, demonstram que ele sabe muito bem o que é a loucura da vida "normal" em sociedade...

Mas não se propõem dizê-lo.

Nem se deram conta de quanto poderiam dizer.

Mostram certo menosprezo pela psicologia – o que compreendo muito bem. Contudo, nada sabem também de Reich e nada dizem de Skinner, que poderiam cooperar bastante com a Revolução Gentil.

O QUE SIGNIFICA "NEUROSE" NESTE TEXTO

Aqui, reúno sob o termo "neurose" a noção de neurose propriamente dita – noção bem vaga – mais a "dose" de neurose que faz parte da... normalidade (v. i.), as toxicofilias (aí incluídos os psicotrópicos de farmácia e o álcool) e as doenças psicossomáticas. Talvez se possa adicionar também a obesidade, a hipertensão e o diabetes.

Meu gosto e a noção ampla que veio se desenvolvendo em mim, ao longo de mais de meio século como psicoterapeuta, me levariam a incluir, entre as psicopatias, o que denomino sociopatias: a ambição desmedida, o desejo de subir a qualquer preço, a valorização pelo total do saldo bancário, a indiferença pelo próximo, a falta de escrúpulos nas relações financeiras, o apego familiar fanático (só os meus importam e "por amor" a eles vale tudo) e outras distorções psicológicas sem as quais o capitalismo não existiria.

Hoje, qualquer pessoa pode ambicionar o que, no passado, só os poderosos, por estirpe ou conquista pela força, podiam ter.

Fácil defender a noção de neurossociopatias socialmente aprovadas – invejadas e desejadas!

Mas então teremos de concluir: a sociedade é doente.

Será tão estranho assim? Pense um pouco, assista ao próximo telejornal, junte os telejornais deste mês...

A CNN é um prontuário desse mundo doente.

A CEGUEIRA DO MESTRE

Mestre Freud, na situação psicanalítica clássica, ignorou *tudo que se pode ver* da pessoa, inclusive – ou principalmente – o corpo e a face (nada viu de seus movimentos e atitudes, de sua comunicação não-verbal, de sua motricidade).

Em sua teoria, ignorou totalmente a função do olhar ao solicitar do paciente que se pusesse no divã – longe dos olhos. Ignorou completamente a respiração mesmo quando acreditava estar explicando quase todos os mecanismos neuróticos como defesas contra a ansiedade...

Freud ignorou completamente a motricidade, chamando-a de inconsciente – como estou procurando mostrar.

A descoberta da motricidade foi o grande achado e a grande contribuição de mestre Reich, segundo o qual é bem pequena a diferença entre o inconsciente e a motricidade, entre o "inconsciente" e as expressões não-verbais da personalidade.

Note bem, leitor: a pessoa tem pouca ou nenhuma noção do que mostra aos outros com suas posturas, caras, gestos, tons de voz. Mas o outro – que a vê "por fora" – enxerga tudo isso, e essa discrepância pode explicar quase tudo dos desentendimentos entre as pessoas.

Repito: tudo que a pessoa não vê de si (seu corpo e seu rosto) é visível para o outro, embora "inconsciente" para ela.

Ninguém se lembra desses fatos nas intermináveis "discussões sobre o relacionamento"...

Nem nas sessões de psicanálise.

Mestre Reich criou a noção de "couraça muscular do caráter", bastando o nome para que se perceba de imediato o papel da motricidade. Em velhos tempos, falaríamos em "formação" – ou deformação – do "caráter".

Aqui, formação do caráter, formação da personalidade e formação da motricidade são tidos como sinônimos.

"Formar hábitos" ou criar atitudes e movimentos são uma coisa só dita de dois modos diferentes.

Recordando mestre Bergson, é por demais conveniente – e verdadeiro – falar em duas memórias: a de imagem e a de movimento.

Acrescento por minha conta uma terceira (e óbvia): a memória de palavras.

Na memória de imagens, lembro episódios vividos como se fossem imagens de um sonho ou da fantasia (visuais).

A memória de movimentos está escrita em meu corpo, em meus modos, gestos, expressões faciais, atitudes – em minhas respostas automáticas, pouco ou nada pensadas. Pode-se dizer que é uma memória concreta, está na forma dos gestos e das atitudes. É "o corpo" que lembra...

Meu corpo guardou "na memória" – e mostra! – todas as reações corporais que já realizou, sofreu e controlou.

O problema consiste em *ver* o que ele mostra.

Ver por fora, ver no corpo e na face do outro; ou ver em meu corpo e em minha face (gravados em vídeo).

A criança não recorda apenas palavras e imagens; ela "recorda" também gestos, caras, jeitos e atitudes de muitos personagens com os quais conviveu – e *imitou*.

Identificação e imitação – qual a diferença, afinal?

A maior parte do que se refere à motricidade é e precisa ser rápida, por isso essas "recordações" se manifestam assim mesmo – rapidamente – e é necessário estar atento para percebê-las.

Freud limitou-se à memória de imagem e de palavras, tudo que a pessoa pode recordar e relatar verbalmente de sua vida passada.

Reich apoiou-se teórica e praticamente na memória de movimento, isto é, em tudo que a pessoa viveu e permanece *estampado*, visível no corpo, na postura, nos gestos, nas expressões faciais, nos tons de voz.

Skinner, com metodologia completamente diferente, experimental, a meu ver confirmou extensamente o que Reich dizia.

O comportamento das pessoas é por demais automático, ou seja, a motricidade funciona sem que a pessoa perceba. Ele é despertado e dirigido – ou inibido – por sinais sensoriais ou verbais, via de regra bem distantes dos motivos que a pessoa dá para o que faz ou para o que deixa de fazer.

Um terrível exemplo mil vezes acontecido na história da humanidade é o número de pessoas assassinadas porque seu Deus era diferente do Deus dos que as matavam.

Será que doutrinas – palavras, a "verdade revelada" no Livro do Iluminado – tinham de fato alguma coisa que ver com essas carnificinas? Ou bastava o sinal condicionador: "infiel", "inimigo", "cristão"... Então mate, é até meritório. Teu Deus te recompensará!

Será que Deus – qual deles? – tinha alguma coisa que ver com isso?

Ou era sempre uma revolta acumulada nos indivíduos contra a injustiça social que se manifestava, contra alguém que não pertencia à sua sociedade?

De novo: com as técnicas dos Institutos, podemos prevenir todas essas perturbações (coletivas) do comportamento, levando-se em conta que comportamento e motricidade são duas formas de nos referirmos à mesma realidade.

Convém dizer também: trata-se da realidade que se vê e pode-se até tocar (Reich e Skinner), e não da realidade da qual só se fala (Freud).

Nada impede que algumas palavras ajudem – apesar de tudo!

Freud falava em "desejos", algo vago, sem direção, permitindo aplicar a palavra a realidades interiores bem diferentes, a tudo que move...

Se falarmos de "intenção", fica mais claro: intenção é "em tensão", como o arco um instante antes de ser disparado, "pronto para agir", desejoso de fazer.

Isso se vê no corpo!

Mas facilmente o corpo lembra (memória de movimento) um dos milhares de "nãos" ouvidos na infância, e aí ocorre uma contra-ação (uma ação contra): em vez de mover-se (realizar), a pessoa se contém ("resistência"; "re-sistência", existir de novo).

O mesmo sistema que arma a ação contém a ação – e sua atuação pode tanto ser vista pelo outro como ser sentida pelo sujeito, excluindo o vago conceito de inconsciente.

Indo mais fundo: a ação iniciada perturba o equilíbrio do corpo, facilitando automaticamente a inibição – a manutenção do *status quo*.

Cultivando e assumindo sistematicamente a motricidade, será difícil sofrer de "ações contidas", de inibições.

Espero ardentemente que uma visão esclarecida (estímulo visual preciso e claro) e uma ampla consciência corporal (motora) impeçam as crianças de Doman – e do mundo! – de serem engolidas pela fala irrefletida dos adultos.

O mundo das palavras é ao mesmo tempo virtual e terrivelmente "real", uma vez que quase todos vivem mais atentos às palavras (de fora ou de dentro) do que ao que as cerca, ao que estão percebendo e sentindo.

Começando a falar utilizando as palavras usuais, comuns a todos, as crianças são levadas para o sofisma universalmente aceito: se todos dizemos as mesmas palavras, então estamos todos pensando as mesmas coisas – ou do mesmo modo.

Portanto, estamos todos na mesma realidade...

A realidade ilusória do "pensar igual", falar as mesmas palavras, pensar "como todos pensam", como é "normal" ou natural, contribui poderosamente para a negação – ou omissão – da visão e posição pessoal (e até corporal)!

Para adaptar-se à realidade social, faz-se necessário negar a comunicação não-verbal, "não prestar atenção" às expressões do rosto, aos tons de voz, aos gestos... segundo os quais é evidente que cada um diz as "mesmas palavras" *a seu modo*.

Mesmo quando as palavras são as mesmas, as expressões faciais, corporais e vocais são distintas, indicando o quanto são diferentes os significados para cada pessoa, em cada situação. Ou seja, com significado diferente ao de outra pessoa que diz "a mesma" palavra.

Era preciso negar a visão – e o sentir pessoal – para reforçar a ilusão de solidariedade gerada e mantida pelo fato de todos dizermos as "mesmas" palavras.

Porque há pelo menos duas realidades:

- a do pensar-falar-argumentar (mundo da palavra);
- e a do perceber-sentir-reagir (sem palavras!), que é sensomotora.

Este é o mundo da meditação ou o da experiência vivida do aqui-e-agora – sem palavras!

O mundo Zen...

E a outra realidade, a das palavras, será real?

O mundo das palavras não tem fim.

"O discurso é interminável", disse Noam Chomsky, famoso lingüista.

Quem não sabe disso? Falar e coçar é só começar...

Bem poucas pessoas, e apenas em contadas situações, conseguem ficar próximas sem começar a falar; e, para muitos, estar próximo sem falar é constrangedor.

"O discurso é interminável" porque também o número de "fragmentos" da realidade (fatos, coisas, ações, relações) que podem receber um nome é ilimitado. Assim como o número de modos de reuni-los em frases ou "pensamentos".

Toda frase é um "quebra-cabeça" de pequenas peças reunidas para formar um... quadro (palavras formando uma frase).

Essa "imagem", porém, é falsa! Porque as palavras jamais formarão um quadro.

"Quadro" refere-se à visão (ao simultâneo), enquanto o "quebra-cabeça de palavras" é sucessivo...

Portanto, e repetindo, pois o erro tornou-se frase feita: impossível "fazer um quadro" de qualquer situação apenas usando palavras!

Há 2.800 idiomas no mundo e a língua inglesa, por exemplo, tem cem mil palavras (segundo uma das estimativas), como nos diz Charles Berlitz (As *línguas do mundo*, Rio de Janeiro, Nova Fronteira, 1988).

Basta entender essa frase para perceber a vastidão das alternativas no significado de palavras e a vastidão dos sons (falados) ou sinais (escrita) que as representam.

Terá sentido perguntar qual a certa? Qual descreve melhor a realidade?!

E ainda: impossível a existência de uma língua que diga "tudo", tudo que é dito pela soma de todas as demais.

A maior parte das pessoas vive na convicção implícita (e ingênua) de que só a própria língua existe, e muitos estranham – até desconfiam! – ao ouvir alguém falar em sua proximidade com uma língua desconhecida para eles.

Só o silêncio pode nos dar a experiência do todo – do momento inteiro, o de dentro e o de fora (falsamente separados... pelas palavras).

O "todo" constitui-se da soma de sensações externas e internas que posso experimentar neste momento.

Também desse modo se demonstra que é impossível dizer "tudo" ou "o todo".

Para começar a descrever o todo, começo dividindo-o...

Enfim, e não menos importante neste processo contra a palavra: para quase todos, ela é tão absorvente, rouba tanto da atenção habitual – ou disponível – que pouco sobra para outras atividades, afora as automáticas.

É assim que as palavras, de fora ou de dentro, prejudicam a percepção de outras... percepções, emoções ou outras sensações, como as visuais e proprioceptivas. Nem percebo muito bem o outro nem sinto minha atitude, as faces que vou fazendo, nem meus gestos.

Na situação de diálogo, esse fato esclarece o que dissemos anteriormente: as pessoas dedicam a melhor (ou maior) parte de sua atenção a ouvir-compreender o que estão ouvindo, a pensar na resposta, restando pouca atenção para as expressões faciais, os gestos e os tons de voz de quem está com a palavra.

O mal maior das palavras – sua força! – depende de sua capacidade de alimentar a ilusão de solidariedade ao modo como ficou dito várias vezes.

Os Institutos, inovadores radicais da educação, aparentemente não se deram conta dessas questões – que resolveram muito bem!

Primeiro, publicaram os textos nos quais se ensina a criança (a partir de 1 ano ou menos!) a ler (palavras!), a compreender matemática e a adquirir um conhecimento enciclopédico pelo uso de imagens mais palavras.

Depois (vários anos depois), publicaram o livro em que descrevem primorosa e pormenorizadamente como fazer para estimular a formação gradual e integral da motricidade – de dois terços do cérebro – desde o primeiro dia após o nascimento!

Não se pode saber, com base na literatura publicada, se a educação dos movimentos já era dada antes do ensino da leitura, mesmo que os livros correspondentes tenham sido publicados depois.

Tenho certeza de que sim.

De qualquer modo, a ordem de publicação é lamentável se levar a criança a falar como os adultos – antes de aprender a se mexer...

O que é mais provável por outra razão. O livro sobre como ensinar a criança a ler propõe técnicas fáceis para realizar a tarefa. Já o acompanhamento do desenvolvimento motor é bem mais exigente, menos familiar – e menos intuitivo.

No entanto, é para mim evidente que só a organização da ação (e da percepção visual) pode dar sentido eficaz ou funcional às palavras!

SEMPRE O COSTUME (O VÍCIO) DA DIVISÃO CORPO-ALMA

Doman mostra muito bem a correlação verbovisual, recomendando tanto as palavras faladas junto com as placas que mostram as palavras escritas quanto as placas com as bolinhas ou com imagens visuais de mil coisas.

Isso talvez favoreça a alienação, a retirada ou o isolamento da imagem-nome (da coisa) de seu contexto e de sua conexão motora, do que se pode fazer com ela em seu contexto e no contexto da vida.

Em suma: alienação em relação à sua operacionalidade.

Essa técnica pode acentuar, também, a força de verbalização sobre a de visualização.

Mas o preconceito vai muito além, infelizmente, em ampla medida reduzindo o potencial revolucionário de seus achados e práticas.

As pessoas na certa vão se interessar e se orgulhar ao dizer que seu garoto com 1 ano e meio sabe ler e com 2 anos sabe mil coisas, mas não se orgulharão tanto pelo fato de ele, aos 3 anos, mover-se com alta eficiência, fazer tantas coisas com as mãos e nadar com perfeição.

Continua, assim, quase toda a tradição da palavra acima de tudo e a depreciação dos movimentos.

No entanto, o maior potencial revolucionário dessa... revolução está na integração (motora) da personalidade, única proteção contra as identificações invasoras que envelhecem o novo, que trazem sub-repticiamente consigo todo o Velho Mundo.

Repetindo: a seqüência da publicação de seus livros se deu assim: primeiro surgiu o volume sobre ensinar a ler, o segundo foi o de matemática e o terceiro o do conhecimento enciclopédico. O livro que trata dos movimentos apareceu bem depois desses.

Além disso, as palavras usadas no título (*Como ensinar seu filho a ser fisicamente soberbo*) não são das mais felizes, pois tendem a apresentar o corpo como algo separado do restante. Algo de que é preciso cuidar "para ter saúde", podendo, assim, exercer as demais aptidões "superiores"!

As coisas continuam se passando como se "o corpo" ("o físico") – músculos, movimento – nada tivesse que ver com a inteligência, com as palavras, os números e as imagens!

Só preconceitos podem tê-los levado a isso, à separação entre a visão-audição de um lado ("inteligência") e a ação (o corpo), de outro.

Com isso, a revolução fica bastante prejudicada, tendo em vista que começa a favor do... inimigo!

Ao longo do texto, essa coisa triste será esclarecida e ampliada.

ALTERNATIVAS PARA OS CARTÕES DOS INSTITUTOS

Além da técnica dos cartões, Doman recomenda, ao fazer coisas com a criança, dizer sempre, com clareza, as palavras correspondentes.

Exemplos: ao trocar fraldas, dizer bem nitidamente "fraldas", e assim com "mamadeira", "colo", "banho", "mamar" etc. Uma palavra por vez, dita claramente e repetida duas ou três dezenas de vezes – até se convencer de que a criança "entendeu" bem a ligação entre a coisa e a palavra.

Ademais, ele desaconselha, com alguma ênfase, usar "fala de criança" com a criança, o que envolveria certo cultivo de infantilidade não desejável.

Considerando os muitos cartões usados para ensinar a ler, para ensinar matemática e para desenvolver um conhecimento enciclopédico nas crianças, pergunto-me se não seria possível substituí-los em maior ou menor parte por imagens numa tela de computador.

Doman é explícito e insistente: o objeto precisa estar isolado (sem fundo nem contexto), ser grande (placas de 30 × 30 cm) e muito fiel à coisa representada.

Sonhando: quem sabe, no futuro, emissoras educativas pensem no assunto e preparem programas com as palavras, as bolinhas e as figuras em aulas dadas pela TV.

SEGUNDA PARTE

A leitura dos textos publicados pelos Institutos começou a estabelecer certa unidade grandiosa e lógica entre o que eu sabia, o que me preocupava, o que eu tentava ordenar (neurose, cérebro, história, biologia, psicologia) e tudo que eu lembrava, via, lia, ouvia e... sofria, tanto no consultório – em meio século como psicoterapeuta – quanto em minha vida pessoal.

Tantas coisas começavam a se ordenar sob a poderosa unidade funcional do cérebro – feito para organizar os movimentos de todas as coisas!

A bem da clareza na exposição, serei obrigado a repetir algumas afirmações já feitas.

Começo fundamentando... os fundamentos.

O CÉREBRO É DOIS TERÇOS MOTOR

Várias vezes disse e direi que a organização de nossos movimentos ocupa dois terços da substância nervosa. Ou seja, é a função mais importante do cérebro.

Agora nomeio, por alto.

Temos primeiro a região mais falada, a circunvolução frontal ascendente, área de origem do sistema piramidal – tido como origem dos "movimentos voluntários".

Não pense que a palavra resolve o mistério. Há bibliotecas discutindo o que é a "vontade". Esse conjunto de neurônios recebeu seu nome porque, se seus axônios são interrompidos, a pessoa sofre paralisias, não consegue mais realizar alguns movimentos "por querer". Sua interrupção é a causa das hemiplegias, paralisias de metade do corpo.

"Paralisia" é algo tristemente claro, mas não... esclarece o que é a vontade!

Esclarece o que é sua ausência!

Esclarece a principal função do elusivo "ego".

"O ego controla a motricidade", disse mestre Freud em um momento de inspiração. A meu ver, essa talvez seja a mais importante de suas declarações – e a melhor das definições do ego!

Pena que ele não continuou por aí...

Tanto em áreas frontais e pré-frontais quanto em áreas parietais há núcleos de neurônios ligados à organização, ao "planejamento" de movimentos complexos.

Temos depois os grandes núcleos cinzentos da base – o antigo extrapiramidal, repositório da movimentação automática. Eles determinam e organizam movimentos, os automáticos, habituais, muito do que fazemos "sem pensar" – nem por isso despropositados.

Mas também sobre eles o olhar exerce influência.

A regra é: grande parte dos automatismos é determinada e controlada pela periferia da retina (que vê mal)! Respondem por tudo que fazemos quase sem perceber – mas sem errar! Basta "dar uma olhada", um relancear de olhos, e a seqüência motora se desenrola, excitante ou inibidora.

Também podem ser tidos como os principais responsáveis pelas respostas condicionadas.

De novo, basta uma frase, uma palavra ou uma expressão facial e os automatismos acontecem, a pessoa é tomada de uma atitude e se predispõe – sem pensar – a reações preestabelecidas.

Muito do que o comportamentalismo tem de verdadeiro está contido nessa frase e esse é, também, o processo fundamental que mantém os costumes estabelecidos – semelhantes em quase todos.

Voltando à motricidade: mais acima, ficam os núcleos motores dos nervos cranianos e, abaixo, mais grupos de núcleos cinzentos complementando o antigo sistema extrapiramidal.

Não adianta muito citar os mais de vinte nomes de núcleos motores do sistema nervoso. Pouco dirão para o leitor.

A diferença maior reside no cerebelo, com um número de neurônios maior do que o do cérebro e de função quase que de todo motora. É o escultor dos movimentos, o responsável pela coordenação motora fina e o principal controlador do equilíbrio do corpo.

A superfície do cerebelo é várias vezes maior do que a superfície cerebral, assim como é muito maior o número de neurônios de seu córtex.

A título de curiosidade: cada célula de Purkinje, principal neurônio do cerebelo, recebe duzentas mil mensagens de outros tantos neurônios antes de decidir o que fazer (esta é uma linguagem figurada, é claro). Cada uma dessas "mensagens" dura de um a cem milésimos de segundo.

Na medula, pelo menos metade das fibras e dos neurônios nela existente é motora.

Enfim, à motricidade é preciso acrescentar todo o sistema sensorial proprioceptivo, que existe apenas para coordenar a motricidade, com mais bilhões de neurônios...

Pormenorizando a organização da motricidade elementar: ao longo do eixo cérebro-espinhal, há trezentas mil unidades motoras constituídas de um neurônio alfa, o único ligado a feixes de fibras musculares. É o mais excitável dos neurônios, podendo gerar (ou emitir) até mil impulsos por segundo – de nenhum até mil, note-se.

Só eles entram em contato com feixes de *fibras musculares*, determinando sua contração – ou inibindo-a.

Instantaneamente!

Ou seja, só eles determinam que haja movimento ou que movimentos sejam inibidos.

O impulso nervoso percorre o axônio do neurônio alfa a pouco mais de 100 metros por segundo (a maior velocidade de condução do sistema nervoso). Enfim, para simplificar, pensando em dez freqüências distintas de impulsos em algum neurônio alfa, temos dez graus de tensão muscular controlável para cada um deles.

Chegamos então a esta conclusão espantosa: dispomos de um potencial de diversidade de movimentos capaz de combinar três milhões de alternativas – de vetores elementares independentes.

Dizendo de outro modo: somos movidos potencialmente por três milhões de microvetores, microesforços ou microforças distintas, que ou se somam ou se subtraem. Claro que jamais eles se contraem todos juntos com força total – se o fizessem, poderiam fraturar ossos. Estimativas nos dizem que, nesse caso, poderíamos levantar três a quatro toneladas...

Eles nunca atuam de uma vez, e sim em números e intensidades bem variados, em conjuntos que atuam numa direção ao mesmo tempo que outros atuam em direções diferentes.

Os esforços (tensões, contrações) resultantes somam-se de acordo com a regra de composição de forças (regra do paralelogramo). São forças que se instalam, variam, somam-se ou se anulam durante a maior parte do tempo em que estamos de pé fazendo coisas.

Além disso, são tão possíveis as excitações que desatam movimentos (excitantes) quanto as que inibem movimentos (inibidoras).

Levando em conta o tempo citado das transmissões de impulsos motores ou inibidores, compreendemos de vez por que a motricidade é tão veloz – e por que os reflexos visomotores são tão rápidos.

E eles têm de ser. Na selva, o que reage atrasado é comido!

É espantoso como até tratados de neurologia ignoram isso, não se referindo ao papel da motricidade na sobrevivência do indivíduo e da espécie. Sem isso, o cérebro se torna um labirinto funcional ultracomplexo e de todo incompreensível.

Perde toda a lógica de sua organização.

Enfim, todos os nossos movimentos são pendulares: envolvem giros de duas ou mais alavancas em torno de um eixo.

Mas são mais de duzentas alavancas e, novamente, nunca há movimento isolado em uma só articulação.

EXAME PROFUNDO DA MOTRICIDADE

Mover-se é tão vital, tão complicado e por vezes tão rápido que, se tivéssemos de perceber, escolher e/ou organizar nossos movimentos conscientemente, não existiríamos!

Nenhum animal existiria.

A menos que nos movêssemos todos em câmera lenta!

Ou se fôssemos selenitas (se vivêssemos na Lua).

Podemos (e convém) pensar em animais, pois todos os ossos e músculos de todos os mamíferos têm os mesmos nomes – embora difiram quanto às formas e à biomecânica, é claro.

E este fato é surpreendente: o movimento é tão vital que a natureza não poderia "perder tempo" inventando conjuntos biomecânicos totalmente diferentes para cada espécie de mamífero...

A cada dia que passa, a cada leitura que faço, mais e mais me espanta, incomoda e chega a indignar a completa ausência desse tema em quase tudo que se refere aos animais, aos seres humanos ou ao cérebro.

Movimentos só existem nos – ou para – esportes, academias, exercícios aeróbios, visando emagrecer, melhorar a aparência e garantir a saúde cardiorrespiratória...

A uns poucos, servem para dançar ou para as habilidades circenses.

Estão ausentes na psicologia, na sociologia, na história, até na biologia!

São, então, o próprio inconsciente – aquele ou aquilo que faz tudo e ninguém percebe que o fez. Na verdade, não é percebido em nada do que faz, pois tudo que é feito é feito por ele...

Quase escrevo: por Ele!

Fiat – faça-se!
E "Ele" faz...
Tão simples.

Bíblico, não é?

"'Faça-se a luz' – e a luz se faz" (Jeová).

Por isso, existem bibliotecas sobre "a vontade" e sobre o "ego".

Por isso, quase tudo que se refere a movimentos – "respostas", atos, comportamentos, atitudes, posturas, caras, gestos – é dito de modo que mal se percebe o "eu" *fazendo* (ou sofrendo!) alguma dessas coisas.

Quase tudo automático, reflexo inato ou condicionado, geralmente muito rápido.

Por isso a consciência chega quase sempre atrasada.

"Foi sem querer", "Nem percebi o que estava fazendo", "Não tive culpa", "Desculpe!"

Todos os acidentes com carros acontecem assim e por causa disso.

Se os movimentos não fossem muito rápidos, o predador o alcançaria – e mataria.

Ou você levaria um tombo (perderia o equilíbrio).

Ou daria uma trombada!

Ou sufocaria, se a expectativa, o suspense e o alerta demorassem mais do que poucos segundos – e olhe lá!

Se você dirige carro, pode experimentar com clareza o que estou tentando dizer. Você está fumando (movimentos), "pensando", falando com alguém ao seu lado ou ao celular (mais movimentos e "pensamentos"), e seu "piloto automático" vai fazendo tudo que é preciso. Ele percebe as velocidades e direções de todos os veículos próximos ao seu, desviando habilmente de choques, mudando marchas, buzinando, freando.

São três pedais, duas alavancas – uma simples (freio de mão) e uma complexa (câmbio) –, três espelhos e a visão frontal bem ampla.

E você "não pensa" em nada disso...

Veja por aí como é complexa e precisa nossa visomotricidade – e, se digo que ela é "o" inconsciente, não estranhe.

Tudo que a psicanálise nos diz da esperteza e precisão dos "mecanismos neuróticos", desse inconsciente dinâmico ou "animal", está presente e agindo em você desde o momento em que você entra no carro.

E também quando você está fora dele!

Na verdade, desde que você nasceu. Muito da educação espontânea consistiu exatamente nisso: em "aprender" a motricidade, que vai se desenvolvendo em função das mil andanças da criança, tão irrequieta e curiosa. E ela precisa ser assim justamente por isso, para desenvolver a visomotricidade.

A omissão acadêmica é de tal ordem que cunhou o termo "psicomotricidade", novamente omitindo o olhar, principal "motor" dessa psicomotricidade. E sem se dar conta de que não existe motricidade que não seja "psico", que nada tenha de psicológico.

Por que duvidar, então, entre tantas outras coisas, de que ao longo de um diálogo eu perceba (sem perceber conscientemente!) expressões rápidas de meu interlocutor e responda a elas (sem perceber)?

Já falei de gravações de pessoas em diálogo e das microexpressões que o experimentador não sabia por que existiam.

Lembro uma questão que na época deu muito que falar: a propaganda subliminar. Demonstrava-se que mensagens muito rápidas transmitidas na TV, apesar da rapidez, influíam no espectador. *Influíam tanto que foram proibidas por lei!*

Gravações de pessoas em diálogo mostram, como vimos, microexpressões (microdicas) bem visíveis na câmera lenta.

Apoiados nesses dois fatos (percepção subliminar e microdicas), podemos acreditar que nos diálogos comuns percebemos as microdicas... subliminarmente!

Enfim, lembro esta expressão tão comum: "Tive a impressão de que não era bem como ele estava dizendo..."

É legítimo dizer que a percepção subliminar ou das microdicas constitui manifestações inconscientes dos interlocutores (inclusive na relação psicoterápica). São *intenções* ("em tensões") inconscientes.

E seria bom começar a pensar nessas percepções, para compreender tantos desentendimentos humanos e tantos enganos das pessoas sobre si mesmas. Ninguém se conhece por fora.

A melhor técnica de autoconhecimento que me é dado propor é esta: que a pessoa se veja gravada por dez ou quinze minutos dialogando com três ou quatro pessoas diferentes – uma por vez e depois as três juntas. E em seguida reveja tudo em câmera lenta.

A partir de Freud, os psicólogos começaram a falar em "inconsciente" e a substituir "intenções" ("em tensão") por "desejo" ou "pulsão" – algo que não tem direção nem estrutura, que não tem "sentido" e, por isso, permite digressões verbais intermináveis, sem sentido...

Inconsciente é tudo que você faz sem perceber que está fazendo, mais tudo que você mostra sem perceber que está mostrando (todos os movimentos de seu corpo e rosto, além de todas as inflexões de sua voz).

Igualmente inconsciente é tudo que você percebe do outro, sem notar que está percebendo.

É por isso que a famosa "relação" – hoje muito falada – é tão interminavelmente discutida.

A imensa maioria das pessoas, durante a maior parte do tempo, existe em automático, vai vivendo, de rotina em rotina, de frase feita em frase feita, quase sem pensar, quase sem sentir, quase sem perceber – nem a si mesma, nem ao que a cerca, nem aos que a cercam.

Sempre preocupadas ("ocupadas antes"), vivendo no futuro ou no passado.

Depois dizem, muito sérias, que "não se pode falar sem pensar antes"!

Se as pessoas de fato pensassem antes de falar, 90% das falas do mundo deixariam de ser ditas.

Também o pensar-falar pode ser altamente automático.

Trata-se de falar as palavras que "vêm à mente", ao sabor das circunstâncias fortuitas do momento.

Freud aproveitou o fato em sua técnica de "associações livres". Fazemos associações livres a maior parte do tempo, sem prestar atenção ao que nos vai passando pela mente.

Comportamo-nos como se o mundo virtual da palavra fosse a realidade... principal. Vivemos muito mais tempo nela do que presentes aqui – e agora.

Pronunciamentos públicos, mídia, declarações solenes, lições decoradas, aulas monótonas, celular, celular, celular...

É preciso reativar o comportamentalismo na psicologia, a fim de começar a perceber que nos mexemos a maior parte do tempo em automático. Que não vivemos apenas pensando (em palavras) e falando!

Bom voltar a perceber que grande parte das palavras atua como "sinais" desencadeadores de reações automáticas.

Essa influência é tão mais poderosa quanto maior o número de vezes que esta ou aquela frase é dita, multiplicado pelo número de pessoas que dizem a mesma frase.

Isto é, aquilo que quase todos dizem e repetem costuma ter um forte poder de influir nas decisões e nos comportamentos pessoais – principalmente nas inibições das pessoas.

Alguns exemplos fáceis: as palavras "mãe", "pai" e "família" desatam na maioria dos indivíduos uma seqüência padrão de frases feitas, as mesmas para quase todos, sempre ditas com uma *atitude* e uma *solenidade* (visíveis, teatrais), igualmente semelhantes para todos.

E mais: se a perfeição da família ou de seus personagens é contestada, de novo aparece, em quase todos, o mesmo "ator" *indignado* (jeito de!) exigido pelo palco social.

BONS HÁBITOS E MAUS HÁBITOS...

A organização da motricidade é tão complexa que refazê-la ou "corrigi-la" é muito difícil.

Por isso, a "cura", a terapia ou a reconquista da integridade psicossomática é tarefa que dura a vida toda, exigindo eterna vigilância, presença contínua no aqui-e-agora – função primária do cérebro, seria bom não esquecer.

"O preço da liberdade é a constante vigilância."

A conquista dessa presença é por demais difícil.

Surpresa: todos os animais superiores gozam dessa virtude e os que se distraem são comidos.

Portanto, a mais alta virtude humana – estar atento – é extremamente natural e seria bom pensarmos por que entre nós ela é tão difícil de conquistar.

Ela foi extensamente substituída pela atenção à fala e à audição das palavras!

Por isso, as psicoterapias são tão faladas e tão pouco eficientes. (Eu sei. Fui psicoterapeuta durante meio século, oito horas por dia...)

Será de longe mais fácil, como os Institutos propõem, favorecer desde o primeiro dia de vida o desenvolvimento de uma motricidade integral "sem defeitos". Plena eficiência motora, equilíbrio perfeito e respiração sempre suficiente – em quaisquer circunstâncias.

Alá seja louvado!

Salvação à vista.

É só fazer.

E talvez as mães nos salvem, como sempre o desejaram. E os homens, sempre exibidos e competitivos, nunca permitiram.

Glória aos Institutos da Filadélfia, verdadeiramente dedicados ao Desenvolvimento do Potencial Humano, e bendito seja Mr. Doman – apesar de suas imperfeições...

O SÁBIO ORIENTE
E O INCIPIENTE OCIDENTE

Por isso os meditativos hindus inventaram as iogas, as visualizações, as meditações e as artes marciais: para retomar o controle e, no limite, reorganizar os automatismos motores até levar a pessoa a se tornar "senhora de si" (*Swami*), sempre presente; a respirar de mil modos a fim de jamais deixar de fazê-lo, garantindo de forma permanente o nível ótimo de oxigenação cerebral. Propuseram também o curso deveras superior de compreensão de si e do mundo: o Zen.

Só eliminando a palavra nos será dado experimentar o universo – e nós nele: uma coisa só!

A "compreensão profunda" acontece sem palavras – quem não sabe disso?

Nossos sentidos são sensíveis e poderosos em perceber, se não forem atrapalhados pelas palavras.

Por isso, principalmente, apaixonei-me pela educação motora das crianças normais proposta pelos Institutos.

Seu conjunto pode ser chamado de ioga ocidental.

Não é explicitamente terapêutica, mas, com as ampliações que proponho, serão!

"As ampliações" que sugiro não se referem ao esquema dos Institutos, e sim aos efeitos de seu trabalho – efeitos que nem eles perceberam.

Lembrando em particular os estudos de Reich, que continuei, segundo os quais "inconsciente" quer dizer motricidade automática repetindo-se cegamente, pode-se dizer que uma boa organização motora desde o primeiro dia de vida é com certeza a melhor profilaxia da neurose, e uma proteção eficaz diante da eterna repetição de nossa péssima herança histórica, de nossa tediosa escola e de nosso tedioso cotidiano.

Seria o fim da organização autoritária ou patriarcal da sociedade.

Ou o nascimento de uma Nova Humanidade – livre da Antiga!

UM TERÇO DO CÓRTEX CEREBRAL É VISUAL

Continuemos com o exame do que é importante, agora de outro ângulo.

Cada nervo ótico contém 1,2 milhão de fibras – o auditivo, trinta mil e toda a pele (1,8 metro quadrado), quinhentos mil.

A retina tem cinco a seis milhões de cones (cores) que respondem, cada um, a cem *quanta* de luz. Além de 120 a 140 milhões de bastonetes que respondem a **um *quantum*** de luz – a menor quantidade de energia que existe.

O córtex visual primário tem quinhentos milhões de neurônios. (O córtex acústico primário possui cem milhões de neurônios.)

Mas hoje, em quase todos os números de jornais científicos especializados no estudo da visão, aparece o relato de uma nova área envolvida nessa função...

A antiga noção de que a retina "fotografava" o mundo e mandava o "negativo" para o lobo occipital – que a "revelava"– está sendo substituída por noções incrivelmente complexas.

Segundo essas idéias, a própria retina é um "pequeno cérebro" com ligações intrínsecas bem complicadas e relações com o hipotálamo e com o córtex, tanto do lobo occipital quanto do lateral e frontal.

Ao longo dessas vias, são "analisados" – separados – as cores, os movimentos de objetos no campo visual (e os movimentos que os objetos fazem em relação a si mesmos), os movimentos do campo visual produzidos pelos movimentos da cabeça e dos próprios olhos e, enfim, toda a gama de linhas isoláveis da paisagem que vão da vertical à horizontal. Estas estão ligadas ao equilíbrio do corpo, à noção de vertical, que é a direção da força gravitacional – já comentadas quando falamos nos exercícios de equilíbrio.

Todas essas análises são feitas em fração centesimal de segundo, e o produto é recomposto na mesma velocidade.

E você vê o que está vendo!
Instantaneamente!
Por isso é preciso tanto córtex para ver.

Mas tudo isso mostra o quanto a visão é fundamental para a vida – exigindo tanto do cérebro. Por isso insisto tanto nessa função, e também porque falar em "educação da visão" parece uma frase sem sentido.

Nada em nosso corpo se move tanto e tão depressa quanto os olhos – e sempre juntos –, com uma precisão bem mais do que milimétrica.

E ai dela se não for. Nesta situação, você verá dobrado e toda sua motricidade ficará confusa, não lhe permitindo saber o que é de verdade e o que é de mentira (virtual).

É o caso da pessoa estrábica.

Ao que aí está, sobre a capacidade dos olhos de ver tudo que há para ser visto no mundo exterior, é preciso acrescentar as investigações dos neurolingüistas, segundo os quais as coisas se passam como se os olhos olhassem também "para dentro".

Gravando os movimentos oculares ao longo de diálogos, verificaram que esses movimentos aparentemente aleatórios eram na verdade funcionais.

Só para exemplificar: se ao ouvir uma pergunta a pessoa, "pensando" em uma resposta, olha para cima e para a direita, ela está procurando (digamos, na memória) uma imagem visual conhecida e pertinente. Se olha para cima e para a esquerda, está esperando que o cérebro crie uma nova imagem visual capaz de responder à pergunta.

O mapa considera seis direções, e é fácil encontrá-lo em textos relacionados, ou no Google!

O mapa neurolingüístico relativo às direções do olhar é bem pormenorizado, deixando clara essa curiosa função do olhar como "secretário" do pensamento – função de busca "dentro" do cérebro que bem merece o nome de "visão" interior.

Nesse contexto, é oportuno lembrar os estudos sobre a fisiologia do sono e dos sonhos, tão ou mais pormenorizados do que os dos neurolingüistas. Neles, mostra-se que cada mudança de cena do sonho é acompanhada por uma mudança na direção do olhar do sonhador – sem que se saiba o que determina o quê!

AINDA FALTA!

Falta isto: a excitação aleatória do encéfalo, pesquisada com uma agulha para excitação localizada, produz movimentos oculares em 70% das vezes.

Setenta por cento!

Isso significa que inúmeras regiões do cérebro têm o poder de determinar a direção do olhar, como é necessário.

Ante qualquer estímulo do ambiente, é preciso *antes de mais nada* localizá-lo!

Não é óbvio?

O que fazer, ou como fugir do que eu não sei onde está? A que distância? Por onde vem vindo, de que lado? O triângulo de proteção da vida é este: localizar o bem e o mal, preparar-se para fazer o bem e fugir do mal...

O bem pode ser classicamente uma fruta, um amigo, uma paisagem, um pôr-do-sol. O mal pode ser uma onça, um carro em disparada, um assaltante.

A vida, sabeis, é cheia de surpresas.

É preciso estar atento!

PROPRIOCEPÇÃO, OLHAR E INTELIGÊNCIA

Não perco ocasião de falar de nosso sexto sentido porque ele é sempre omitido, mesmo sendo essencial para toda a organização motora, para a compreensão da inteligência ou da dinâmica do mundo e para a integração psicológica.

Até nos livros do ensino básico e na conversa do cotidiano continua-se a dizer que nossos sentidos são cinco!

Na verdade, são seis; e o sexto sentido é a propriocepção: **a consciência que podemos ter ou a possibilidade de sentir, a qualquer momento, qual é a nossa posição e quais movimentos estamos fazendo.**

Ou seja, qual "sistema de forças" está nos mantendo e nos move na situação – na certa, em correspondência dinâmica com ela.

Dinâmica significa um conjunto de forças ativas em uma situação externa, mais nosso aparelho locomotor em correspondência total ou analógica com esse conjunto de forças.

Caso contrário, como seria possível a interação?

Todo o aparelho de sustentação e de movimento de nosso corpo – músculos, articulações, ligamentos articulares, tendões, fáscias (tecido conjuntivo) – está recheado de sensores de tensão, de minidinamômetros, que respondem a qualquer esforço mecânico que façamos, ou a qualquer deformação corporal, "informando" instantaneamente os centros motores superiores do que está acontecendo a cada instante.

"Deformação", como acabei de usar, não designa patologia; somente lembra a imensa variedade de posições e de gestos que podemos assumir ou fazer.

A maior parte dessas informações serve à coordenação muscular inconsciente, rápida demais ou complexa demais para poder ser voluntária, dependente de escolhas ou decisões conscientes; menor parte, quantitativamente, está ao alcance da consciência, obedece à vontade, ao querer.

Mas atenção, leitor: que a palavra familiar ("vontade") não o iluda de que se trata de algo simples e fácil.

"É só querer" ou "força de vontade" são frases muito usadas e abusadas pelas pessoas. "É só querer" (e tudo estará resolvido) é fácil apenas quando a dizemos na forma de "conselho" para outra pessoa, atrapalhada com uma situação. E quando não temos nada melhor a dizer.

Uma das dúvidas mais comuns da vida é justo esta: o que faço? O que escolho? O que decido?

Em suma: o que vou querer aqui e agora, nesta situação?

Enfim, o processo psicológico, fisiológico, moral e jurídico do "querer" e da "vontade" é um dos temas que enchem bibliotecas, sem possibilidade de acordo final.

Tema na verdade insolúvel, pois a variedade de situações com as quais podemos nos defrontar são praticamente infinitas – assim como ilimitadas nossas possibilidades de resposta.

Mas nenhum movimento aconteceria em nós sem esse lampejo, esse *"Fiat"* ("Faça-se").

O termo só se torna evidente por seu terrível oposto: todos sabem muito bem o que significa dizer "paralítico" e "paralisia" – impossibilidade de mover-se "por querer".

Se o cérebro não soubesse a cada instante qual a tensão e qual a velocidade de contração de cada unidade motora, ele não conseguiria influir sobre o conjunto nem produzir e/ou atenuar outras tensões ou inibições presentes. Não conseguiria realizar a conhecida – e dificílima – "coordenação motora".

Não conseguiríamos fazer ou nos impedir de fazer coisa alguma.

Nesses termos, podemos dizer que a propriocepção é a consciência do aqui-e-agora dinâmico – tencionais: organização motora da intenção como conjunto de forças físicas presentes agora em nosso corpo (in*tensões*), sempre relacionadas com o contexto.

A omissão da propriocepção alcança os especialistas. Ao estudar a motricidade, todos falam no arco reflexo com sua alça motora e sua alça inibidora, mas não incluem nele a unidade sensorial (o proprioceptor), única apta a permitir o controle dos movimentos. Não consigo imaginar melhor fundamento neurológico para a "consciência de si" ou simplesmente para a "consciência" – sempre atual e ativa.

Também: impossível melhor fundamento sensorial para designar a palavra mais usada e confusa da psicologia, o famoso "ego" (e seu equivalente popular, o "eu").

Demonstração radical dessa afirmação: quando relaxamos de todo, ao adormecer, desaparecem todas as tensões – e o "eu" (a consciência de si) vai desaparecendo ao mesmo tempo.

Sem nenhuma tensão muscular, não pode haver nenhuma consciência dinâmica de um "ego força" ou intenção ("em tensão", insisto).

Trata-se de sensações tão necessárias e tão presentes, e quase ninguém se dá conta delas!

A psicologia e a psicanálise a ignoram completamente falando, em seu lugar, de "desejo", ego, pulsão etc. Escolha entre um ego-palavra e um ego dinâmico, senhor da força – física, em primeiro lugar.

No Oriente, mesmo sem conhecer sua presença neurológica, esse sentido é amplamente cultivado.

O *Chi*, centro das forças do corpo, é o centro de gravidade! O tai chi é o modelo perfeito de exercício para cultivar essa consciência: lento, cuidadosamente equilibrado, sempre "levado" pelo olhar seguido pela mão, sempre preparando *antes* a base para o passo seguinte (a posição dos pés, a base de sustentação, o *grounding*).

Perfeito!

Movimentos rápidos jamais permitirão perceber o que estamos fazendo. Não permitem "tomar consciência" do processo motor.

Nesse caso, o que organiza os movimentos é a imagem visual seja do contexto onde o movimento se realiza, seja da fantasia.

Repetindo: se eu não soubesse, se alguma coisa em mim não soubesse em que posição estou, como eu faria para sair dessa posição – fosse para praticar um ato, assumir outra posição, relaxar?

Qualquer que seja o movimento que eu pretenda fazer, será sempre necessário partir da posição em que estou agora – claro?

Mestre Doman inclui esse sentido entre os outros – o que é lamentável!

Cultivar a propriocepção é uma das técnicas básicas das terapias corporais: como perceber, como "tomar consciência" de minhas amarras (que são tensões musculares)?

Se quero, se preciso ou desejo "me soltar", tenho de perceber primeiro que estou amarrado e depois como estou amarrado.

O mesmo pode se dizer da liberdade (livre para o quê?), mas os discursos políticos e os bons conselhos nunca mencionam: para agir com liberdade, preciso... estar livre.

Como se faz para desamarrar? O melhor é, inicialmente, tentar notar com certa clareza uma ou mais de suas tensões (que são con*tensões*, "segura" – "anças").

Em seguida – surpresa! –, contraia mais (não demais!) e só depois vá soltando, devagar. Repita muitas vezes.

Inúmeros exercícios desse tipo podem ser propostos em aula... São fáceis e ajudam a interromper a monotonia das aulas faladas.

Repito e repetirei a noção de que somos amarrados pela educação. E então vem a pergunta: quantas vezes preciso me soltar?

Quantas forem necessárias, pois as amarras são muitas.

Tantas quanto os movimentos permitam!

Nossas amarras, e o que elas amarram, são quase tudo que Freud chamava de "forças" inconscientes.

Trata-se, enfim, de algo sistematicamente ignorado, omitido ou negado pelas ciências sociais e pelos sistemas pedagógicos.

Para transformar crianças vivas em cidadãos "normais", são necessárias muitas cordas... As faixas da múmia são uma boa sugestão...

Repetindo: o cérebro pode imitar o que quer que esteja à sua frente.

Imitar é o processo primário de "fazer igual" (via de regra, sem perceber) e também de aprender tudo que é preciso para ser... normal.

Pense bem, leitor: tanto a família quanto a escola pretendem uniformizar as crianças. Se a sociedade fosse uniformizada como o Exército, tudo seria mais fácil. "Ordem Unida." Basta um comando e todos obedecem sem pensar. Se considerarmos as frases que acompanham preconceitos, a semelhança se torna visível.

Mas a maior vantagem da espécie humana em relação às demais é a diversidade dos indivíduos, capaz de gerar variedade sem limites de ações, invenções, prazeres e torturas – sonho da natureza e de todos nós.

A monotonia, o tédio, o "tudo igual" é literalmente a morte (instinto de morte, disse Freud, mas não exatamente nesse sentido).

Tudo que entendemos como neurose consiste essencialmente no fato de imitarmos personagens (identificações), sem nos dar conta das concordâncias ou discordâncias motoras – ou mecânicas! – desses personagens entre si, nem deles com nossa organização pessoal de movimentos. Sem considerar toda a diversidade que é sacrificada, omitida ou negada.

Dito de outro modo: não existem duas pessoas iguais nem na forma nem nos movimentos, mesmo que se trate de pessoas da mesma família, isto é, com DNAs semelhantes. Nem mesmo gêmeos univitelinos!

No entanto, até hoje, "educar" consistiu sistematicamente em tentar levar as crianças – todas as crianças de dada região – a "fazer igual" a seus... maiores (os mais... velhos!).

Por isso, se imito meu pai (se me identifico com ele), tudo se passa como se eu vestisse uma roupa que não tem as minhas medidas.

É preciso levar em conta que todos fazemos, em família e fora dela, inúmeras identificações ou imitações inconscientes de muitos personagens (adiante especifico). Algumas podem ser passageiras (identificação com personagens do cinema ou da

TV), mas outras são vitalícias, como as familiares, reforçadas pela tradição e pelo apelo – pela imposição? – de fazer como todos fazem.

Se, seguindo a proposta dos Institutos, eu tivesse bem desenvolvida minha organização motora, seria mais do que provável que o número e a intensidade de minhas identificações fossem bem menores – ou nem sequer existissem.

Faço como o outro (individualmente) ou como os outros (coletivamente) por ter sido levado (obrigado) a isso desde o começo. É bem sabido o quanto são difíceis – ou falsas – as expressões "Sempre faço o que quero", "Sei muito bem o que quero" ou "Me conheço muito bem".

Toda identificação está no lugar de um gesto ou de uma atitude que não consegui desenvolver por minha conta, que não é minha. É uma improvisação imitada de outros, forçada pelos demais, que resolve mal alguma dificuldade minha – mas resolve, apesar de tudo. Além disso, ela é poderosamente reforçada pelo fato de muitos outros também fazerem assim.

Com o desenvolvimento assistido e bem organizado de minha motricidade, minha individualidade estaria protegida – ou consolidada. Eu saberia e sentiria muito bem meu "modo de estar no mundo".

Esse é, a meu ver, o maior benefício que resulta do desenvolvimento motor assistido, recomendado e tão bem organizado pelos Institutos – e estou teimosamente dizendo que é o mais importante da educação.

O mais importante para que haja uma nova sociedade, um novo mundo.

Enfim, parece claro: se desenvolvi meus modos e atitudes individuais, nenhuma outra será tão boa. Nenhuma identificação será melhor.

Se dois terços do cérebro (motricidade) tivessem se desenvolvido ao máximo, a feliz criança poderia dizer, com orgulho: "Eu tenho a força" (toda a minha força)...

Ou: "Sou um *Swami*" (hindu).
"Sou senhor de mim."
A maioria das pessoas bem pode, ao contrário, dizer: "Mal controlo minhas forças, não sei como me mexo", "Mal percebo o que faço" e, em ampla medida, "São minhas forças que me controlam!"
"Estou continuamente sendo levado. Faço sempre igual."
Ou: "Sinto-me amarrado".
Pena que o pessoal dos Institutos não pareça interessado nas correlações entre os movimentos, a personalidade e a consciência.
Igualmente infeliz é a recíproca: quão pouco a psicologia está interessada no corpo e nos movimentos. Ela esquece totalmente que "identificação" quer dizer imitação e imitação quer dizer "fazer os mesmos movimentos e manter as mesmas atitudes de outra ou de outras pessoas".

> É preciso dizer assim e repetir, com todas as letras, se não as pessoas ficam na palavra ("identificação") e não percebem o visual nem sentem a mecânica do corpo – elementos essenciais do significado da palavra "identificação".

EDUCAÇÃO PROPRIOCEPTIVA

Depois dessa longa exposição sobre a importância da propriocepção para o desenvolvimento da consciência e da motricidade, surge com força a exigência de incluir esse desenvolvimento como parte importante da... Educação Física.

De uma nova Educação Física, em certa medida oposta à tradicional. Nesta, força e velocidade são essenciais, assim como o desempenho – o resultado. Essencial é vencer a competição, custe o que custar.

Na educação que propomos, as exigências ou expectativas são: leveza, lentidão e precisão – de desenvolvimento cerebral!

Na verdade, educação para conseguir controle motor preciso e delicado ou, até, educação para desenvolver a consciência de si ou do ego como conjunto organizado de forças.

Cuidado com as palavras!

Note-se que o termo "controle" usado nessa frase nada tem que ver com o uso habitual dessa palavra em educação.

Aplicado à educação, controle tem o significado de "controle-se!", como em "comporte-se bem". As "técnicas" empregadas com essa finalidade são os bons conselhos repetidos e as punições, mais o controle de todos sobre todos, tanto ao dizer as mesmas frases sobre como se deve fazer e o que é certo quanto no que se refere a caras e tons de voz com que os "conselhos" são dados...

Aqui, o modelo acabado do que proponho é o tai chi, ou qualquer alternativa que o imite: **nos movimentos primários, a iniciativa (a "intenção") é da mão direita que se move aleatória mas sempre lentamente, seguida com precisão pelo olhar e antecipando a base do próximo passo antes de dá-lo. Antes de cada passo, um movimento respiratório e a expiração na execução do passo.**

Observe-se que no original do tai chi há a dança lenta, mas há também, em outros momentos, seqüências de movimentos rápidos – até violentos. Embora tenham valor para a defesa pessoal, estes não contribuem para desenvolver a consciência de si.

Nada melhor do que incluir nos horários dedicados à Educação Física exercícios que obedeçam às características descritas. Quem conhecer alguma coisa sobre nossos movimentos poderá criar variantes numerosas sobre esse modelo.

Teríamos então a nova Educação Física: consciência plena dos movimentos, da organização e realização das intenções, com sincronismo respiratório e estabilidade do corpo.

Não consigo imaginar nada melhor quando penso em "organização da consciência". A consciência-força, a consciência-vontade, não a consciência-palavra ou a consciência-idéia.

Na terminologia do passado, nada melhor para formar o caráter!

PROPRIOCEPÇÃO E INTELIGÊNCIA

Agora, procurarei esclarecer as relações entre motricidade e inteligência conforme vim insinuando em vários trechos deste livro.

Tentarei responder a uma pergunta que já foi feita por muitos, diversas vezes: **pode haver inteligência sem palavras? Ou: será possível pensar sem palavras?**

Ou, ainda: como se inicia a compreensão de uma situação, de um processo ou de um fato *novo para a pessoa?* (Note-se: compreensão de fatos ou situações, não de frases feitas ou explicações verbais "acabadas".)

Espero compreender, também, como foram nascendo idéias novas na humanidade. Em termos clássicos: como nasce, no indivíduo, uma idéia? Uma invenção? A percepção de uma nova relação? A intuição de uma nova "lei natural" (se ele for um cientista)?

Não me refiro a coisas, substantivos comuns dados imediatamente pela percepção visual, sonora, tátil e eventualmente gustativa ou olfativa. Para designar objetos ou ações corriqueiras (substantivos e ações comuns), bastam palavras "decoradas", usadas por todos, com baixo nível de confusão.

Começo bem do começo, com a analogia clara entre: "compreender" e "achar o jeito", "compreender" e "como se faz" ou, enfim, "como foi feito".

A seqüência de ações automáticas que geram um produto – manual ou feito por máquina – constitui os "passos" da compreensão intelectual. Qualquer linha de montagem industrial é o concreto de uma sucessão de palavras que formam uma frase e de frases que formam um texto.

Melhor ainda, e mais difícil: quem tem consciência ampla de seus movimentos poderá perceber, em qualquer dispositivo mecânico, que ele é uma soma de movimentos, cada um deles "imitando" um ou dois de nossos movimentos.

É bem conhecida a curiosidade com que as pessoas acompanham tarefas que estão sendo realizadas, seja por outras pessoas, seja por máquinas.

Estão contemplando o "pensamento em ação"!

O concreto do pensamento, que é abstraído... do concreto!

Parece claro que o primitivo "inventou" coisas... tentando (!) ou até brincando – "Vamos ver no que é que dá mexer, juntar ou separar essas coisas".

Basicamente com as mãos, enfim livres do peso do corpo.

O modelo primário – depois da marcha – foi a colheita de benesses da natureza: frutos, folhas, raízes, grãos, insetos, larvas, lagartos, ostras, pequenos peixes etc.

Primeiro, como "arrumar" as mãos, sob contínua observação dos olhos, que checavam o resultado de cada gesto a todo momento. Em seguida, como arrumar o corpo – ou como o corpo arrumava a si mesmo! – para que o gesto se tornasse mais fácil (equilíbrio, postura). Como colher frutos situados mais no alto ou mais embaixo. Como arrancar raízes diversamente resistentes. Como juntar dedos para pegar frutos pequenos, larvas... Como seguir com os olhos a trajetória de um lagarto rápido a fim de conseguir pegá-lo no momento certo.

Como abrir frutos, quebrar nozes.

Mais tarde, como usar e adaptar cabaças para conter coisas miúdas e, bem mais tarde, como moldar o barro para fazer potes capazes de conter grãos ou água.

Adão foi "feito de barro", e o barro é material disponível em muitos lugares. (Modelo, pois, para a... modelagem!)

Para concretizar a imaginação. A "modelagem" de Adão foi a primeira tentativa de Deus como... escultor! Não parece ter dado muito certo...

Enquanto isso, os homens martelavam insistente e cuidadosamente pedra contra pedra, visando obter linhas cortantes ou pontas agudas. Em seguida, tentavam prendê-las firmemente em cabos ou hastes a fim de conseguir efeitos a distância – ou arremessando-as.

Depois e enfim, cada gesto repetido e provadamente eficaz recebia um nome (verbo), um som que tornasse fácil comunicar o achado a outras pessoas.

Assim foram sendo modelados automatismos manuais diversos, mais tarde transformados em ferramentas.

Lembre-se da sinonímia: automático e maquinal.

Claro que os automatismos do corpo serviram desde o começo como modelo para imaginar... máquinas!

Pergunta: qual a diferença entre imaginar movimentos e realizá-los? Não será a imaginação como a planta de um edifício? Um esquema, um projeto de **como fazer** e em que ordem (ações)!

Enquanto os olhos acompanhavam o trabalho das mãos, permitiam ao cérebro "estudar" as ligações necessárias capazes de transformar inovações em repetições – automatismos – modelos para a criação de conceitos!

Permitindo, ao mesmo tempo, que os novos automatismos se enxertassem adequadamente em uma posição corporal (postura, estável)! Inspiração para fazer máquinas.

O que nos leva de volta à imaginação.

Espero que o leitor não tenha esquecido: o cérebro é dois terços motor e um terço visual! E a imaginação é o visual "de dentro".

É minha idéia fixa, você sabe, e tudo que disse até aqui se apóia sobre essa base.

A visão tem a função primária de nos levar pela realidade, de nos permitir perceber e escolher caminhos evitando obstáculos, levando-nos aonde há coisas de nosso interesse ou necessidade. Ou de nos afastar do que é perigoso.

Mas depois, quando a sós ou longe das coisas, por que imaginá-las senão para orientar ações futuras? Para inventar.

Qual a diferença entre imaginar e fazer projetos (para o futuro)?

Após esse passeio pela pré-história do pensamento, pergunto: qual a diferença entre saber fazer (ou saber como se faz) e... pensar?

Ou seja, como as coisas influem umas sobre as outras, como vão sendo transformadas por influências sempre recíprocas (ação e reação, *yin* e *yang*!)?

A "reação" (resistência) das coisas me obriga a "pensar" em como contorná-las ou superá-las. A matéria, os materiais (*yang*) sempre inertes, resistindo a nossos esforços (*yin*).

Recordo Newton: segundo ele, a Física – toda a Física – consiste nas explicações verbais ou matemáticas dadas sobre o que move o que, como, quando, em que direção, com qual aceleração, quanto e por quê.

As antigas "Leis Naturais" eram constatações de automatismos, caracterização verbal de repetições previsíveis – sempre as mesmas. "Toda a matéria usada pela vida é reciclada, matéria ressurgente que nunca é consumida" (L. Margulis).

Acrescento: no universo não-vivo também – ou até muito mais!

O universo é recriação contínua: tudo se transforma gerando sempre o novo a partir do velho, criando o que não existe a partir do que existe. Por isso talvez nos seja permitido dizer que a compreensão e as possibilidades são infinitas.

"Transformar" quer dizer mudar de forma, isto é, movimento.

"Energia é a capacidade de fazer acontecer" e "Energia é a capacidade de criar", segundo dois sábios dicionários – um juvenil e outro infantil!

Se compreendemos essas frases, é porque somos capazes de realizar as ações: somos por excelência os transformadores da natureza.

(Depois de efetuar mil e uma transformações, tornamo-nos especialistas...)

Portanto, a essência da realidade é o movimento.

Todos nós saberemos disso se aprendermos a sentir a propriocepção, que é consciência de forças em movimento ou em equilíbrio, reunidas em um número de conjuntos de forças tão grande quanto todas as nossas possibilidades de movimento – que são inúmeras, para não dizer infinitas.

Não há diferença entre a "dinâmica" da situação, sua compreensão, o "sistema" proprioceptivo ativado por ela e a explicação verbal dada a ela em termos de Física, seja a dinâmica (movimento), seja a estática (equilíbrio).

É preciso compreender bem: a Física da situação (as forças ditas "da matéria") são ou podem ser integralmente **retratadas** pela organização motora (propriocepção) que compomos a fim de lidar eficazmente com ela.

Neste caso – e só neste caso –, cabe-nos dizer que compreendemos a situação, e só então poderemos fazer afirmações cabíveis sobre ela.

Caso contrário, estaremos dizendo palavras sem saber o que estamos dizendo.

Ao conjunto dinâmico será fácil acrescentar a imagem visual e, depois, dizer o que vimos, o que compreendemos e o que fizemos. Isto é, podemos usar palavras e até criar neologismos.

Agora, tento responder à pergunta inicial: o que significam "compreender" e seu correlato "explicar"?

Tudo que ver com a propriocepção, verdadeira "consciência corporal e compreensão intelectual", impossíveis de separar (simultâneas).

As forças físicas que modelam a situação podem ser exatamente imitadas ou complementadas por minhas forças – corporais – se eu estiver em contato com elas, se eu as perceber.

Também posso imitá-las apenas vendo-as (imagem e movimentos estão juntos no cérebro). Posso – literalmente! – incorporar (ter em meu corpo) toda a dinâmica da situação externa. Posso reproduzir no corpo, em formas tensionais estáticas e dinâmicas, tudo que estou observando e/ou que está acontecendo.

Por imitação!

Por imaginação (visão) atenta!

Caso contrário, não sei o que estou dizendo e não compreendi a situação.

Impossível haver descoberta ou inovação que *comece* com palavras.

Só existem palavras para designar o que é bem conhecido, para dizer o que já aconteceu muitas vezes. O que se repete.

Tantas vezes que até tem nome!

Nada conserva mais e melhor o passado do que as palavras!

Último passo. Algumas intuições têm origem semelhante: identidade ou semelhança (percebida inconscientemente) entre as forças do corpo e as forças atuando na situação, ou as forças que modelam os personagens com os quais estou em relação.

Ainda que obscura, essa declaração bem pode ser o principal da relação pessoal – ou grupal.

A inspiração em todas as referências a identificações é a dança! A dança inconsciente entre os personagens da situação, claro.

Conclusão pedagógica: está na hora de reativar e expandir as aulas de "fazer coisas", de ver fazer, de fazer igual, de imitar, de dançar, seja sozinho, com o outro, junto ou frente a frente.

Teoria e prática foram artificialmente separadas a fim de preparar os jovens para as profissões técnicas.

A ÚNICA REVOLUÇÃO AUTÊNTICA

Recorde, leitor, o resumo que fizemos de nossa triste história, a história da civilização patriarcal.

Recorde, leitor, o amargo fim ao qual estamos chegando, "orientados" – cegamente levados – pelos sagrados valores tradicionais desse tipo de civilização.

Como pôde uma organização tão injusta, desequilibrada, maléfica e cruel, baseada numa eterna guerra de poder, exploração e opressão, durar cinco milênios?

Ou dez?

Como continua ela a ser tida como perfeita e até divina, merecendo qualquer sacrifício capaz de garantir sua continuação?

O que de melhor se pode dizer sobre esse horror é que, apesar de tudo, ele nos trouxe até aqui. E, se não for mudado, será nosso fim (fim da espécie).

O segredo dessa permanência está ao mesmo tempo no modo de "educar" as crianças e na organização familiar, que tem sido a primeira "escola" universal de todos os povos. Primeira no tempo, *o tempo em que o cérebro desenvolve suas estruturas primárias – motoras e outras (seis primeiros anos de vida)*.

Como parar bem de pé, bem equilibrado, como manter e defender minha posição? Ou como ser tolhido – "educado" – a fim de sofrer de um equilíbrio precário e me tornar incapaz de defender minha posição?

Posição! Pode a "posição" ser não-corporal? Pode ser não-motora?

Qualquer que seja a organização familiar, a influência materna é estatisticamente predominante enquanto a posição da mulher tem sido inferior, isto é, compelida sem apelação a dar tudo de si para que seus filhos se tornem semelhantes aos homens e suas filhas semelhantes a elas.

Dito de outra forma: o imenso poder dado coletivamente às mães é pago caro por elas na forma de dedicação vital para a "formação" dos "seus" – para que continuem a cadeia.

A cadeia – a prisão!

A mesma opressão de que elas sofrem, glorificando-se em seu sacrifício.

O sofrimento das mães tem sido a nutrição da humanidade patriarcal.

Por isso, o arquétipo da Grande Mãe acolhedora reside "no fundo" de todos nós. Ela é a garantia do poder do Velho Patriarca.

A começar porque, deitado de costas no berço desde os primeiros dias e durante tanto tempo, sou o próprio desamparo e impotência – e é Ela que me toma nos braços e me leva pelo mundo, a Grande Mãe...

Além de me alimentar...

É assim bem no começo da vida e no decorrer de todos os anos mais significativos da existência.

O que todas as mães mais desejam é que seu filho seja "normal", isto é, bem adaptado ao mundo de ambos e, se possível, bem-sucedido nele (a qualquer preço!)...

Só bem recentemente as mulheres começaram a se dar conta dessas coisas, mas ainda se consideram antes vítimas do que agentes da própria servidão.

A outra influência conservadora, igualmente ignorada ou apenas não percebida com clareza pela psicanálise, reside na "formação da personalidade".

Em todos nós, a personalidade se forma principalmente pela *imitação* dos personagens que nos cercam na infância. Identificações, disse Freud, mas novamente sem falar da motricidade nem do olhar, que são as raízes cerebrais deveras "profundas" e profundamente inconscientes das identificações – de todos. Para ele, identificação é "um mecanismo neurótico inconsciente"...

Isso quer dizer: o principal da "formação da personalidade" tanto dos homens quanto das mulheres dependeu em sua maior parte da imitação dos personagens existentes à volta da criança.

A imitação indiscriminada de um número ilimitado de pessoas e de circunstâncias as mais heterogêneas – tantas das quais bem descritas nos relatos clínicos dos psicanalistas – só pode levar ao que leva: neurose coletiva, mediocridade coletiva, ignorância coletiva, passividade coletiva.

Note-se que identificações poderosas podem ocorrer inclusive em relação a personagens do cinema, da TV (novela) ou da mídia (personagens famosos).

A persistente valorização das palavras leva as pessoas à convicção de que "educar" consiste em repetir frases feitas, "bons conselhos" – "Os pais devem orientar os filhos".

Mas ninguém pergunta por quem ou como os pais foram orientados...

E poucos percebem que os pais efetivamente orientam seus filhos, que os imitam em graus diferentes.

A trama social é tão bem-feita que os pais gostariam que os filhos adotassem seus pontos de vista, o que eles acham que "é certo", mas não raro se incomodam quando os filhos os imitam de verdade – quando se comportam e fazem como eles!

Sem perceber o que está acontecendo, pais, professores e psicólogos passam a inventar mil explicações verbais e teorias que pouco ajudam. Ouve-se dizer que importante são os bons conselhos (verbais), a boa orientação (verbal), o bom caminho (idem), o bom comportamento (idem)... "Eu disse a ele", "Eu vivo dizendo a ela", "Eu sempre disse que blablablá".

Não confundir "bons conselhos" com o ensino das atividades usuais, do calçar e descalçar sapatos e meias, vestir-se e despir-se, escovar os dentes, lavar as mãos e o corpo (banho), arrumar as próprias coisas e similares.

Todos esses ensinamentos práticos dependerão do exemplo e do acompanhamento eventual e bem-humorado de mãe ou pai, e não sei quem atribuiria a essas atividades valor de educação moral e cívica...

MODO DE ESTAR NO MUNDO E PONTO DE VISTA

Tudo que digo depende de meu "ponto de vista", de "meu modo de estar no mundo", de minha atitude. Apesar de estranho ou até ridículo, é preciso explicitar: atitude é a forma habitual ou momentânea *do corpo*, fenômeno motor ("feito" pelos músculos, pela "carne") que modela o corpo de certo modo – de vários modos –, conforme as circunstâncias e os circunstantes. Modela de maneira automática, pois essa forma envolve um tal número de tensões musculares que é praticamente impossível fazê-las de propósito, "por querer".

(Atores, com muito treino, podem conseguir realizá-las – em certa medida.)

E quando digo "ponto de vista" refiro-me à visão – aos olhos! A cena é diferente se olho para ela em atitude de orgulho ou de submissão, de interesse ou tédio, olhando de frente ou de viés.

Vem-se difundindo hoje uma frase perdida no vazio: "É preciso ter atitude!" Mas sabe Deus o que "atitude" significa nesse... bom conselho.

A atitude, essencialmente motora, consiste em uma ou mais formas do corpo criadas (inconscientemente) ao longo de mil experiências de vida, reunindo e integrando mecanicamente as mil respostas (motoras) da personalidade a tantas situações ao mesmo tempo tão variadas e tão semelhantes....

Por isso, ela é uma preparação para várias ações e reações físicas, ou para várias formas de resistência – corporais!

Ela determina o "ponto de vista" da pessoa sobre tudo que ocorra a seu redor.

Ponto de vista, aqui, quer dizer "o que os olhos estão vendo" dessa posição.

Aqui também é melhor usar o plural, pois ninguém tem apenas um ponto de vista.

Por exemplo: ao entrar em uma situação, o arrogante vê primeiro os submissos e, depois, os outros arrogantes. Os opostos ou os semelhantes, ambos reforçam a atitude... de arrogância!

Insisto, tudo isso – os aspectos externos da personalidade (as aparências da pessoa) – mal existe para a psicologia e para as teorias sobre a personalidade.

Tudo isso é primariamente motor, o "jeitão" da pessoa de estar, de se propor, de se impor, ou de se omitir. A atitude tem ligações íntimas com a postura (igualmente motora), que é a soma das várias formas que cada um tem de parar de pé – de equilibrar-se – nas muitas circunstâncias físicas e morais que vão se propondo ao longo da vida.

Por tudo isso, repetindo, só a formação integral e cui-

dadosa da motricidade – como proposta pelos Institutos e ampliada por mim – é capaz de favorecer a formação das bases para uma organização pessoal e social genuinamente nova, amplamente independente das identificações familiares, independente do passado. Rompendo a continuidade com ele.

A mais radical das revoluções – a cada dia mais premente.

A educação efetiva, que não é considerada educação, consiste, em sua maior parte, numa soma complexa de influências pessoais aleatórias exercendo-se sobre a criança quase sem nenhuma organização ou propósito. Sem que as pessoas se dêem conta do que efetivamente está acontecendo.

Inconsciência coletiva, ignorância quanto à direção na qual estamos indo.

Nós, todos nós – as sociedades tidas como civilizadas.

O que pode haver de deliberado nessa educação que segue a tradição, só para dar um nome a essas confusas influências... inconscientes.

As imitações múltiplas geram – como é fácil compreender – confusão interna. São muitas "vozes", "desejos", "repressões", o que explica a complexidade do inconsciente na teoria e nos relatos clínicos dos psicanalistas. E a confusão sobre o que significa emoção, ligação emocional, "relação" (pessoal), sentimento, amor, dependência, medo, confiança etc.

Tudo que está confusamente implícito na palavra "mente".

Ou "inconsciente".

Além da complexidade dos processos mentais – ainda ao alcance da palavra –, as identificações múltiplas comprometem os complicadíssimos processos de equilibração do corpo; da respiração (ansiedade) e das decisões, quaisquer decisões.

Tudo se passa como se, na pessoa – qualquer pessoa –, a cada decisão se reunisse um conselho de vários personagens para discutir o que fazer, cada um com sua opinião. O psicanalista pode nos dizer quão verdadeira é essa descrição, quantas vozes falam na consciência de cada um.

Enfim, o pior: a história continua a mesma devido à imitação contínua, cada geração comportando-se (e falando/pensando) de modo bem parecido com o que era feito (e pensado) pela geração anterior.

Cada um na sua classe, ou na sua circunstância.

Todos reforçando a todos (vigiando a todos) os mesmos comportamentos e as mesmas frases.

MANIFESTO DO PARTIDO COMUNISTA

Marx e Engels, mesmo sabendo muito sobre o poder modelador da sociedade sobre a personalidade, não se referem aos fatores que transformaram todas as revoluções em novas maneiras de tirania.

Os "de baixo" não tinham capacidade de cooperar nem de se organizar de forma diferente da anterior.

Sem "revolucionar" (!) a educação familiar, pouco mudam os costumes e as instituições, pouco muda a personalidade coletiva (passe o termo) – ou mudam de forma aleatória, fora de qualquer objetivo idealizado pelos líderes e pensadores.

Os cidadãos "normais" (maioria esmagadora) jamais terão competência, independência, liberdade e inteligência para iniciar uma nova forma de convívio social. Tenderão incoercivelmente a permanecer fiéis aos velhos costumes. Na verdade, a sofrer deles, sem perceber. As palavras mudam, mas as atitudes não – nem os atos, que dependem das atitudes (e não das palavras).

Triste lição da história: depois do caos e dos milhões de mortos de cada revolução, sempre emergiu – até hoje – outro tirano ainda mais despótico do que o poder político "legítimo" (!) e abusivo que governava antes da revolução.

Foi assim desde o caos sempre terrivelmente sangrento e as lutas de poder da Revolução Francesa (gerando Napoleão), da Revolução Russa (gerando Stalin), da Cubana (Fidel), da Chinesa (Mao), da Coréia do Norte...

RETORNANDO

O acréscimo essencial a se fazer ao discurso sociopolítico é o cérebro, cujo desenvolvimento maior ocorre entre o nascimento e os 6 anos – precisamente a idade tida essencialmente como a mais "infantil" e familiar. E de todo distante de qualquer pedagogia escolar ou formação política.

Recordo (será preciso?): a experiência infantil modela ou determina a estrutura do cérebro – para sempre. Mudanças outras se farão sobre essa estrutura "profunda" da personalidade, que tenderá incoercivelmente a reproduzir sua origem.

É o cérebro procurando tenazmente recriar o mundo no qual se formou, com medo de se perder, de se tornar inútil em um novo mundo.

O que é verdade!

É o que está acontecendo hoje com quase todos.

Lembre-se, leitor, do caso dos passarinhos que são levados para longe de seu mundo de origem... e se perdem.

Palavras, palavras, palavras.

Todas as revoluções foram "pensadas" em palavras que tentavam descrever as desgraças presentes e as passadas e buscavam, depois, imaginar um mundo onde seria possível eliminar tais desgraças.

Claro: idealismo, utopia – tudo bem.

Pensamentos, mesmo que "idéias geniais", mesmo que "profundos sentimentos humanos", mas apenas palavras.

Desde o "Amai-vos uns aos outros", a pregação mais antiga e por isso a mais antiga das desilusões...

O "erro de educação" ou a "recordação infantil" (psi-

canálise) torna-se uma coisa material, um conjunto de conexões neurológicas estáveis indestrutíveis: atitudes, pontos de vista, modos de ser regendo modos de pensar e de se relacionar.

A esta altura, ocorre-me uma dúvida séria. Não sei se a educação infantil é uma fatalidade neurológica, ou se hábitos adquiridos na infância persistem porque respondem ao ambiente social notavelmente estável (menos no último meio século), tendendo a marginalizar o diferente.

Para responder a essa pergunta, seria preciso criar crianças longe de todos os adultos, a fim de saber se padrões infantis espontâneos são capazes de gerar estrutura social.

Ou: o que elas fariam sem adultos (identificações) por perto?

Tenho noções por demais vagas de que em algum lugar da Índia uma experiência desse tipo está sendo feita. Mas não espero muito dela. Acredito que crianças deixadas por sua conta (protegidas e alimentadas, supõem-se) acabariam criando um grupo tão "autoritário" quanto o nosso.

Li uma história de ficção que corria assim – e era bem convincente!

E temos a experiência da escola inglesa "Educando para a liberdade" (de O'Neil, amigo de Reich), na qual as coisas não foram tão bem, assim como no caso dos *kibutz*.

Mas em ambos é preciso assinalar que criavam jovens apenas diferentes dos "normais" (maioria, com tudo organizado para eles), e ninguém se propôs estudar o caso a fundo, a fim de esclarecer se eles eram "melhores" ou "piores" do que os jovens... normais.

Além disso, em nenhuma dessas experiências a educação começava no segundo dia de vida nem organizava sistematicamente o desenvolvimento cerebral e motor.

Precisamos nós, adultos conscientes, responsáveis e sabedores de tantas coisas importantes, reorganizar a educação para que eles possam criar uma nova humanidade.

O mais difícil dessa decisão necessária é renunciar ao nosso poder, prestígio e falsa sabedoria de "adultos" ante essas... pobres crianças – tão lindinhas e tão ignorantes!

Acredito que seja parte essencial da pedagogia esse constante inquirir sobre as variedades de formas de educação, buscando entre elas não a que mais bem "preserve" ou continue o passado, mas a que mais bem prepare as crianças para que criem um novo mundo – melhor do que o nosso.

Na verdade, que proteja a criança de nosso desastroso passado.

O que até hoje tem sido considerado uma utopia está se fazendo rapidamente uma necessidade – ou estará para sempre rompida a ligação entre a nossa geração (até o século XX) e o que houver depois de nós.

Adultos e crianças serão duas espécies diferentes, e eu não gostaria de tê-las como inimigas.

Retornemos à tragédia das revoluções que apenas transferem a tirania, sem resolver as desigualdades ou atenuar o sofrimento que, em princípio, as originaram.

Será que esse fato não tem nada que ver nem com a modelagem cerebral aleatória nem com a identificação das crianças com seus pais (cidadãos do velho sistema)? Esses cidadãos "acostumados" (foram educados) a obedecer ao Poderoso não sabem o que fazer sem ele e então esperam e aceitam quase sem resistência o novo salvador, que exige pela violência direta as mesmas atitudes de submissão.

Dentre os revoltosos, surgem líderes dispostos a fazer o que for oportuno para ocupar o lugar do Poderoso; eles também presos à noção de competição e da existência de um poderoso – apenas um. Dispostos inclusive a assassinatos, traições, total falta de escrúpulos, discursos mentirosos, pose e fala de salvadores da pátria, de valentões, de corajosos, de decididos, de sabedores das coisas.

É bem possível que esses líderes revolucionários fossem tidos, no velho regime, como desajustados, psicopatas, perversos – e se tornassem criminosos...

O desenvolvimento cerebral, essencial à reflexão política, é de conhecimento recente e, portanto, não cabe criticar o passado, quando o fato não era conhecido.

Mas poderia ter sido suspeitado pela estranha repetição da inutilidade das revoluções!

E pelo tamanho da cabeça das crianças!

Claro que, em seguida ao período revolucionário, nada se repetia tal qual no passado, mas o autoritarismo, as manobras e intrigas do poder e a opressão pós-revolução apenas passavam para novas formas, apenas mudavam de dono...

Eu não saberia escolher entre Ivan, o Terrível, e Stalin, o Homem de Aço, ou Bush, o Dono do Mundo, tendo à frente as gloriosas e terríveis "Forças Armadas dos Estados Unidos".

E a opressão da maioria pela minoria ("luta de classes", dizia Marx) continuava – e continua.

Na verdade, cada vez pior. Nunca a diferença entre "os de cima" e "os de baixo" foi tão gritante, tão injusta e tão cruel.

Porque "os de baixo" não sabem lutar, foram "educados" para obedecer e comportar-se bem. E, sem a autoridade para dizer o que é preciso fazer, não sabem o que fazer – e esperam ansiosamente pelo... Salvador, que sempre aparece, depois de liquidar todos os possíveis rivais.

Maomé foi general em mais de dez guerras, e guerra é sinônimo de atrocidades – qualquer que seja o general.

O "Pai" de Cristo (Jeová) não era melhor – era ou é o "Senhor dos Exércitos"! Para nos perdoar, exigiu a morte de seu Filho!

Que orgulho, meu Deus!

Mas, hoje – retornando –, ignorar o cérebro é continuar a repetir a história desse poder das minorias perversas sobre as maiorias passivas. Bem disse Freud: se não recordarmos, se não "tomarmos consciência" do passa-

do, continuaremos a vivê-lo. Ou ele continuará a viver na sociedade – e em cada um de nós.

É claro que isso é necessário, mas não basta tomar consciência – ou pôr em palavras.

É preciso tomar medidas, novas medidas, e aquelas propostas pelos Institutos me parecem as melhores dentre as que conheço.

Hoje sabemos por quê.

Enquanto os seis primeiros anos da vida forem determinados pela família preconceituosa, pela escola inoperante e pela ignorância preconceituosa das multidões, será difícil conseguir revoluções sociais efetivas.

É certo que continuará a pirataria, como está acontecendo com a globalização.

"Família preconceituosa" é a que viemos descrevendo desde o começo: nela, a difícil tarefa de educar, de formar novos cidadãos, é tida como "normal" ou "natural" – até fácil –, sem que ninguém pense em formar ou educar as pessoas para que sejam mães e pais sofrivelmente conscientes e responsáveis pelo que fazem com seus filhos.

Conscientes e responsáveis pelo fato de estarem formando cidadãos para um novo mundo – diferente daquele no qual se formaram –, e não apenas "criando a própria família" como se ela ficasse fora do mundo, no recesso tido como seguro do lar.

Todos dizem e acreditam saber educar (em família) porque repetem, com pequenas variações, o que foi feito com eles quando pequenos. São quase todos... tradicionalistas – não por convicção ou decisão, mas por automatismos.

Quando é que os Ministérios da Educação do mundo começarão a pensar em uma escola de família capaz – e só ela o é – de gerar novas formas de convivência social?

A aplicação das técnicas dos Institutos poderia ser um excelente começo, inclusive para os pais. Elas envolvem profundamente a família, principalmente nos seis primeiros anos da vida, os mais importantes na formação do cérebro – e da personalidade. Não raro, nos primeiros do casamento, quando ainda há calor e vida no casal.

As revoluções foram o que foram porque as pessoas não sabem como se revoltar!

Nem como se afirmar, como desenvolver, defender e respeitar a própria individualidade – e, por isso e assim, respeitar a dos demais.

A outra alternativa – a Revolução Gentil – é a que vim descrevendo, comentando e ampliando (e criticando) ao longo de todo o texto, baseado em muito do que sei sobre psicoterapia (deficiências pessoais-sociais) e sobre as propostas pacificamente revolucionárias dos Institutos da Filadélfia.

OS MIL PERSONAGENS QUE SOU EU

Vamos estudar a fundo e de mais um modo as variedades das identificações, principal processo pelo qual se molda a personalidade e se formam os cidadãos "normais" (principal processo da educação inconsciente).

Não é claro nem na psicanálise, que chegou perto do problema, que as identificações são muitas e que isso complica demais as coisas. Procurarei então mostrar ao mesmo tempo a riqueza e a finura de nossa visomotricidade, responsável por tudo quanto será dito a seguir.

Por que será que nossos sonhos são povoados por tantos personagens?

"Imaginação, ora."

Claro, imaginação (imaginação, lembre-se, vem de "imagem" e imagem vem... dos olhos!).

Mas aos poucos mostrarei que todo personagem interior "imaginário" existe e possui alguma força, por ter em sua origem um *complexo motor* – modos, maneiras ou faces *de alguém*.

Outros exemplos esclarecerão melhor essa questão que nada tem de difícil. É até intuitiva, embora não costumemos falar do modo como estou dizendo – de que somos "feitos" de muitos, concretamente (muscular ou posturalmente). Na verdade, predomina a noção, entre ingênua e tola, de que "eu sou eu e mais ninguém", excelente maneira de negar o que é evidente: que eu sou muitos.

Por que foi inventado o psicodrama e por que ele é útil?

Nos grupos de psicodrama, episódios de vida de um dos participantes são encenados com a distribuição de papéis entre os presentes e a atuação de um ou mais "egos-auxiliares" treinados. A idéia é reconstituir concretamente as circunstâncias nas quais certo problema teve início, a fim de permitir ao paciente experimentar de novo e por inteiro o acontecido (e não apenas relatando). Favorece também a descoberta de soluções diferentes das que fazem sofrer o... protagonista.

Na psicoterapia, segundo a Gestalt, procede-se de modo semelhante. Solicita-se do paciente que *imite* – ele mesmo – *cada um* dos personagens de um sonho, o que leva ao esclarecimento de muitas coisas confusas.

Pearls recomenda visualizar ("dar imagem" e nome) personagens ou vozes interiores e, assim, a confusão interna ganha clareza.

Na verdade, esses artifícios técnicos se mostram úteis à medida que vão deixando bem claro que cada um de nós é "feito" de muitos (de muitas identificações). Não se trata apenas de "recordações", de "associações livres", nem mesmo de "imaginar" somente, mas de modos e maneiras de corpo, de cara e de voz. Trata-se de atuar, de fazer movimentos que lembram os personagens.

De "incorporar" os... espíritos – cuja soma sou eu.

A explicação da eficiência dessas técnicas é simples. Se o diálogo interior (ou mesmo o exterior) for apenas verbal, ao final do relato a pessoa descreveu uma reunião de sombras das quais só as palavras são conhecidas.

Cada frase (do solilóquio) provém de um personagem (ou de um preconceito!). Repare bem e você poderá perceber o fato em si mesmo.

Se as pessoas do sonho ou do diálogo interior forem representadas corporalmente, ficará claro que são personagens distintos, e não a mesma pessoa dizendo tudo como se fosse só ela – ou só dela.

Distinguir, diziam os escolásticos, é a mais delicada e necessária das operações intelectuais...

Ir ganhando clareza em relação a personagens interiores, distinguindo uns dos outros, ordena o diálogo, organiza a cena e harmoniza a ação. E, quando as coisas são **vistas** e se **age** dentro delas, o "conflito interior" se resolve muito mais facilmente.

Não sou mais "eu falando comigo". Sou "eu falando com várias pessoas", personagens de minha vida.

Falando e me colocando corporalmente – assumindo as identificações –, posso me apropriar delas. Se elas estiverem em meu corpo, com alguma facilidade posso modificá-las, fazer diferente por querer.

Mas vamos além.

Segundo os neurolingüistas, o melhor modo de compreender alguém é imitando-o. Ao fazer isso, estou realizando identificações aqui-e-agora, fazendo "de propósito" aquilo que tantas vezes na vida fiz sem perceber.

Depois, sofisticando um pouco mais: na técnica de "fantasia ativa" proposta por mestre Jung, solicita-se do paciente que ele – digamos, depois de relatar um sonho – continue na imaginação tudo que lhe ocorrer, como se a recordação estivesse de fato acontecendo. Como se ele fosse um ator que vai criando um roteiro enquanto "dirige" a cena e atua nela.

De forma muito mais ampla, os hindus desenvolveram – e os terapeutas ocidentais usam bastante – a técnica de "visualização". Relaxe e depois contemple atentamente uma imagem (qualquer imagem), e de algum modo, deveras mágico, ela começa a se fazer em você. Não será uma cópia, mas algo obviamente semelhante ao que foi visto. A equivalência pode ser sutil ou a analogia difícil de perceber.

As visualizações hindus fazem parte das técnicas gerais de meditação e do arsenal terapêutico de inúmeros profissionais do Ocidente.

Gerald N. Epstein, discípulo de Jung, e, entre nós, sua discípula Izabel Telles desenvolveram até o limite essa técnica terapêutica de visualização, de imaginação "levada a sério", tida como realidade durante o tempo em que está sendo praticada. Um dos livros de Izabel tem o sugestivo título: *Feche os olhos e veja* (São Paulo, Ágora, 2003).

Enfim, vamos à demonstração experimental de tudo que precedeu.

Registros feitos com capacetes que evidenciam analiticamente a atividade de qualquer região do cérebro demonstraram categoricamente: basta você "pensar" um movimento, que todas as áreas cerebrais nele envolvidas entram em atividade. Claro que "pensar" nessa frase quer dizer imaginar.

Peço a você que reveja o que dissemos sobre o cérebro como "secretário" do pensamento, segundo os neurolingüistas.

Depois da verificação feita por eles, mais quanto foi dito até aqui, pode-se avançar e perguntar se fatos semelhantes não acontecem durante o sono, gerando os sonhos!

Em velhos tempos, partindo do fato de que todos nós sonhamos quatro vezes por noite, cada vez durante mais tempo do que na anterior – considerando que a temperatura corporal (devido ao relaxamento muscular do sono) vai caindo ao longo da noite, enfim, considerando que os músculos são os órgãos que mais geram calor ao se contrair – concluí que os sonhos são determinados por uma periódica ativação das posições e movimentos corporais do sonhador, realizados a fim de aquecer o corpo, de manter a temperatura corporal.

Nada impede que esses movimentos sejam "expressivos", "digam" alguma coisa, determinem o enredo do sonho.

Durante o sonho há hipotonia muscular precedida, porém, por um período de movimentação – esta sim ligada, com certeza, à necessidade de elevar a temperatura do corpo.

O sonho está, ademais, ligado a movimentos oculares rápidos. Em minha ingenuidade, acredito que se os olhos se movem é porque estão "seguindo" algum objeto, personagem ou paisagem.

Dizem fisiologistas que durante o sonho as pessoas permanecem imóveis como alguém que contempla um espetáculo. Mas então não podem estar relaxadas!

Enfim, é preciso lembrar, nesse contexto, das "áreas supressoras" do cérebro, cuja excitação imobiliza instantaneamente o animal (parte essencial da reação de alerta). Além do curioso problema do sonâmbulo, o único que se move ostensivamente enquanto sonha. Nos demais deve haver um processo neuroinibidor que nos impede de sair da cama "realizando" o sonho!

Com a ativação das tensões musculares que compõem a identificação, gera-se calor, reconstitui-se o personagem e alguma cena vivida na qual a identificação ocorreu, foi mais acentuada ou respondia melhor a algum episódio do dia.

Processo análogo acontece durante a fantasia ativa, é claro.

Esses fatos sugerem uma insuspeitada função para os sonhos, análoga à da fantasia ativa: a criação de um palco interior – ao mesmo tempo um laboratório (!) – onde podem ser "ensaiadas" soluções para impasses ou inibições, sem envolvimento com a realidade do cotidiano.

Enfim e recordando: toda essa longa citação de fatos mostra categoricamente que o cérebro é dois terços motor e o córtex cerebral, um terço visual; que o cérebro "foi feito" para ver e para nos mover, para "compreender" e "integrar" – imitando.

A esta altura, muitos leitores, educadores em particular, poderão sentir-se perplexos: o que tudo isso tem que ver com educação? É tudo... psicoterapia!

Sim, é tudo psicoterapia corporal. Tudo que acontece quando não se "educa" a motricidade!

E volto ao meu refrão: se as crianças desde cedo desenvolvessem todas as suas aptidões – como se diz –, elas desenvolveriam também sua motricidade e essa seria a melhor vacina imaginável contra distúrbios da personalidade (neuroses).

O CONFLITO OU OS CONFLITOS?

Depois de Freud tornou-se impossível explicar psicologia sem a noção de conflito – conflito entre desejos e inibições ou repressões.

De novo e sempre, os conflitos nascem porque todos os nossos movimentos são organizados em conjuntos de ação oposta (flexores e extensores, adutores e abdutores etc.) e, acima de tudo, porque ao parar de pé podemos cair para qualquer lado. Todo o nosso sistema de equilíbrio é feito para "nos segurar", gerando instantaneamente forças opostas a qualquer ameaça de queda. Implicitamente, na imensa maioria dos textos, está suposto **um** conflito (digamos o id e o superego, ou "desejo" e repressão).

Pelo que ficou dito, porém, torna-se claro que podemos sofrer de muitos conflitos, entre muitos personagens (identificações) distintos.

Aliás, lendo com atenção descrições de casos clínicos – lembro em especial os casos de Reich em *Análise do caráter* (São Paulo, Martins Fontes, 2004) –, torna-se fácil perceber que os conflitos são muitos e é como se, ao longo da terapia, fosse necessário ir tentando harmonizar personagens e mais personagens em sucessão!

Na verdade, é muito mais complicado, pois as identificações motoras (as imitações) reproduzem todas as contradições ou os conflitos dos personagens com os quais me identifico. Ao me identificar com meu pai, assumo todos ou muitos de seus conflitos, presentes em suas múltiplas atitudes, em seus múltiplos "aspectos", "lados", ou peculiaridades...

Dada a multiplicidade de personagens, imaginem a confusão interior (cada personagem com suas falas e tendências próprias) e, no plano motor, as dificuldades em manter o equilíbrio do corpo (insegurança) e a limitação dos movimentos respiratórios (ansiedade) quando tantos personagens tentam se apropriar do controle motor e do respiratório.

Como disse Reich, só há dois temores: o temor de queda e o temor de sufocação...

Enfim, voltando aos que buscam quietude interior, compreende-se facilmente o quanto é difícil manter essa multidão interior em silêncio – ou conseguir acordo coletivo. Ainda, porque é difícil conseguir um "ponto de vista" único com o qual concordem "todos" os personagens interiores.

Ou seja, como é difícil... decidir!

Essa longa citação de fenômenos psicológicos (psicomotores) tem por finalidade emprestar fundamentos categóricos a favor da educação motora preconizada pelos Institutos – mais os numerosos fundamentos propostos por mim, colhidos das técnicas psicoterápicas.

OS SÍMBOLOS

Baseados nessas reflexões, podemos intuir o poder dos símbolos, entendidos aqui de acordo com Jung: "Símbolo é a melhor representação possível de algo relativamente desconhecido".

Na maior parte das vezes, o símbolo é uma imagem visual.

Cabe perguntar então: não será o símbolo a representação de uma organização motora que está **se fazendo**? Não será essa representação (o símbolo) o retrato ainda impreciso do desejo, da intenção, daquilo que se pretende sem saber muito bem o que é ou como será? Não seria uma fase de preparação ou reorganização motora para que, depois, uma nova atitude se estabeleça?

Todos esses problemas podem ser incluídos em aulas nas quais se convidem os alunos a relaxar e a... fantasiar.

Será necessário buscar informações mais explícitas em textos especializados.

Mas é possível, fácil e interessante.

IDENTIFICAÇÕES PARCIAIS

Herança feliz de minha mãe, como ela sou meio ator, meio histriônico, isto é, com facilidade imito pessoas ou imito papéis convencionais, de mãe conselheira (!), de professor, de menino obediente etc.

Vez por outra, após assistir a um filme no qual o ator chamou minha atenção, facilmente percebo nos dias seguintes que começo a imitá-lo – mesmo sem a intenção explícita de fazê-lo.

Com esse reparo, estou adiantando a idéia de que as identificações podem ser parciais: imitação de um sorriso, de uma expressão de rosto, de um gesto. Falta acrescentar que as identificações ocorrem facilmente ao longo da vida e sua maior parte é assimilada – não sei como, nem sei se alguém sabe.

Essa é a complicação final desse tema tão complicado, o das identificações ou imitações, realizado contínua e inconscientemente pela visomotricidade, processo essencial do conservadorismo social. Essência também da personalidade, da "individualidade", dos conflitos e das decisões.

Como essas idéias nasceram no consultório de psicoterapia, as pessoas ingenuamente acreditam que só lá elas acontecem. Mas espero ter deixado claro que estamos falando do principal da formação da personalidade – e da educação!

RELAÇÕES PESSOAIS

Parece fácil passar das identificações experimentadas pelas pessoas para as influências das aparências de cada um nas relações pessoais do cotidiano.

Acredito estar chegando perto da questão das simpatias e antipatias. Aqui, as reflexões se dividem em duas vertentes: uma relativa aos encontros do cotidiano e a outra, ao que pode acontecer na psicoterapia.

Quanto à primeira: vale recordar os meus velhos tempos,

quando se dançava aos pares, abraçados. Às vezes, o acordo entre os movimentos do par era surpreendente e a sensação, deveras maravilhosa. Esse acordo entre movimentos complexos de duas pessoas, considerando a... biomecânica (!), é não só maravilhoso como quase miraculoso. Espero que o leitor compreenda essas declarações sem que eu precise especificar de novo os mil pormenores de nossas respostas motoras. Levando em conta sua complexidade, um acordo tão perfeito entre os movimentos de duas pessoas – volto a dizer – é quase um milagre.

Pergunto se no primeiro encontro entre duas pessoas algo parecido não acontece em um nível que chamarei de virtual, uma vez que não estou considerando contato corporal. Mas – sabemos – olhar e motricidade funcionam muito juntos e então posso imaginar que apenas olhando, atenta e interessadamente para outra pessoa, ocorra entre nós uma espécie de dança... virtual.

Acredito que esse fato é o que se denomina habitualmente de... envolvimento. Envolvimento... desenvolvimento!

Agora, o contrário: "não se envolva" ou "objetividade", duas expressões que podem ser tidas como sinônimos. Ambas usadas a toda hora em psicoterapia, em textos científicos e jornalísticos.

(Na verdade, envolvem a negação da presença e do contato outrossim evidentes.)

É um "não estar nem aí", como se diz popularmente.

Paradoxo: é um não estar... estando!

Poucos parecem se dar conta de que, para impedir o envolvimento, é preciso ficar imóvel, com o olhar distante ou apenas não olhar para o interlocutor.

Também por isso – ou para isso – existe a chamada "atitude profissional", identificável no momento em que você encontra a pessoa no consultório, no escritório, na cátedra, na mesa do diretor. A atitude profissional é impessoal, a atitude de ninguém perante ninguém...

Um manequim de vitrine, ou um boneco, ou um robô.

"Objetividade", enfim, quer dizer todo o esforço inútil que o personagem faz a fim de parecer ninguém, desumano ou "não ele"!

Inúmeros profissionais, professores universitários e cientistas chegam perto... Estátuas? Autômatos?

E, se você não parecer um profissional, muitos clientes duvidarão de sua competência!

Todos os mortos-vivos – os que vivem em automático – reagirão assim.

A HISTÓRIA DO MAU COMEÇO

Desde que me assenhorei da proposta dos Institutos, fui perseguido por uma pergunta: por que algo tão óbvio como a inteligência infantil permaneceu ignorado por mais de trinta ou quarenta séculos?

Por que a violência e o poder – tão desumanos, sangrentos, perversos e injustos – foram e continuam sendo tão presentes em nossa espécie e tão atuantes ao longo de nossa história?

Não é tão difícil de compreender.

Nossa primeira "tecnologia" foi sem dúvida a pedra lascada e seus múltiplos usos para cortar, perfurar e desenvolver nossa aptidão motora no manejo dos instrumentos de caça – também instrumentos de agressão, armas.

Foram as "garras" e os "dentes" que desenvolvemos para garantir nossa alimentação protéica (em parte) e nossa segurança.

Os animais são deveras espertos, fortes e rápidos e não têm escrúpulo algum. Além disso, corpos animais são muito bem envolvidos pelo couro e suas partes muito bem "amarradas" (juntas), o que torna difícil desmembrá-los.

Esses fatos dão apoio à noção de que começamos a comer carne... podre – que é mole!

(Isso, antes do fogo, que veio muito depois... Quinhentos mil anos depois é a estimativa mais aceita.)

Ao mesmo tempo, cultivávamos nossa solidariedade.

O homem caçador – isolado – não era oponente para predadores poderosos, mas o bando caçador foi o mais perigoso animal que já habitou o planeta.

Note-se: o principal da alimentação do homem primitivo era a colheita feminina, mais segura ou "garantida" do que a incerteza da caçada – tanto a incerteza em encontrar a presa quanto a de vencê-la!

Aí estão as circunstâncias que levaram os seres humanos a "desprezar" a criança, assim como a mulher: seres inúteis como caçadores.

Talvez tenham sido essas, também, as raízes do autoritarismo, do poder absurdo do poderoso, do chefe – sempre homem –, que conseguia com força ou habilidade manter organizado e cooperativo o bando de... bandidos, apesar de todas as divergências.

Iniciava-se desse modo o tema do herói, culminando aos poucos no herói guerreiro – o grande conquistador. E no autoritarismo – os homens no poder.

A unidade do "bando caçador" era mais importante para todos os seus membros – e para o grupo – do que as divergências pessoais.

Para mim, esse discurso resolve minha pergunta mais angustiosa e persistente: por que tanto de nossa história, repito, é tão violenta, injusta, opressiva e cruel? Tanto poder, tanta força e tão pouco amor (palavra difícil!).

Ou apenas falta de solidariedade, de cooperação.

Estranhamente, a cooperação só é conseguida com facilidade quando há um partido contra outro, um bando contra outro – oposição, competição. Os indivíduos de determinado lado, sabendo muito bem que sozinhos serão vítimas dos do lado de lá, unem-se para se proteger. Em histórias de guerra, essa camaradagem é legendária.

"Contra o inimigo" todos se unem, mesmo que antes do confronto fossem estranhos entre si, e mesmo quando os "inimigos" são completamente desconhecidos.

De outra parte, por que a humanidade jamais sequer desconfiou deste fato, que os Institutos depois levantaram: de que a criança – qualquer criança – tem um potencial de desenvolvimento praticamente ilimitado? Que ela pode ser muito mais inteligente do que qualquer adulto?

Ou de que o cérebro – qualquer cérebro – tem uma capacidade inimaginável de fazer coisas, se encontrar circunstâncias favoráveis? E de que, se descoberto e aproveitado, teria gerado uma humanidade completamente diferente da que tivemos e temos?

O segundo fator que impediu a descoberta da inteligência infantil foi o instinto responsável por favorecer a organização autoritária dos animais que vivem em grupo. Organização rígida na qual o chefe é via de regra o mais forte e mantém sua posição a qualquer preço, não raro com o direito de ser o único a manter relações sexuais com todas as fêmeas do grupo. Assim se alimenta a tendência ao autoritarismo e à prepotência, ao domínio pela força (o mais forte propaga seu DNA, dizem os biólogos).

Melhor um chefe despótico do que lutas intermináveis entre os participantes do grupo – esse parece ter sido o "pensamento" da natureza ao "favorecer" a organização autoritária dos grupos.

Em contrário, porém, nunca vi assinalado o seguinte fato, de si óbvio depois que se tornou bem conhecido o efeito da testosterona como estimulante da agressividade: a repressão sexual de todos os machos do bando gera beligerância contínua entre eles, conluios, oposição, atritos, alianças, traições e um desejo persistente de substituir (liquidar) o chefe, assumir sua posição.

Essa é sabidamente a história da História... Freud também achava...

Essa contínua ameaça estimula o despotismo e a eterna desconfiança do chefe, levando-o aos desmandos, às crueldades e às arbitrariedades de que a história está cheia.

Intrigas da Corte – da Casa Branca, do Kremlin, do Vaticano, do Alvorada, do lar...

Não sei se o evolucionista se atém a esse tipo de "progresso", que ocorre hoje entre as grandes organizações e ameaça a existência do planeta (globalização). Alguns biólogos dirão que, assim, estimula-se permanentemente a aptidão de todos os machos – e o bando se beneficia com chefias cada vez mais "competentes".

Parece até que é isso mesmo que está acontecendo, nem tanto de chefia pessoal para chefia pessoal, mas de grupo dominante para grupo dominante. E a luta entre eles vem crescendo perigosamente, já no limite da destruição atômica – ou econômica – do planeta.

Difícil pesar as duas alternativas: melhor convivência entre os machos ou chefia cada vez mais absoluta – Mianmar (antiga Birmânia), Coréia do Norte, Irã, Afeganistão, China, de um lado, e Forças Armadas dos Estados Unidos contra... o mundo!

A história demonstra que esse estímulo à chefia está nos levando para cada vez mais perto da aniquilação da espécie.

Confronto: nos bandos de bonobos (chimpanzés) nos quais as fêmeas mantêm o poder – muito ligadas entre si – e o sexo é livre além de tudo que se possa imaginar, o grupo se mantém coerente, pacífico e feliz!

Por que não fazemos igual, mesmo sabendo tão bem quanto os bonobos que seria ótimo?

A ORDEM DA BICADA

Reforço importante da chefia autoritária encontramos na "ordem da bicada". Se reunirmos no mesmo lugar várias galinhas e frangos desconhecidos entre si, e se jogarmos um punhado de milho para eles, no primeiro dia haverá uma confusão barulhenta e agressiva, mas se o bando continuar junto em poucos dias se estabelece a ordem da bicada – cada um esperando sua vez.

Mais sabedoria da natureza: depois que mediram forças e habilidades, cada um sabe de si no bando e espera a sua vez. Melhor assim do que ser continuamente bicado. Trata-se de uma chefia passageira, relativa à alimentação, diferente da chefia permanente do "chefão".

Mas é fácil ver que são fatos paralelos, ambos levando para o mesmo fim.

Claro que esses fatos devem ser postos ao lado – ou na raiz – do espírito guerreiro dos seres humanos, esclarecendo o porquê de nunca se ter percebido que toda criança é um gênio.

Claro que nem mulheres nem crianças poderiam competir com os machos em matéria de força e capacidade agressiva – e crueldade, fúria de poder. Na história, algumas mulheres chegaram a entrar na competição, mas suas armas e estratégia eram de todo diferentes. Nenhuma mulher foi general...

E toda mãe está certa: seu filho é o máximo e só ele pode salvar a humanidade do poder (destrutivo) dos machos poderosos...

Qualquer criança pode ser o Salvador!

Se o prepararmos para isso – do jeito que é dito ao longo de todo este livro.

DEUS PAI E O PARAÍSO

A desigualdade social levou à noção de Paraíso.

Os palácios maravilhosos e os templos magníficos, as cortes com pessoas usando trajes tão exóticos (e os sacerdotes também!) contribuíram para que os Livros Sagrados (e os sermões) tivessem certo poder de convencer os simples e os humildes – mantendo-os onde estavam, como disse Marx.

O tóxico essencial do "ópio do povo" era a visão do palco social e a exibição dos poderosos somado ao medo perante todas as incertezas do viver e as arbitrariedades dos poderosos.

Só palavras não teriam poder suficiente para enganar.

Assisto a um documentário sobre como os sacerdotes na Idade Clássica "faziam propaganda" de sua crença e de seus deuses, à custa de engenhos complicados capazes de "fazer milagres", na hora certa, "provando assim a força de cada deus e a legitimidade de seus sacerdotes".

Será que hoje é diferente?

Os templos – todos – são monumentais e luxuosíssimos...

A Igreja Católica louvando eternamente a pobreza é talvez a instituição mais rica do mundo.

Era preciso que o teatro social substituísse a realidade para que a fala tivesse alguma substância, algum poder de persuasão.

Era preciso que a visão confirmasse as palavras.

Enfim, havia o espírito gregário da humanidade. "Vamos todos fazer de conta que acreditamos", tornando mais fácil para cada um acreditar e maior o temor de descrer.

Mas as sombras se insinuavam na luz. Jeová era bem o exemplo de Luminoso Terrível.

Não sei como essa figura espantosa terminou por se fazer o Deus de nossos antepassados e o Deus das três maiores religiões ocidentais (cristianismo, protestantismo e judaísmo), gozando ainda hoje de um prestígio e de um respeito que, ante a descrição bíblica do personagem, são de todo incompreensíveis.

Jeová é o protomodelo do tirano – e é exatamente assim que a Bíblia o descreve.

Não sei se Ele nos criou "à Sua imagem e semelhança" (como diz a Bíblia), ou se nós o criamos "à nossa imagem e semelhança"...

Sua sobrevivência só tem uma explicação: ainda somos patriarcais, nossa civilização ainda é essencialmente autoritária – e, ao dizer essa frase, sinto-me ridículo. Estou dizendo o óbvio mais do que ululante.

Mas toda a mídia diz que somos democráticos. Até Jeová se diz democrático na voz poderosa das maiorias radicais dos Estados Unidos.

A popularidade das religiões bíblicas (as da TV em particular) que o diga.

Quase nunca ouvi de seus pastores uma citação sobre o amor ao próximo.
Aleluia!
Ao sucesso!
Espero que os leitores estejam percebendo o que quero dizer. As pessoas, "formadas" por uma "educação" sem sentido, vivem confusas, embaraçadas em palavras e impossibilitadas de se orientar na complexidade do mundo moderno, na complexidade do mundo interior e na ambigüidade das palavras.
Tudo isso tem que ver com educação – acho.

DA EDUCAÇÃO DO OLHAR

Bem antes, falei de minha primeira paixão... neurológica (!), a motricidade, e da conquista do difícil equilíbrio do bípede que somos nós, sem o qual jamais teríamos inventado qualquer tecnologia. As mãos teriam continuado a ser... patas e nós... quadrúpedes.

Dois terços de nossos neurônios existem para nos mover.

Agora, quero falar de minha segunda paixão: os olhos – ou o olhar.

De novo: um terço do córtex cerebral serve à visão.

Hoje, funções visuais vêm preenchendo muitas áreas tidas até poucas décadas atrás como "silenciosas" (sem função conhecida). Enfim, um grande número de pequenas regiões espalhadas pelo cérebro todo tem a capacidade de influir na direção do olhar. Porque sem o olhar é impossível qualquer ação.

Olhar e movimentos – rápidos, complexos e precisos – são a maior arma na luta pela vida.

Movimentos, sob controle do olhar, é... tudo que fazemos!

Serei cruel: imagine-se cego – e/ou paralítico!

Ou os dois.

Nenhum animal cego sobreviveria mais do que poucas horas na selva. Entre nós, vivem porque lhes emprestamos nossos olhos.

A Luz – assim, com maiúscula – tem sido insistentemente usada como o mais alto símbolo de elevação espiritual.

"Que Deus te ilumine" é talvez o mais alto desejo de alguém para a pessoa que mais ama. "Só a Luz pode nos guiar" é de novo uma alta afirmação... do óbvio: como reconhecer o "reto caminho" – qualquer caminho! – sem a visão?

Mas tudo isso, aos poucos, foi sendo engolido pela palavra!

Hoje, a salvação está na Palavra – não na Luz!

Inclusive na palavra escrita há vários milhares de anos, tanto no Ocidente quanto no Oriente (Índia).

Tem cabimento?

Como fomos aos poucos apagando a Luz e... iluminando a Palavra?

Creio que isso ocorreu à medida que passávamos de caçadores errantes a habitantes de cidades (seis a oito mil anos antes de Cristo: Jericó, Harapa, Satal Huyuk – salvo a grafia).

Ai do caçador errante se deixasse de ver! Vivemos assim um milhão e meio de anos, dizem-nos os arqueólogos. Obrigados a perceber tanto o que está longe quanto o que está perto, desenvolvemos – talvez – o melhor aparelho visual dentre todos os animais (visão próxima e remota igualmente precisas).

Na cidade, o perigo do predador não existe, ainda que exista o do assaltante – individual. Mas não são a mesma coisa.

Na cidade, as relações passaram a ser bem mais próximas, mais face a face, e tornou-se bem mais difícil reconhecer o predador... Não mais urros, unhas e dentes, ataque de corpo inteiro, mas olhares, sorrisos, caras feias...

A palavra ia se tornando o principal veículo de comunicação porque o número de pessoas vivendo próximas aumentava, assim como a variedade de suas relações, com tendência forte a formalizar-se.

Gradativamente, cada um sabia mais ou menos bem como se pôr e como lidar com o outro em função da classe social. Usavam-se mais... uniformes, fosse no vestir, nos modos e maneiras, nas formas verbais.

Tudo em ordem, bem arrumado, previsível, organizado.
Nada de surpresas, sempre perturbadoras.

A palavra se tornava mais prática do que a observação – que passava a segundo plano. Ou: a atenção passou a se dividir entre o falar/ouvir e o ver, com prejuízo deste.

Para complicar as coisas, desenvolvia-se na sociedade a arte de disfarçar, dissimular, fingir, esconder, negar, tornando o olhar cada vez menos seguro – ou mais fácil de contestar.

Na verdade, começava assim a oposição entre falar e ver. **Pouco a pouco, a "realidade" começou a ficar dividida entre o que se vê e o que se ouve/fala.**

O mundo virtual da palavra passou a dominar cada vez mais o mundo real da visão.

Tanto na religião quanto no direito – e nos discursos políticos –, a palavra tem servido cada vez mais para esconder o que acontece.

Na verdade, para negar a realidade.

Esse drama cósmico, a luta entre:

- o Olhar, a Luz: o que se vê, sempre bem definido, sempre aqui-e-agora, sempre individualizado e sempre inigualável;
- e a Palavra: o que se diz, o que todos dizem, sempre as mesmas palavras, seja quem for a dizê-la, sejam quais forem as circunstâncias, seja qual for a questão...

De momento, lembro apenas um dos inconvenientes da fala – dos mais graves: de cada dez frases ditas no mundo todo, cinco com certeza e talvez até oito têm como sujeito uma entidade indefinida, tal como "eu", "vontade", "desejo", "espírito", "alma", "inconsciente", "mente", "Deus", "ele" (o culpado), energia...

Há bibliotecas escritas a respeito de cada uma dessas palavras e, ao final, cada um dá a elas o sentido que lhe apraz, ou lhe convém, ou lhe parece "lógico", capaz de explicar o que pretende compreender – ou controlar!

Naquele momento!

Ao dizer "Foi Deus", "É a mente", "É o inconsciente", a sensação que se experimenta é esta: "Agora sei quem foi", "Agora sei como foi", "Agora sei por que foi"...

Noventa e nove por cento das vezes em que se usa uma dessas expressões, legítimo seria dizer, apenas: "Aconteceu" e, implicitamente, "Não sei por quê", "Não sei como" ou até "Não sei quem" (quem é o culpado, quem fez, quem é o responsável, o agente real).

Mas diante de um fato que tem que ver comigo, se não tenho explicação alguma ou não tenho – nem sei – o que fazer, a sensação é de desamparo, impotência e medo! Sensação penosa que se liga ao fato de, nesses casos, a motricidade (não tendo propósito, objeto nem direção) tender a desorganizar-se. Na verdade, o medo – bem estranho e por isso mal percebido – é o de cair.

"Motricidade desorganizada" quer dizer queda, tombo, perda da posição ereta: nada me sustenta!

Não sei o que fazer!

Por isso e então, para evitar essa sensação sutil porém poderosa, foram inventadas as palavras de sentido mais do que obscuro, enchendo o mundo de agentes invisíveis que "explicam" tudo, exatamente do mesmo modo como os primitivos enchiam o mundo de espíritos, de influências invisíveis.

Qual a lógica dessa insensatez?

Se o acontecimento foi produzido por um agente conhecido (na verdade, apenas nomeado), então podemos, em princípio, negociar com ele, nos entender, nos explicar, bajular, ameaçar, comprar, coagir, tentar impor, pedir perdão...

A motricidade (a atitude) permanece organizada – não perco o equilíbrio!

A força equívoca dessas palavras provém de uma... regra gramatical (!) profundamente enraizada na linguagem (na linguagem, e não na realidade!): toda frase precisa de um verbo, sem o qual ela não terá sentido. Gera-se, assim, a pseudológica: todo acontecimento deve ter um agente, aquele que realiza o verbo – a ação!

"Ter para onde olhar" talvez seja a essência da situação. Se tenho para onde olhar – para quem olhar! –, toda a motricidade permanece organizada e a situação "tem sentido".

As pessoas estranharão demais essa frase, vendo-a como uma simplificação descabida. Porque estamos mais do que viciados em ignorar o corpo, e então tudo precisa ser explicado em palavras.

Dir-se-ia que o corpo não serve para nada...

Talvez sirva para pecar...

Esses esclarecimentos um tanto surpreendentes elucidam mais de 90% do que é dito no mundo, levando quase todos a sentir-se melhor, "compreendendo", "explicando", sabendo o que fazer, sabendo de quem é a culpa e quem devia.

Na verdade, permanecendo organizados – de pé e em equilíbrio!

Repito: trata-se de 90% de tudo que é dito no mundo. E, aparentemente, a maioria se dá por satisfeita com isso – que são apenas palavras.

Autismo coletivo.

A mais: nada do que acontece deve-se apenas a um motivo, a uma influência, a um agente. As influências se estendem em redes complexas, e escolher uma só linha ("causa-e-efeito") é, de novo, o modo de me manter organizado, supondo um agente, um obstáculo, uma influência, em vez de me perder nas relações múltiplas que convergem em um "nó" da rede ilimitada do que está acontecendo aqui-e-agora.

Repetindo e piorando: querendo ou sem querer, no eterno aqui-e-agora você está sempre no centro – de uma rede, de três dimensões.

A palavra é o agente que alimenta – que produz? – a ilusão do agente ou da influência "única", "essencial" ou "principal".

Na frase, tem de haver um sujeito...

Ou ela não terá sentido – direção!

Lembre-se, leitor: direção e sentido são sinônimos e valem tanto para uma frase quanto para um movimento.

Repetindo: as palavras foram inventadas também para fazer de conta que há um agente (o sujeito da oração e sua intenção, ou "o culpado", o responsável), quando a visão mostraria que tudo se liga a tudo – e até que todos se ligam a todos...

Mas, se minha descrição cabe, então a justiça será impossível. Jamais haverá apenas um culpado, seja qual for a ação ou o crime.

Tente descrever (palavras) um quadro (visão) e sinta a diferença – de tempo, de clareza, de "certeza" – entre o falar e o ver.

Refinando as diferenças: sinta o... sentir, a emoção, e perceba o que significa visão global em comparação com a descrição verbal (analítica).

Serão "a mesma coisa"?

CONVERGÊNCIA OCULAR: ATENÇÃO – FOCO

Vamos estudar a importância da convergência ocular, a relevância que ela tem para a vida de cada um de nós, como ela se desenvolve e como é atrofiada... pela educação!

O que separa o personagem vivo do autômato – do "normal" – é a capacidade de "estar atento".

Doman diz coisas importantes a respeito do desenvolvimento da convergência ocular e propõe muitos exercícios destinados a desenvolvê-la. Mas não dedica nenhuma linha apontando como ou por que se atrofia, por que não é cultivada e como é prejudicada em condições usuais de vida. Tampouco fala das conseqüências dessa atrofia.

Não é novidade que o ser humano de há muito é um sonâmbulo – ou um morto-vivo, como dizem os iluminados.

Um autômato.

O que qualifica o sonâmbulo é a falta de foco, o andar pela

vida prestando pouca ou nenhuma atenção ao que acontece à sua volta, ao que se passa com ele e ao que acontece com o mundo maior (com seu ecossistema).

Três "adivinhações", para aliviar o peso do texto:

- Que animal anda com as mãos?
- Que animal se move no espaço como se fosse uma aranha, pesando 100 quilos e sem teia nenhuma?
- Que animal pode ser considerado o maior trapezista de todos os tempos?

Você sabe: é o orangotango.

É quase impossível segui-lo com os olhos e quase impossível acreditar que um animal com aquele tamanho seja capaz de fazer tudo que ele faz, usando a floresta como se fosse um circo com um número infinito de... trapézios. Agarra-se com os pés, com as mãos, com a cauda – tanto faz.

Sem errar o pulo, sem cair!

Ele não pode deixar de ver, por antecipação e com a mais absoluta precisão, os lugares aos quais se agarrará.

Está a dezenas de metros de altura, salta a muitos metros de distância de cada vez – faz uma escolha a cada fração de segundo... entre a vida e a morte!

Devemos aos macacos (aos arborícolas em geral) essa nossa aptidão: a de agarrar-soltar com precisão e de saltar confiando nas mãos, nos braços – e no "golpe de vista".

Os animais terrestres não precisam de tanta versatilidade. Vivem via de regra no mesmo plano, bem presos ao chão pela gravidade – vivem em duas dimensões, apenas.

Como não vivemos nas alturas, trouxemos o galho para perto e trabalhamos com ele. Em vez de nos movermos em direção a ele, aprendemos a trazê-los para nós. Aprendemos a usar essa aptidão para observar pormenores minúsculos (convergência para perto), como é preciso a fim de que as mãos consigam fazer coisas minúsculas – lascar pedras, escrever (!), trabalhar com relojoaria, tocar piano, digitar, pintar, bordar...

Sem perder de todo a aptidão do orangotango, aprendemos a invertê-la: no disparo de flechas, no arremesso de lança, no manejo de espada, no disparo de arma de fogo.

Nessas atividades todas é essencial a convergência ocular precisa, no alvo. Todo o cérebro, toda a força e a agilidade concentrados em um ponto; foi até aí que o olhar chegou.

Note, leitor, convergência ocular quer dizer aptidão de focar para perto ou para longe, ir daqui para lá e de lá para cá, buscar em todas as direções, isolar com precisão um detalhe do cenário ignorando muitos outros... Em todos esses casos, andanças tão variadas, ligando cenas e movimentos, passaram a dirigir os *movimentos da atenção*, quando examina cenas e quando escolhe palavras!

É por isso que os neurolingüistas nos dizem que o olhar busca também no cérebro (na... mente) a palavra ou a imagem de que o... pensamento precisa.

Quando o corpo está parado.

Com um pouco de imaginação podemos entrever, no que dissemos sobre a convergência ocular em tantos contextos e de tantas formas, algo que sugere fortemente o movimento da inteligência (a atenção) examinando a realidade e unindo coisas (imagens) e/ou palavras.

Alegórica e divertidamente, é possível dizer que temos a floresta do orangotango... na cabeça! E que a inteligência é o orangotango; a convergência ocular – a atenção.

Unindo a convergência ocular à habilidade manual, temos tudo que é necessário para compreender a tecnologia (o fazer) e sua relação recíproca com a inteligência.

Pense no artesão.

ANALISANDO A CONVERGÊNCIA OCULAR

Desde o início, é preciso separar convergência para perto (ler, escrever, controlar o trabalho das mãos) e para longe (escolher o caminho, olhando para a frente, pesquisando o horizonte).

Vigilância, alerta – atenção!

Onde reside a mágica destas duas palavras: "convergência ocular"?

Não é muito fácil compreender.

Trata-se de um movimento rápido e preciso demais.

Na retina de *cada olho* há uma área minúscula de dois milímetros de diâmetro que vê com total nitidez e em cores. É a chamada mácula ou fóvea. O que ela tem de minúscula na retina tem de enorme no córtex cerebral que recebe e amplia o que ela vê. É como se o cérebro usasse uma poderosa lente de aumento para "enxergar" o que a pequena mácula vê.

E o que a mácula vê? À distância de leitura, ela vê somente o ponto final de um parágrafo, uma área do campo visual igual a ela. À distância de dois metros, uma moeda – pequena! A seis metros (distância da acomodação do cristalino), ela vê, por inteiro, apenas uma bola de tênis. Sempre muito pouco do campo visual.

Então por que temos a ilusão de ver muito bem tudo que está à nossa frente?

Na verdade, vemos bem mal esse campo. Fora da fóvea, a *nitidez* (a acuidade) visual cai 90%!

Experimente: fixe o olhar na ponta de uma lapiseira colocada a 20 cm de distância, bem à frente e na altura dos olhos. Concentre-se e tente ver como todo o campo visual se torna vago. Ou escolha na penumbra da sala de TV um dos pontos luminosos do aparelho que assinala se ela está ligada ou não. Experimente com um olho e depois com o outro e por fim com os dois. Faça outra experiência. Fixe o ponto final deste parágrafo primeiro com um olho (feche o outro) e depois ao contrário. A convergência precisa faz que essa "dupla visão" pareça uma só visão.

Enfim, olhe para longe fechando um dos olhos e depois o outro: são duas imagens nitidamente diferentes, mas – felizmente! – só vemos uma. Se os olhos não estiverem voltados rigorosamente para o mesmo ponto, você verá duas imagens, como o estrábico.

Basta um desvio bem pequeno!

A ilusão de ver "tudo" muito bem decorre da velocidade dos movimentos dos olhos, da rapidez com que eles percorrem qualquer coisa que se mova no campo visual, ou com que se movem para qualquer ponto deste.

No momento seguinte ao da fixação – há fotos a esse respeito –, as máculas são levadas a fazer um ziguezague minúsculo e velocíssimo em torno do objeto que interessa – tão rápido que, em centésimos de segundo, elas "desenharam" o objeto (no cérebro) e você o vê inteiro.

É bem semelhante ao ponto eletrônico (feixe de elétrons) que desenha toda a tela de TV em milésimos de segundo. O olhar "desenha" bem mais devagar, mas suficientemente depressa para permitir a boa coordenação de movimentos, se eles forem necessários.

Experimente, agora, de outro modo. Embora veja bem mal quanto à nitidez, a periferia da retina é muito mais sensível a movimentos do que a fóvea. Assista a um jogo de futebol na TV fixando o olhar em um dos cantos da tela. O quadro fica ligeiramente embaçado, porém são mais bem percebidos os movimentos.

Mas a periferia é muito – muito! – maior que a fóvea e capta movimentos em quase meia esfera de campo visual. Qualquer movimento nessa meia esfera ou qualquer objeto "interessante", e os olhos "apontam" instantaneamente para ele, examinando-o com cuidado – e rapidamente.

É lá que pode estar o predador e, daí para a frente, é preciso não perdê-lo de vista...

(O que está parado, o que está longe ou o que é muito pequeno não costuma ameaçar. Posso até desfocar, deixar de ver com nitidez.)

Voltemos à fixação. Para que você perceba tudo que importa no campo visual, é preciso que as duas linhas que partem das duas máculas (visão máxima) se encontrem, se fixem ou se movam juntas no ponto ou no objeto tido como importante no momento, esteja ele parado ou em movimento.

É necessário que essa convergência de considerável precisão se mantenha durante qualquer movimento dos olhos – e da cabeça, do corpo e do objeto!

É preciso, também, que o cristalino (a lente) esteja bem focado no objeto e a luz (diâmetro da pupila) não seja demasiada ou insuficiente.

Essa é a fixação ocular, para o que serve e como se faz.

Imagine a precisão necessária em relação à distância e ao sincronismo dos movimentos oculares para realizar tal façanha – os mais velozes do corpo.

A maior parte do tempo!

Insisto: são os reflexos mais velozes do sistema nervoso. E reflexo quer dizer movimento automático, praticamente instantâneo – involuntário.

É o mesmo tema da motricidade crítica: ou ela é instantânea ou é inútil – e por isso, em emergências, o cérebro (digamos que seja ele) não permite decisões conscientes.

É por isso que, com certa freqüência, ocorre estrabismo em crianças pequenas. Elas estão "treinando" esses movimentos complexos o tempo todo, e basta bem pouco para que eles se desorganizem. E, se acontece, os pais ficam preocupados, o que tende a eternizar o defeito, que é então confirmado pelo oculista, receitando óculos para a criança e eternizando efetivamente o estrabismo.

Atenção paciente e exercícios simples podem corrigir a maioria dos casos.

Na verdade, nos primeiros meses e anos de vida, os movimentos se desorganizam – e corrigem – muitas e muitas vezes por dia. É assim que "eles" aprendem: errando-e-corrigindo.

Bom saber: os globos oculares são duas esferas quase perfeitas situadas dentro de "cálices" de tecido conjuntivo que os acolhem por trás com precisão, permitindo que se movam com grande rapidez e quase sem inércia.

Seis músculos surpreendentemente poderosos movem essas esferas quase sem peso.

Por que tal discrepância se a natureza é tão econômica? Por que músculos tão poderosos para mover algo tão leve? Porque os olhos se movem sempre juntos e, se preciso, movem-se com extrema velocidade e de modo complexamente conjugado – quase nunca em paralelo, quase sempre convergindo em um ponto que tantas vezes está em movimento!

A esta altura, o leitor bem poderia pensar: "Tudo bem, Gaiarsa. Interessante. Mas o que a convergência ocular tem que ver com educação ou com psicologia?"

A convergência ocular é o principal indicador – e realizador! – do "prestar atenção", ou do "estar atento", "estar presente", "manter o foco" da concentração (todas essas expressões são praticamente sinônimos).

Por que a visão é tão... complicada?

Não seria melhor ou mais fácil ver sempre tudo com clareza? A ave de rapina pode nos responder: uma águia voando a mais de mil metros de altura jamais veria um rato ou um coelho se este não se mexesse. O movimento da presa é percebido pela periferia da retina e logo após ocorre a convergência ocular sobre a presa.

Desse momento em diante, todos os movimentos da águia serão controlados pelos olhos.

Por isto a representação cortical da mácula é maior que a representação de toda a retina: para que ela possa ligar-se a muitos centros motores a fim de organizar o movimento, seguir uma direção precisa sem confundir o ponto de atenção com o cenário. Se todo o cenário fosse visto da mesma forma, o movimento não teria direção e seria impossível fixar um ponto.

Para mim, esse modelo responde à pergunta: por que a mácula é tão minúscula? Sem um foco visual preciso, não é possível organizar movimentos complexos, rápidos ou novos.

Nem seguir uma direção...

Pense no tênis, no pingue-pongue, no futebol, no vôlei...

Visão e movimento – quantas vezes terei de dizer! – formam uma unidade indissolúvel. Uma não tem sentido sem a outra e ambas são o Anjo da Guarda da Vida para todos os animais superiores.

De novo, olhar preciso e movimento formam uma unidade. A visão panorâmica (global, periférica) tornaria difícil – ou demorada – a escolha de um objeto, uma direção.

Estou repisando frases que a um primeiro exame se mostram de todo convincentes, a descrição do óbvio. Posso estar sendo até aborrecido.

No entanto, acredite se quiser, você não sabe o quanto me custou juntar essas coisas e quantos textos e frases eu ouvi relacionados com a famosa fóvea que não chegavam a essa clareza.

A mácula não serve primariamente para ver, e sim para marcar, escolher a direção dentro do amplo – mas pouco nítido – cenário abrangido pelos campos visuais das retinas periféricas.

E você não sabe o quanto esses fatos mais do que evidentes são sistematicamente omitidos, ignorados ou negados em quase todos os estudos de psicologia, de sociologia e até de fisiologia cerebral. Omitidos ou dissociados – movimento desligado dos olhos e olhar desligado dos movimentos.

POR QUE TANTOS SONÂMBULOS?
(POR QUE É TÃO DIFÍCIL CONCENTRAR-SE?)

Melhor seria dizer: por que perdemos essa capacidade, que todos os animais exibem – e ai deles se não estiverem atentos?

Os distraídos foram comidos e só sobreviveram os mais presentes, os mais vivos!

A meu ver e à luz do que já foi dito, creio que a "culpa" dessa perda irreparável é da palavra, da monotonia da vida, das mães (e seus conselhos repetidos) e dos professores e escolas (das aulas sem interesse).

Da palavra: as pessoas acham que dizendo, explicando e repetindo acabará acontecendo o que elas esperam – ou o que estão aconselhando. Na verdade, a repetição gera tédio e distração, levando a pessoa a não ouvir mais o que lhe dizem.

"Menino, preste atenção!", e a professora acredita que, se o menino olhar para o quadro-negro, estará atento...

O remédio é um só: é preciso que o lar (os pais), a escola, as matérias e os professores sejam interessantes – ou estejam interessados no que fazem e dizem.

Caso contrário, o mal será irremediável e tenderá a generalizar-se, produzindo mortos-vivos em série, alienados.

Mas o desinteresse em aprender (na escola) e em ouvir conselhos familiares mil vezes repetidos é sutilmente maligno. O que se ouve "sem prestar atenção" acontece sem que o sujeito perceba – inconscientemente, diria mestre Freud.

É o princípio em que se baseia a sugestão hipnótica.

SOLUÇÃO DO MISTÉRIO
OU O SEGREDO DA CEGUEIRA COLETIVA

Agora, o leitor familiarizado com textos de pedagogia e sociologia ficará deveras perplexo.

Precisamos aprender algo sobre hipnose e transe hipnótico.

É fundamental para compreender a... socialização.

Se solicitarmos a alguém que fixe o olhar em algo sem interesse e ao mesmo tempo formos lhe dizendo frases sugestivas de relaxamento, 90% das pessoas entram em transe hipnótico – que bem pode ser chamado de **"estado de obediência automática"** *(a instruções verbais).*

Obedecendo às sugestões do hipnotizador, a pessoa executará ações inusitadas e até ridículas.

(Mas não cometerá ações criminosas.)

E mais: se durante o transe o operador sugerir que, após acordar, a pessoa fará isso ou aquilo, é altamente provável que ela o faça, até com tempo marcado! Por exemplo: "Três minutos depois de acordar, você tirará os sapatos e as meias pedindo uma bacia com água para lavar os pés".

E é fascinante ouvir, depois, as "explicações" dadas pela pessoa sobre o que fez, bastante fora de contexto ou de oportunidade. Em vez de se declarar perplexa com seus atos, ela inventará as explicações mais inverossímeis, ditas com a mais engraçada falta de naturalidade, mas tentando parecer natural. Uma comédia de alto nível.

(Trata-se de uma demonstração experimental do que é "racionalização".)

Nove de cada dez pessoas obedecerão a ordens ridículas mesmo diante do espanto divertido dos circunstantes. E note-se: o ridículo é um dos mais poderosos inibidores... sociais!

Os tratadistas, porém, não dizem o principal do processo: é essencial fixar os olhos *"em nada"*, *e com isso desarmamos todo o aparelho locomotor, todo o alerta e toda a intenção. "Apagamos" a intenção e "desligamos" a motricidade.*

Só permanece a consciência verbal.

Daí a passividade e a entrega cega à palavra.

Bem ouvidas, 90% das palavras faladas no cotidiano são assim: desligadas do momento, da intenção. Repetição automática às repetições automáticas dos circunstantes, que passaram pelo mesmo processo.

Tudo isso sem a menor violência e, no entanto, mais eficiente do que a "pedagogia" do filme *Laranja mecânica* – quando se pretende impor uniformidade de "pensamento" (de palavras).

Na hipnose, a pessoa estará então sob controle apenas das palavras, o que demonstra seu poder – *mas somente se você estiver "sem intenção"*. Por isso, o morto-vivo, no cotidiano, anda pela vida em automático e falando, falando, falando, quase sem saber o quê.

Onde ou como acontece a sugestão hipnótica coletiva (não reconhecida, porém)?

Em família, quase tudo e quase todos se repetem: a casa, as falas, as rotinas. Vivem todos, no lar, como sonâmbulos, mal prestando atenção ao que quer que seja (a não ser à TV ou ao celular).

Além disso, temos os conselhos maternos (ou paternos) "mil vezes repetidos".

Depois de cinco ou dez repetições, o garoto continua a olhar para a mãe, mas já está em transe; seus olhos perderam a convergência, ele já está "olhando para lugar nenhum" e... paralítico (imóvel).

As falas maternas estão sendo gravadas e vão se tornar a "voz da consciência". Não sei se ele fará como ela disse (ele mal compreendeu!), mas sempre que lhe ocorrer fazer algo proibido a voz da mamãe será ouvida – e ele desistirá de seu propósito.

O processo continua na escola sempre que a aula, o professor ou o assunto não despertarem o interesse da criança. Ela ouvirá as aulas "em transe" (imobilidade corporal e olhar desfocado) e, mais tarde, embora possa até repetir muito do que ouviu, na verdade não saberá do que está falando...

"Saber os nomes não é conhecer a coisa", lembra-se?

A fim de intensificar o estado de obediência hipnótica (raiz deveras profunda da socialização), exige-se a imobilidade durante a "lição" – o que era escandalosamente evidente na antiga educação inglesa e também entre nós, no passado. Verdade também no treinamento de todas as forças militares do mundo (obediência automática a alguém que passa a ser "minha vontade").

Escola: permaneça sentado, não se mexa e fique ouvindo o que não lhe interessa.

Penso até que a inquietação dos alunos, da qual hoje ouço falar, bem pode ser uma defesa contra a memorização compulsória – sem sentido e sem propósito.

Gostaria muito que pedagogos e demais responsáveis pela educação compreendessem este trecho inusitado de meu livro. Ele é demasiado importante para evitar a formação de robôs falantes que não sabem o que estão dizendo e, na certa, não sabem o que estão pensando nem sentindo.

Ou, ainda: não pensam nem sentem; não há neles um "eu" bem definido!

Porque, neles, a palavra ficou desligada tanto da visão quanto dos movimentos. Serve apenas para falar, e não para significar, apontar, pensar, esclarecer, organizar, orientar. Mesmo que sonora, é uma letra tão morta quanto a dos livros na estante.

Essa mesma explicação torna meridianamente claro por que as frases feitas relativas a preconceitos podem ser tão operantes apesar de nada terem que ver com a realidade.

Processo de todo análogo – agora coletivo –, acaba tendo o mesmo efeito. Se mil pessoas repetem a mesma frase cem vezes cada uma, ela vai se tornar "A VERDADE" para todos – e para sempre.

Quem discorda está se opondo a uma multidão inumerável.

É dantesco, mas "explica" muito bem o nazismo, a falácia da raça pura, da predestinação do sangue germânico...

Explica ainda mais a família: a mãe, o pai e o filho.

Explica a democracia em um mundo incrivelmente desigual.

Por que será que o Deus cristão é três em um: o Pai, o Filho e o Espírito Santo?

O Deus hindu também: Brama, Shiva e Vishnu. Coincidência, é claro...

VOLTANDO À TERRA

Decênios atrás, o oftalmologista americano Dr. William Bates propôs o movimento "Veja melhor sem óculos" (seus livros ainda podem ser encontrados nas livrarias). Suas idéias foram adotadas e ampliadas por um mestre hindu.

Conheci o método e cheguei a praticá-lo – de leve. Hoje posso dizer: o método consiste essencialmente em retreinar deliberada e voluntariamente a fixação ocular, em percorrer com os olhos atentamente figuras ou quadros.

Parte dos defeitos da visão (miopia, astigmatismo e hipermetropia, até estrabismo) se deve à imprecisão ou à fixação imperfeita dos olhos, imperfeições no processo de aprendizado infantil da convergência ocular.

Se as linhas que vão da mácula não convergirem em um ponto do campo visual, a visão será confusa (a periferia da retina tem um décimo da acuidade visual da mácula). Além disso ou por causa disso, a organização da ação se torna igualmente precária – e, de novo, as pessoas passarão a esperar demais das palavras.

A mesma dificuldade (os mesmos defeitos visuais) pode dever-se a tensões anômalas – emocionais – nos músculos motores dos globos oculares.

Os globos oculares são esféricos e situados em dois "cálices" de tecido conjuntivo aos quais se adaptam perfeitamente. Seus músculos motores compõem-se de quatro retos e dois oblíquos. Os retos se prendem no "equador" dos globos: dois, opostos, nos extremos do diâmetro horizontal; e dois nos extremos do eixo vertical. Quando se contraem simultaneamente, puxam o globo para o fundo. São bastante poderosos para achatá-lo em certa medida.

Os oblíquos abraçam o equador dos globos e, se contraídos, podem fazer que o globo se alongue (aumente o diâmetro ântero-posterior).

O olhar é o dispositivo número um da vigilância, isto é, facilmente se coloca em tensão de alerta quando as pessoas entram em situações de risco – um pai autoritário, por exemplo, ou um irmão mais velho e abusivo, uma professora chata, uma mãe vigilante "ensinando" a toda hora.

O próprio Bates, muito mais gente e eu já nos perguntamos: por que tantas pessoas usam óculos?

Por que precisam de lentes para "ajustar o foco", ou seja, alinhar a convergência ocular? (É isso que as lentes fazem.)

Segundo a explicação padrão desses defeitos, os globos oculares cresceriam mais em uma direção (digamos, ântero-posterior) do que em outra (transversal). Sempre me pareceu que essa explicação referia-se mais ao estado final do que ao processo. Diz-se que eles crescem mais em um diâmetro do que em outro (está em livros de oftalmologia). Na verdade, a tensão crônica dos músculos oculares faz parte do alerta, e pessoas cronicamente medrosas ou muito prevenidas podem manter os músculos oculares cronicamente contraídos, seja achatando-os ao longo do diâmetro transversal, seja alongando-os no sentido ântero-posterior, conforme o grupo muscular tenso.

A história começa cedo. Ninguém se preocupou em treinar o recém-nascido a ir ajustando o foco, convergindo os olhos, desde o começo.

Fazemos, sim, o contrário. A criança, no berço ou no colo, fica vagueando os olhos ao léu, e Doman mostrou que até mais ou menos 1 ano a criança tem pouco ou nenhum estímulo para variar a convergência – a menos que se estimulem os movimentos oculares.

O rastejar e depois o engatinhar trazem consigo essa focalização. A criança começa desde cedo a escolher para onde vai: olhando primeiro, "fixando" um objeto, avaliando a distância...

Não se dá à criança a oportunidade de se locomover amplamente e, desse modo, a convergência acaba pouco "treinada".
Mas há fatores que os Institutos ignoram.
Primeiro, o ambiente do lar, sempre o mesmo, pequeno para a necessidade de variação da criança. Poucas coisas a ver – sempre as mesmas! Pouco espaço para a criança se mexer (o famoso chiqueirinho!).
As pessoas também são sempre as mesmas e elas se repetem demais, nos gestos, modos, falas...
Repetindo, em nova paisagem: **baixo estímulo para aguçar a curiosidade, para procurar, e poucas oportunidades para variar.**
Só focamos o olhar no que nos ameaça ou no que nos interessa.
Continua o transe hipnótico no lar, anos a fio, e logo depois os dez anos na escola entediante: o olhar sem ver e a aceitação passiva, indiscriminada, do que se ouve e vê.
No mundo de hoje, ao que já disse é preciso somar o cinema, a TV e a tela do computador. Embora em certa medida mais interessantes, as três imagens encontram-se no mesmo plano, mantendo um foco preguiçoso sempre a igual distância.
Não trazem a noção de espaço nem permitem variedade de movimentos.
Depois, a linha de montagem, tão automática que pode ser executada por máquinas. Movimentos sempre iguais e sem nenhuma necessidade de "prestar atenção". Ao contrário: se o operador prestar atenção, poderá atrasar a linha de montagem...
A maior parte dos aparelhos domésticos, de laboratório ou de lazer é oferecida já com alto nível de automação. Basta apertar botões e, no máximo, regular uma variável.
Enfim, meu drama: para falar, não é preciso fixar o olhar em nada.
Nem para fora nem para dentro!
Confirmação pelo oposto: quase todos já tiveram a experiên-

cia de falar com uma pessoa ou pessoas amigas no escuro, dormindo no mesmo quarto. São as conversas mais verdadeiras e íntimas, pois no escuro o olhar não pode ver – nem controlar!

Então, o transe (o automático) se atenua, a pessoa pensa-e-sente o que está dizendo e a conversa se faz deveras íntima. A voz – a música da voz – vem inteira, do peito, da respiração, do coração, do íntimo!

ATENÇÃO – CONCENTRAÇÃO

A atenção é um fenômeno por demais sutil, e nada do que li até hoje sobre ela me satisfez.

Primeiro, porque ela é versátil e flutuante na direção (ou no objeto), podendo deslocar-se instantaneamente de uma imagem no campo visual para uma palavra que se ouça, um sabor que se sinta, uma coceira incômoda, uma música...

Segundo, porque o termo "foco" se aplica muito bem a ela, ficando claro subjetivamente que, ao tentar "focar" ou manter o foco em um fato, palavra ou sensação, tudo se passa, na consciência, como se dependesse de mim aproximar uma lente do objeto da atenção. Exatamente como eu faria com uma lente de verdade, ao tentar achar o ponto (a distância) de nitidez máxima do que estou... focalizando!

É por isto, porque a atenção pode mudar praticamente de direção e de intensidade sem inércia, de objeto para objeto, de campo sensorial para campo sensorial, que experiências "objetivas" sobre a atenção sempre deixarão a desejar, uma vez que tendem a isolar e fixar uma das variáveis da situação.

Imobilizar todas essas variáveis é o tema do Zen: como fazer a consciência (a atenção) parar, sem perder a consciência!

Tecnicamente, a resposta é clara: a fim de "parar" a consciência (ou a atenção) é preciso concretamente parar os movimentos oculares, "desligar" os ouvidos e eliminar todas as palavras da consciência...

Os olhos são as sentinelas sempre vigilantes, sempre prontas a detectar qualquer sinal de ameaça – ou de promessa –, passando a atenção facilmente para o ouvido se um som ou uma palavra aparecerem na cena. Mas retornando instantaneamente para a coisa, pois sons não agridem.

Entre nós, seres humanos, essa passagem ou permanência da atenção nos ouvidos é por demais freqüente depois que palavras começaram a se tornar até mais perigosas do que outros sinais sensoriais de ameaça – ou de promessa.

Na verdade, parte "secreta" do drama humano é esta: como regra, estamos muito mais atentos às palavras do que aos olhos.

Por tudo isso, os olhos perdem facilmente a convergência precisa, perdem a capacidade de se concentrar, de realizar com precisão a convergência ocular – a capacidade de manter o foco ou apenas a capacidade de ver o que há para ser visto, com o máximo de clareza. O "homem normal" permanece meio alheado, "distraído", na maior parte do tempo.

Mestre Goethe, em seu leito de morte, disse: "O mais difícil de fazer é ver o que está bem à nossa frente".

O estado mais alto do... espírito é o estar atento, concentrado, presente e inteiro no aqui-e-agora.

Paradoxo: os animais estão sempre assim – e os que se distraíram foram comidos!

Esse é o último ato do drama, do conflito entre o ver e o falar, entre a visão e a falação. Esta última *divide* nossa atenção entre o ver e o ouvir e, para muitos, durante quase todo o tempo, a maior parte da atenção fica nas palavras.

Cabe aqui outro número incalculável de frases absolutamente inúteis e, apesar disso, repetidas milhões de vezes diariamente, no mundo todo.

A tragicomédia iniciava-se na escola. Era o "Preste atenção, menino".

Nunca se pergunta como se faz para "Prestar atenção".

Pressupunha-se que bastava falar e a criança o faria. Ou

seja, que "prestar atenção" é fácil: é só... querer! É só olhar para a professora – mesmo sem vê-la.

Outra frase de sonâmbulo que mal sabe o que está dizendo.

Poucos se dão conta de que o "querer" é tão problemático quanto o "prestar atenção", e aí vai mais fala vazia! São duas ações sutis, difíceis. E, para realizá-las, é preciso ou estar espontaneamente interessado ou fazer treinamentos demorados a fim de conseguir permanecer concentrado.

Vivemos "dando conselhos" sábios e inúteis, fáceis de falar e muito difíceis de realizar (o pressuposto do sonâmbulo é que são fáceis de fazer).

"Tire essa bobagem da cabeça! É uma cisma sua!" Mas ninguém sabe *como se faz* para "tirar uma cisma da cabeça". É tão difícil quanto seu complemento: "Ponha isso na cabeça, entendeu?"

A busca do culpado, paralela à denúncia de erros (antigamente "pecados"), ocupa toda a atividade dos tribunais, assim como de mais da metade das conversas das pessoas. Saber quão difícil é dizer quem é o culpado – parece tão fácil! – pode ser avaliado pela complicação incrível das leis e pelas falações complexas e intermináveis dos julgamentos em tribunal.

É o passatempo dos que jamais se acreditarão culpados...

O culpado maior ou mais freqüente é com certeza o Governo. Sobre ele, Jung, um de meus mestres, formulou opinião definitiva: "O Governo é o bode expiatório da incompetência coletiva"...

Buscar o culpado é o primeiro passo na organização da agressão, já que podemos agredi-lo.

Ao mesmo tempo, apareço eu como justo, correto, cidadão modelar.

Estou defendendo a sociedade!

Permanecemos continuamente no palco social, uma vez que, negando a visão e atendo-nos demais à palavra, a visão reaparece exatamente deste modo: no palco social que nos governa muito mais – muito mais – do que estamos dispostos a reconhecer!

Não vemos indivíduos (mal damos atenção às diferenças entre as aparências das pessoas), mas percebemos com facilidade aqueles que estão "errados", fazendo o que não se deve, o que não é certo, deixando de cumprir o contrato social (a encenação coletiva)!

Os que saem do papel (social).
Os que saem da estatística!
Os que erram o passo...

De outra parte, vivemos adorando os personagens públicos, as pessoas que a qualquer título conseguem notoriedade.

Por tudo isso, é muito difícil "voltar para a realidade" ou apenas "começar a ver" – a ver! – "a realidade".

Frase clássica: as palavras e as coisas.

Cada coisa uma palavra, igual para todos, ou que todos dizem usando a mesma palavra – e portanto com o mesmo significado.

Imagine se isso pode ser verdade!

A verdade visual: o que se vê mesmo, olhando bem e com atenção para as pessoas, é que cada uma é diferente de todas as demais; cada modo de falar é diferente de todos os demais modos, conforme o contexto, o interlocutor, o tema...

Assim, exagerando: as mesmas palavras nunca têm o mesmo sentido...

O psicanalista que o diga.

A ATENÇÃO FAZ O CÉREBRO

Desde o começo, estive dizendo que o cérebro não "se" desenvolve por determinação própria ou hereditária, como se diz ainda hoje em textos já ultrapassados de neurofisiologia (e de embriologia).

Os achados e práticas dos Institutos (e de outros) vêm negando radicalmente essa concepção.

Se o leitor se lembra das duas adaptações para as quais o cérebro foi ou é feito, tudo ficará claro.

O cérebro é o órgão das duas adaptações – ao ecossistema e ao momento. Não é de estranhar que ele vá integrando como estrutura as experiências pelas quais o indivíduo passa ou vive. Que ele vá se formando em função da experiência.

A estrutura cerebral é o retrato – ou o filme – de todas as experiências pelas quais a pessoa passa; a atenção é o foco do "câmera" interior, que escolhe o que gravar.

As diferenças e semelhanças entre cérebros dependem desta experiência e, se há certa uniformidade em sua estrutura, é porque ela depende da... motricidade – e da visão! Motricidade que é vital e dada em função da estrutura esquelética e da gravidade. Trata-se da primeira e mais fundamental das adaptações de qualquer animal em nosso mundo, porque o movimento é essencial à sobrevivência e porque temos massa complexamente distribuída pelas várias partes do corpo – e nos movemos em um campo gravitacional com o risco permanente de "cair" a qualquer momento.

Assinalei anteriormente o quanto são homólogos, nos mamíferos, os ossos e os músculos.

Compare a massa de um rato à de um elefante. O cérebro será bem parecido em ambos, mas terá volume proporcional principalmente à massa muscular.

Músculos e ossos perfazem mais de 60% de nossa massa e é essa a massa que os neurônios motores têm de mover.

E, repetindo, como a estrutura motora dos mamíferos é homóloga em todos eles, os cérebros são muito mais semelhantes do que diferentes, ainda que seus volumes possam ser bem distintos.

A mais: para os mamíferos, não menos fundamental é a visão, sem a qual o movimento não tem direção – sem ela, nada pode ser encontrado, de nada se pode fugir e quase nada se pode fazer.

Por isso, o cérebro é visão-e-movimento, conforme já assinalei – até demais!

A atenção funciona, em relação ao cérebro, como o pincel do pintor: vai "desenhando" as ligações neuronais (na verdade, estabelecendo-as).

Se a experiência se repete, ou se presto atenção sempre às mesmas coisas ou ações, os traços vão se reforçando. Se me atenho (se presto atenção) às diferenças, o desenho, as ligações neuronais vão se ampliando ou complicando.

De há muito, assistindo a documentários sobre a natureza na TV, eu oscilava entre a visão do que me era mostrado na tela e o fato de lembrar, vez ou outra, que havia uma câmera (e um operador) filmando as andanças do protagonista.

Por vezes, essa diferença se torna ridícula, como no caso de um "herói" supostamente solitário passando fome e frio – e sendo filmado por uma equipe...

Assim até eu sou herói!

O câmera funciona claramente como a atenção, focando "o que interessa", naquele momento! O mesmo acontece em qualquer filme. O diretor age como o olhar que escolhe o ângulo, a distância, a luz...

Bem poucas pessoas conseguem compreender essa situação.

O diretor é a encarnação da consciência e da atenção!

Volto insistentemente aos meditativos hindus e ao que disseram sobre a concentração, a capacidade de dirigir a atenção e/ou de mantê-la "em foco" – o quanto é difícil e o quanto é preciso fazer para conseguir esse resultado.

Prova-se assim, pelo oposto, quão fácil é viver desatento...

Manter o foco é gerar dendritos, ou reforçar os axônios (aumentar seu diâmetro). Ou atenuar ligações indesejadas prestando atenção a outro foco.

Hoje, muitos laboratórios de fisiologia vêm registrando a atividade cerebral dos meditativos, e sua capacidade de mudar o funcionamento do cérebro está fora de discussão.

Além disso, o aumento do número de pessoas idosas está intensificando estudos que revelam progressos nas conexões neuronais apesar da idade e técnicas capazes de facilitar o desenvolvimento do cérebro – apesar da idade.

A PSICOTERAPIA COMO SINTOMA DO FIM DOS TEMPOS

No século XX foram elaboradas mais teorias sobre a neurose (indiretamente, sobre psicologia) do que em qualquer outro século.

O pressuposto coletivo – inconsciente – é que esse progresso não era específico; apenas fazia parte do avanço geral das ciências, em especial as da saúde. A neurose era tida clara e definidamente como "doença", talvez devido ao fato de muitas de suas manifestações serem sintomas corporais (hoje, moléstias psicossomáticas).

Acredito que se tratava de uma defesa social, uma negação contra a insegurança social crescente, uma vez que as sociedades cosmopolitas estavam entrando na vertigem do progresso acelerado – e por isso todas as pessoas começavam a se sentir perdidas.

Talvez também por isso Freud tenha tido o sucesso que teve: ele oferecia uma esperança contra esse "novo" mal e, ao ver dos leigos, uma quase garantia de... cura. Mas para Freud só havia a comunicação verbal (não dava atenção nem sequer ao tom da voz).

Naquele tempo, muito mais do que hoje, era proibido ter corpo...

Se sei quase nada de Lacan, ele explorou, entre outras coisas, precisamente o "significado" dos tons de voz – ou de quantas maneiras o tom da voz e a música do dizer alteram o significado das palavras (mas ele não disse assim).

Sub-repticiamente, a respiração começava a entrar no palco (o tom da voz depende da respiração). Começávamos a ganhar uma... alma (que quer dizer "sopro").

Escondida, porém.

Então veio Wilhelm Reich, que passou *a olhar* para o paciente, a ver que ele tinha rosto e corpo! E a perceber aos poucos que tudo que Freud chamava de inconsciente era... visível – nas expressões do rosto, nos gestos e nos tons de voz.

"O" inconsciente estava... nos músculos! Na motricidade.

Mas ele não falou da reciprocidade inevitável da relação visual, o que foi bem percebido por Moreno (psicodrama):

Eu te vejo e você me vê: se você disfarçar – e se eu estiver interessado –, vou perceber, mas farei de conta que não percebi...

A mentira social é sagrada...

Reich não falou (ele não sabia) que dois terços do cérebro são motores e que, por isso, olhar para um semelhante tende incoercivelmente a nos mover.

A nos co-mover.

Mover juntos, mover aos dois.

A menos que eu me "segure".

A menos que eu me imobilize em minha máscara-postura social, em meu orgulho, em meu alheamento ou em meu medo!

E, mesmo que eu faça isso, desse modo estarei "respondendo" ao desafio da presença do outro.

Proteger-se também é responder – claro!

Se você acompanhou o que foi dito neste livro sobre a comunicação, saberá que ela é um milagre e que a palavra é apenas um pedacinho dela.

E ai de sua solidão se você pensar que a palavra diz tudo.

A famosa "relação" é difícil por ser extremamente variável de pessoa a pessoa, conforme as circunstâncias, inclusive quando as pessoas são "as mesmas" (nunca somos os mesmos, ainda que não queiramos saber disso).

> Pessoalmente não sei – não sei! – se alguma pessoa pode ser inteiramente indiferente a outra pessoa.
> Acho que não.
> Se você olhar bem, não!

Por tudo isso ocorreu a separação entre o ver e o falar, entre as diferenças (visuais) e as semelhanças (palavras). Entre os indivíduos e as classes e categorias sociais.

Hoje, porém, as coisas, o mundo, a "realidade" estão mudando, e estamos sendo insistentemente convidados – compelidos – a ver.

A voltar a ver.

E a ver depressa!

Na verdade, a ativar o animal!

O limite da adesão à palavra reside na convicção ainda hoje demasiado difundida em todo o mundo ocidental: tudo que importa para a humanidade está escrito na Bíblia...

Agora, porém... 1900/2010: **faça-se aluz.**

SEGUNDO ATO

Lembre-se, leitor: você conhece pouco e mal sua aparência exterior, seus gestos, atitudes e expressões faciais, e isso é tudo que o outro está vendo ("conhecendo") de você – muito além das palavras.

Essa declaração do evidente tem sido sistematicamente omitida ou negada, tanto pela psicologia acadêmica quanto pela popular. ("Quem vê cara não vê coração.")

Estive falando amplamente dos desentendimentos humanos e de suas origens, sobre a atenção dada muito mais às palavras que à visão das expressões faciais e corporais do outro. Esses fatos, de si evidentes (visíveis), até hoje foram negados ou subestimados porque, se aceitos, comprometeriam seriamente todas as hierarquias de poder – da família, do Estado, da Igreja, da empresa.

Se as pessoas soubessem "ler" (perceber claramente) faces e tons de voz, ninguém enganaria ninguém e toda a hipocrisia social – garantia básica do convívio convencional – ficaria gravemente comprometida.

Os "maus sentimentos", a falsidade e as mentiras de todos seriam percebidos!

Por isso, a comunicação não-verbal é pouco estudada, pouco falada e reconhecida. Trata-se de um perigo social e, uma vez reconhecida e exercitada, levaria à maior revolução pacífica (?) de todos os tempos.

Dir-se-ia que o século XX foi designado pela Providência Divina (digamos...) para atenuar ou desfazer essa repressão coletiva – negação do olhar.

Para fazer que as pessoas começassem a se olhar e a se ver.

(Ver rapidamente, já que movimentos expressivos podem ser muito rápidos.)

Muitos "movimentos" no computador também podem ser muito rápidos, e nada impede que ele já esteja nos treinando a ver depressa! E a perceber que mesmo um sinal rápido tem sentido, produz uma resposta!

Além disso, considere: o início do século XX foi marcado pela popularização da fotografia, isto é, da *imagem visual* de cada um. E é preciso dizer assim, pois caso contrário as pessoas não juntam a palavra "fotografia" ou "retrato" com visão – não percebem que estão olhando! E quando percebem, se a foto for da própria pessoa, estranham.

"É meu retrato, já sei."

Quando reparam, podem estranhar...

Com a fotografia, é dada a possibilidade de cada um se ver "por fora" – como os outros o vêem. Narciso cristalizado!

Pouco depois, surgia o cinema e sua aceitação instantânea e explosiva, com *a imagem humana em movimento* e *closes* freqüentes, mostrando na tela os *movimentos expressivos* do rosto, bem grandes e em primeiro plano. Acentuando, como no teatro, a importância das atitudes e expressões do ator. Uma "lente" sobre as expressões corporais e faciais.

Os artistas famosos ganhavam um reconhecimento, uma aceitação e uma admiração de longe maior que a dedicada a qualquer personagem histórico.

Meu pai era um homem simples, sensato e afetivo. Lembro-me até hoje de suas palavras e de sua expressão quando, vez por outra, comentava o que havia visto no cinema. Posso dizer que ele experimentava certa perplexidade, certa dificuldade em separar o que vira no cinema da realidade do cotidiano.

"Aquilo" estava acontecendo. Ou havia acontecido!

Posso generalizar essa conclusão referindo-a à maior parte da população da época (e de hoje também, mas em outros termos – v.i.).

A desvantagem do cinema como "segunda realidade"– se falarmos em efeito de massa – consistia no fato de ser caro para fazer (filmagem), acontecer em horários restritos, em uma sala especial, exigindo aparelho de projeção e cobrando entrada.

Era, pois, bem menos acessível do que a TV.

Mas funcionou como... profeta – anunciando a televisão. O sucesso do cinema foi com certeza um estímulo econômico poderoso para o desenvolvimento da TV.

As pessoas queriam ver mais.

Ver a si mesmas, suas vidas, suas relações.

Ao mesmo tempo, no rádio (em 1935 ele apareceu em minha casa, em Santo André) iniciava-se a novela falada, profundamente intimista, estimulando a... imaginação!

É certo para mim que, seguindo o modelo do cinema, as pessoas sentiam fortemente a necessidade de *visualizar* os personagens em função dos papéis e das vozes. De novo, ocorria a intensa estimulação do visual, do imaginário, das áreas visuais do cérebro.

Paradoxo: a fala estimulando a imaginação (visão), "treinando" as pessoas a juntar tons e inflexões de voz (em situações determinadas) com a visão, com a expressão facial e corporal dos personagens. O enredo fazia a ligação.

A novela suscitava, além disso, uma variedade ilimitada de comentários e discussões sobre relações pessoais, agora generalizadas, isto é, todos falando dos mesmos personagens nas mesmas situações, o que ia muito além da conversa entre vizinhas...

Fofoca universal! Comunicação "íntima" de muitos para muitos! Milhares de projeções-e-identificações.

Desnudamente coletivo. Nu.

Abriam-se gradualmente por esse meio, para todos, os "segredos pessoais", as repressões pessoais – na verdade, sociais. Os romances exerceram influência semelhante no passado, mas de poucos para poucos – custavam caro, precisava-se saber ler e eram apenas palavras.

Sob outro ângulo, é bem sabido que, sem o rádio, não teriam acontecido nem o nazismo, nem Hitler, nem a Segunda Grande Guerra.

Há trinta anos vem ocorrendo a explosão da televisão no mundo todo, gente de todos os lugares para gente de todos os lugares mostrando o quanto somos semelhantes e o quanto somos diferentes. Em tudo: tipo físico, caras, trajes, arquitetura, cidades, veículos, música, danças.

Desigualdades.

Demasiadas desigualdades.

Destruição sistemática de categorias, classes, generalizações. Cada povo é diferente de qualquer outro – e isso é mais do que evidente!

No Brasil, mais de 90% das casas têm televisão e poucas coisas no mundo todo são tão desejadas quanto ela.

Mais tarde, veio a telenovela, ela também profundamente intimista, estimulando uma variedade ilimitada de comentários e discussões sobre relações pessoais, ampliando e concretizando a novela do rádio.

Abrindo a intimidade da cada um para todos.

Outra vez – e muito mais! – a fofoca coletiva, sobre cenas, situações e personagens de novela.

Lembre-se: fofoca coletiva é estudo e análise social sobre costumes e relacionamentos, o que multiplica as escolhas possíveis para cada indivíduo.

Maus exemplos...

Quero dizer: antes de tomar uma decisão pessoal não muito ortodoxa, já tenho, nos personagens da novela e nos comentários coletivos, um parecer sobre a aceitação de minha escolha. Os comentários populares funcionam como uma estatística, dizendo o que a maioria aceita – ou não aceita – e em que circunstâncias.

A alma da fofoca tradicional era de um ou de poucos sobre um, ou contra um ou uma!

Mas quero acentuar: o "imaginário", hoje muito falado nas análises sociais, é... imagem, é visual, é na certa "filho" do cinema e, sobretudo, da TV.

Para evitar ambigüidades: imaginário é uma "coisa" que *estou vendo*, que está *na frente de meus olhos!!!* Se não for dito assim, muitos pensarão que imaginário refere-se apenas à imaginação – à fantasia de cada um –, e não ao que muitos podem ver.

Enfim, repito o duplo efeito do visual: de um lado, prepara ou predispõe à ação e, de outro, contextualiza a palavra, dá sentido "claro" ao que é dito.

O que se diz "em situação" e com personagens definidos é muito menos equívoco do que aquilo que se diz em diálogo apenas verbal ou em texto escrito.

A humanidade, pois, "está abrindo os olhos", está começando "a ver a luz"...

Junto com a iluminação do... espírito, começava a iluminação do mundo. Já dissemos um quase nada a respeito.

Bem no começo do século, a eletricidade começou a iluminar as cidades e os lares com luz clara e homogênea – bem diferente de velas e lampiões...

Luz quase sem sombras fantasmagóricas...

A iluminar o mundo – pense nessa frase, leitor.

Thomas Edison podia dizer: "Eu sou a Luz do mundo".

Ao mesmo tempo, explodiam também as revistas, com fotos de mulheres cada vez mais nítidas e mais bonitas – e mais baratas (as revistas)! Mulheres cada vez mais nuas, como nós, homens, sempre desejamos vê-las (e elas sempre desejaram se mostrar). Em seguida, o computador com seu número incalculável de ícones em cada quadro, e a cada clique abrindo-se outro quadro com mais ícones... Estímulo persistente para acelerar a percepção, para escolher com rapidez pormenores deveras mínimos.

Nos *videogames* acontece o mesmo, mas de forma muito pior! Rapidíssimos: veja-faça.

Somando o cinema (os *closes*), as fotos, os ícones etc., tudo está nos levando a perceber cada vez melhor – a ver! – as microexpressões, os "segredos" do inconsciente de cada um!

Ou, em uma generalização vertiginosa: a inconsciência coletiva vem se... revelando, tornando-se consciência coletiva.

Aliando-se essa onda com a internet, podemos ter a esperança de que aos poucos – mais depressa do que se imagina – estaremos todos influindo sobre a história, com um poder maior do que o poder dos poderosos.

Some-se ainda a multiplicação dos celulares e outros aparelhos em miniaturas multifuncionais de alta precisão e altíssima velocidade – comparável à dos *videogames* –, multiplicando a comunicação de qualquer um com qualquer um, facilitando a formação de *grupos de afinidade*.

O GPS permitindo encontros de hora marcada em lugares determinados, para quantos estiverem interessados.

Isso é que é democracia!

As danças! Agora separados, "cada um na sua", mas se olhando. Como "compreender" o outro ou como "dialogar" com ele por meio de movimentos, olhares, meneios – sem palavras...

E a tempestade motora iniciada por Michael Jackson, a completa desestruturação do controle, de todo gesto premeditado, ensaiado, calculado, artificial...

Afrouxamento das poses e dos papéis sociais.

Agitação frenética de todos os pilares das posturas "sérias" ou formais, facilitando a formação de novas atitudes.

Pinóquio começando a virar menino, embaraçando todos os cordéis do bom comportamento...

Desrespeito completo às poses cerimoniais, ligadas aos papéis sociais com sua solenidade e seriedade, ótimas para esconder tudo que de péssimo faziam – e fazem – os "altos" personagens e a "alta" sociedade. Gradual emergência da individualidade: veste-se cada um como lhe apraz, ausência da "moda". Dança cada um a seu modo.

Estão surgindo outras maneiras de se situar ante a famosa "realidade" e mil meios de comunicação tanto de um para um, como de um para muitos e de muitos para muitos. Quase sem querer e quase sem pensar, estamos nos tornando bem mais solidários do que jamais fomos, tanto por medo dos psicopatas que sempre nos governaram e exploraram quanto por uma consciência em ampliação, **segundo a qual todos estamos fazendo tudo que está acontecendo.**

Juntos, talvez se torne possível a salvação.

Para encerrar o tema deste longo ensaio (que é Educação), não esqueça: hoje, estamos sendo "educados" pelos meios de comunicação de massa e indo muito além de tudo que se imagina como educação feita "de propósito", em que poucos (os Ministérios da Educação) acreditam poder ensinar a muitos (o povo) as mesmas coisas inúteis que sempre tentaram ensinar, a fim de que ninguém começasse a pensar no que é importante:

NÓS

E o que está sendo feito conosco.
E o que permitimos que façam conosco.
E o que estamos fazendo – ou não fazendo
   – conosco
e com nossas crianças.

POSFÁCIO

O que diz Glenn Doman sobre tudo que aprendeu ensinando crianças (adaptado quase sem alterações).

Temos o dever de dizer a cada Mãe e a cada Pai vivos o que aprendemos.

1. É fácil e divertido ensinar uma criança de 12 meses a ler.
2. É fácil e divertido para uma criança de um ano aprender Matemática (melhor do que eu – diz o próprio Glenn).
3. É fácil e agradável ensinar uma criança de um ano a ler e a entender um idioma estrangeiro (até dois ou três, se você quiser).
4. É fácil e divertido ensinar uma criança de dois anos e meio não apenas a escrever palavras – mas histórias e peças de teatro.
5. É fácil e divertido ensinar um bebê recém-nascido a nadar (mesmo que você não saiba).
6. É fácil e divertido ensinar uma criança de um ano e meio a fazer ginástica (balé ou rolar da escada sem se machucar).
7. É fácil e agradável ensinar uma criança de um ano e meio a tocar violino, piano ou outro instrumento musical.
8. É fácil e agradável ensinar uma criança de um ano e meio acerca pássaros, flores, insetos, árvores, répteis, conchas, mamíferos, peixes. Seus nomes, identificação, classificação científica e o que mais você quiser ensinar para ela.

9. É fácil e agradável ensinar uma criança de um ano e meio acerca de Presidentes, Reis, Bandeiras, Continentes, Países e Estados.
10. É fácil e agradável ensinar crianças de um ano e meio a desenhar, pintar – ou qualquer coisa que possa ser apresentada a ela de maneira concreta e verdadeira.

Quando você ensinar pelo menos uma dessas habilidades a uma criança, a inteligência dela aumentará.

Se você for ensinando essas e mais coisas para uma criança bem novinha, sua inteligência crescerá alem de tudo que você poderia imaginar.

Quando pais que realmente amam e respeitam seus filhos lhes dão todas essas oportunidades de desenvolvimento, as crianças se mostrarão mais felizes e atenciosas do que as que não tiveram essas oportunidades.

(Glenn Doman e Janet Doman. *Como multiplicar a inteligência do seu bebê*. 4. ed. Porto Alegre: Artes e Ofícios, 1994, pp. 19-20.)